ВАЛЕНТИН БУЛГАКОВ

ВАЛЕНТИН БУЛГАКОВ

ДНЕВНИК СЕКРЕТАРЯ ЛЬВА ТОЛСТОГО

Л.Н.ТОЛСТОЙ
В ПОСЛЕДНИЙ ГОД
ЕГО ЖИЗНИ

ЗАХАРОВ
МОСКВА

УДК 82-94
ББК 84(2Рос=Рус)1
Б90

Текст публикуется по изданию:

Л.Н. Толстой в последний год его жизни.
Дневник секретаря Л.Н. Толстого
Государственное издательство
Художественной литературы
1957

Булгаков В.Ф.
Б90 Дневник секретаря Льва Толстого / Валентин Федорович
    Булгаков. — М. : «Захаров», 2017. — 352 с., илл.
    ISBN 978-5-8159-1435-3

Валентин Федорович Булгаков (1886—1966), сын чиновника из города Кузнецка, поступил на историко-филологический факультет Московского университета, однако в 1910 году бросил учебу и, будучи последователем Толстого, начал работать у него секретарем, став, таким образом, свидетелем самого драматичного (и последнего) года в его жизни. После смерти Толстого Булгаков по просьбе Софьи Андреевны помогал ей разбирать рукописи писателя, а затем несколько лет управлял музеем Толстого в Москве. Однако его активное участие в Комитете помощи голодающим в 1921 году привело к аресту и высылке из России на «философском пароходе».

В эмиграции, в Праге, он возглавил Союз русских писателей, помогал Марине Цветаевой. В 1941 году Булгаков был отправлен в баварский концлагерь Вайсенбург, откуда, после освобождения в 1945-м, вернулся в Прагу, а затем, в 1948 году, в СССР, где в течение почти двадцати лет был хранителем музея-усадьбы в Ясной Поляне.

Первое издание дневника под названием «У Л.Н. Толстого в последний год его жизни» вышло в свет в 1911 году, но так как большинство действующих лиц были еще живы, то дневник был издан в сильно сокращенном виде. В 1920 году вышло расширенное издание, но некоторые умолчания и сокращения всё же еще оставались; и, наконец, полный текст дневника увидел свет лишь в 1957-м.

ОТ АВТОРА

Я познакомился с Львом Николаевичем Толстым 23 августа 1907 года, в бытность мою студентом историко-филологического факультета Московского университета, при переходе с первого курса на второй. Затем я посетил Льва Николаевича в 1908 и в 1909 годах. В последний раз, 23 декабря 1909 года, я привез в Ясную Поляну рукопись составленного мною систематического изложения мировоззрения Толстого. У самого Льва Николаевича отношение к отдельным вопросам показано в специальных трудах. Скажем, вопрос о социальном неравенстве — в книге «Так что же нам делать?», вопрос об искусстве — в книге «Что такое искусство?», рабочий вопрос — в «Рабстве нашего времени» и т.д. В «систему», изложенную в одном основном сочинении, Лев Николаевич своих взглядов не сводил и сводить отказывался. «Если это будет нужно людям, — говорил он, — то пусть они сделают это сами».

Меня, как студента философской группы историко-филологического факультета, заинтересовала как раз эта задача, и я ее выполнил в книге «Христианская этика. Систематические очерки мировоззрения Л.Н.Толстого». Лев Николаевич помог мне в самом процессе моей работы. Именно когда мне понадобилось изложить взгляд Толстого на науку и образование и я не нашел достаточных материалов в печатных источниках, Толстой написал особую большую статью «О воспитании».

В декабре 1909 года Лев Николаевич прочел мою работу, одобрил ее и впоследствии снабдил небольшим предисловием, с которым она была дважды издана в Москве (в 1917 и 1919 годах), а также переведена на болгарский и французский языки.

При свидании со мной в Ясной Поляне в 1909 году Лев Николаевич посоветовал мне показать мою работу В.Г.Черткову, занимавшемуся издательской деятельностью.

С письмом Льва Николаевича, рекомендовавшим меня и мою работу Черткову, я посетил последнего в имении Крёкшино под Москвой. Чертков же, познакомившись с письмом Толстого и с моей работой, нашел возможным порекомендовать меня Льву Николаевичу в качестве личного секретаря.

Дело в том, что как раз незадолго перед тем, в августе 1909 года, в Ясной Поляне был арестован и сослан на два года в Пермскую губернию секретарь Толстого Н.Н.Гусев. Ему вменялась в вину рассылка по почте запрещенных цензурой сочинений Толстого. Лев Николаевич остался без «помощника» (как называл он своих секретарей). Ему помогала до известной степени его младшая дочь Александра Львовна, но помощь эта ограничивалась, главным образом, перепиской черновиков и была недостаточна. Нужен был человек, который был бы знаком с мировоззрением Толстого и мог бы самостоятельно отвечать на письма по религиозным и философским вопросам.

Кроме того, Льву Николаевичу требовалась подчас и более сложная помощь в любимой работе его последних лет — составлении сборников мыслей, излагающих его жизнепонимание. И для этой работы нужен был еще один, более опытный сотрудник. Книга моя, по-видимому, убедила Черткова, что меня можно привлечь для такого сотрудничества.

Списавшись с Толстым, Чертков через несколько дней передал мне приглашение приехать в Ясную Поляну.

— Согласны вы на это? — спросил он.

Разумеется, я был не только согласен, но совершенно счастлив получить возможность постоянной близости с человеком, к которому не мог относиться иначе, как с величайшим преклонением и любовью.

— Но вам придется жить сначала не в Ясной Поляне, а за три версты от нее, на нашем хуторе Телятинки. Там живет сейчас наш управляющий, молодой человек из крестьян, и еще двое-трое лиц. Из Телятинок вы можете хоть каждый день ездить в Ясную поляну и брать от Льва Николаевича работу, — добавил Чертков.

Имелось одно деликатное обстоятельство, препятствовавшее тому, чтобы я сразу поселился в Ясной Поляне:

это ревнивое отношение младшей дочери Толстого к появлению новых людей и особенно новых «помощников» отца в доме. От такого ревнивого чувства Александра Львовна, оказывается, была не свободна и по отношению к Н.Н.Гусеву. Так как у меня никаких «завоевательных» планов не было и я мечтал только в той или иной мере быть полезным Льву Николаевичу, то я нисколько не возражал и против того, чтобы поселиться в самых скромных условиях, в Телятинках.

Не удивился я тогда и просьбе Черткова посылать ему копии моих дневниковых записей, если я их буду вести, что он находил весьма желательным. Естественно, что административно высланный из Тульской губернии и лишенный возможности поддерживать личное общение с Толстым Чертков должен был особенно ценить любую письменную информацию о жизни в яснополянском доме.

Секретарь Черткова А.П.Сергеенко вручил мне даже несколько экземпляров английских тетрадей с тонкими и особенно прочными прокладными листами; писать следовало химическим карандашом с «копиркой», а затем отрывать копии по пунктиру и отсылать их в Крёкшино. Я обещал это делать и действительно первое время аккуратно исполнял свое обещание. Однако со временем, во вторую половину 1910 года, когда В.Г.Чертков сам появился на яснополянском горизонте и когда события в семье Толстых приняли драматический характер, я понял, как стесняла меня «цензура» со стороны Владимира Григорьевича, и под разными предлогами перестал доставлять ему копии дневника, хотя этого и требовали от меня.

Меня предупредили также, что жена Толстого по своему характеру и взглядам является совершенно чуждым, если даже не враждебным ему человеком. Это было ново для меня, тем более что при первом знакомстве Софья Андреевна произвела на меня вполне благоприятное и даже довольно сильное впечатление. Мне понравился прямой взгляд ее блестящих карих глаз, понравились ее простота, доступность, интеллигентность. Тронуло любезное и гостеприимное отношение к человеку, впервые ею увиденному, об идейной близости которого с Толстым она отлично знала. Конечно, я к ней как к жене Толстого мог относиться только с величайшим уважением, какие бы отношения ни существовали между нею и ее мужем.

Наконец все сборы окончились, я ликвидировал свои дела в Москве и переехал в Тульскую губернию. В аристократической Ясной Поляне, где, между прочим, проживала тогда старшая дочь Толстого, обаятельная и умная Татьяна Львовна, со своим мужем М.С.Сухотиным и пятилетней дочерью Таней, встретили меня не менее радушно, чем в демократических Телятинках. Я не говорю уже о самом Льве Николаевиче, но и Софья Андреевна отнеслась ко мне с прежней любезностью и, по-видимому, с полным доверием: хоть я и приехал «от Черткова», но всё же я был «московский студент», за это многое можно было простить. И только одна Александра Львовна держалась суховато. Здороваясь и прощаясь, она вежливо пожимала мне руку, но глаза ее при этом оставались суровыми, а тонкие губы на бледном лице были сжаты.

Начал я свою работу 17 января 1910 года, причем проживал сначала в Телятинках, а потом либо в Ясной Поляне, либо в Телятинках, до самой смерти Толстого 7 ноября 1910 года. Общаясь со Львом Николаевичем, я вел дневник, записи которого и составляют эту книгу.

Январь

17 января

Сегодня, в день приезда в Телятинки, я, пообедав и устроившись в моей комнате, отправился с управляющим хутора, молодым человеком, моим ровесником, в Ясную Поляну, местопребывание великого человека, с которым так неожиданно сблизила меня судьба. С собой я вез письмо Л.Н. и фотографии его с внучатами для него, для их матери Ольги Константиновны Толстой (жены Андрея Львовича) и для бабушки, Софьи Андреевны: все от Чертковых.

Но Л.Н. не оказалось дома: он гулял с родными, как я мог понять по позднейшим разговорам в столовой. Мне довольно долго пришлось ждать его в приемной. Милый дедушка вошел в валенках (пимах, по-сибирски), бодрый и свежий, только что с мороза.

— Я так рад, так рад, — говорил он, — что вы приехали. Как же, Владимир Григорьевич писал мне! И мне понадобится ваша помощь: «На каждый день»* так много требует работы... Ну, а как ваша работа? — спросил он.

Я ответил, что пока еще не исправлял ее, но надеюсь скоро это сделать. В течение вечера Л.Н. еще раз спрашивал о моей работе. Он интересовался также статьей Черткова «Две цензуры для Толстого», написанной по поводу многочисленных искажений, допущенных «Русскими ведомостями» при печатании статьи «О ложной науке».

Затем Л.Н. долго любовался присланными Чертковым фотографиями. На них были изображены Толстой и его внучата, Соня и Илюша. Толстой рассказывает детям сказку об огурце. «Шел мальчик и видит: лежит огурчик, вот такой...» и т.д. Дети смеются и с сосредоточенным любопытством смотрят на дедушку, ожидая продолжения рассказа.

— Прелестно, прелестно! — говорил он. — И как это он... захватит!.. Что это я рассказывал детям? Забыл... И ведь до какого совершенства исполнение доведено! Пойду удивить ими Соню и других.

Л.Н. шел отдыхать и просил меня подождать.

— А отчего это у вас губы сухие? Вы нездоровы? — спросил он у меня, уже выходя из комнаты.

Я отвечал, что, должно быть, устал, так как ночью плохо спал в вагоне.

— Ну, вот вы и ложитесь, — он показал мне на диван, — и отдохнете, и прекрасно! Я ведь тоже пойду спать.

— Нет, спасибо, я буду читать.

У меня в самом деле был интересный материал: письма разных лиц к Л.Н., наиболее интересные, переписанные на «ремингтоне» и присланные ему со мною Чертковым.

Вечером, после обеда, за которым присутствовало, между прочим, семейство Сухотиных, мы прошли с Л.Н. в его кабинет.

<hr>

* «На каждый день. Учение о жизни, изложенное в изречениях» — сборник, предназначенный для каждодневного чтения, над которым Толстой начал работать в 1909 году. — *Здесь и далее примечания редактора.*

— Балует меня Владимир Григорьевич, — говорил Л.Н., — вот опять прислал вас мне помогать. И я думаю, что воспользуюсь вашей помощью; думаю, что воспользуюсь.

А затем мы приступили к работе. Я привез Толстому корректуру январского выпуска «На каждый день». На первый раз он задал мне работу, которая заключалась в том, что я должен был сравнить содержание этой книжки с новым планом сборника, который был выработан Толстым уже после того, как был сдан в печать январский выпуск. Тут же Л.Н. объяснил мне сущность этой работы. Впрочем, он колебался, печатать ему дальнейшие выпуски по новому или по старому плану, по которому были составлены четыре вышедших уже выпуска. Об этом он просил спросить письменно Черткова. По новому плану он предполагал выпустить новое издание, более доступное по изложению, более популярное.

Назавтра просил приехать в двенадцать часов. Вышел проводить меня в переднюю. Мне было радостно его присутствие, и, должно быть, чтобы увеличить эту радость, видя его бодрым и здоровым, я, застегивая воротник, все-таки спросил, как он себя чувствует.

— Для моих лет хорошо! — отвечал Толстой.

Я стал говорить ему, как я себя хорошо чувствую и как я хорошо прожил эту неделю у Чертковых.

— Как я рад, как я рад! — говорил Л.Н.

В его устах эти слова были особенно трогательны, потому что видно было, чувствовалось, что он произнес их искренне, что он именно «радовался», а не отдавал только долг вежливости. Он и всё, что говорит, говорит искренне — это я знал и по его сочинениям и давно заметил в нем самом.

— Какая там атмосфера хорошая, — продолжал я.

— Хоррошая!.. — произнес Толстой тоном глубокого убеждения.

И когда я сказал, что я как-то сблизился там со всеми, хотя и жил недолго, Л.Н. заметил:

— Всех нас сближает то Одно, что в нас, общее у всех. Как все линии в центре, так все мы в Одном сходимся. — И он сблизил пальцы обеих рук. — Ну, до завтра! — поднял он высоко руку и опустил ее на мою ладонь.

Я с любовью пожал ее.

Говорил с Л.Н. после завтрака, следовательно, после того как он уже успел проработать часа четыре и был более или менее утомлен.

Он поручил мне: собрать из его сочинений мысли о неравенстве на один из дней в сборник «На каждый день», что не было сделано, как требовал того план; просмотреть корректуру январского выпуска, исправить места неудовлетворительные в литературном отношении, то есть снять повторения, уточнить неясности и т.п.

— Смелее! — добавил Л.Н.

Мне нужно было еще передать ему некоторые поручения Черткова, но, видя, что он утомлен, я осведомился:

— Вы устали, Лев Николаевич. Может быть, в другой раз?

— Нет, нет, пожалуйста, — запротестовал он, откинулся в кресле и стал слушать.

Затем мы попрощались. Толстой пошел было к себе, но вернулся.

— Вы не смотрите, что я такой мрачный: я сегодня ужасно устал! — произнес он, делая особенное ударение на слове «ужасно».

Чего уж тут было «смотреть»! Я и сам не рад был, что послушался его и остался дольше времени.

Поехал в Ясную Поляну нарочно утром, чтобы поговорить с Л.Н. до его занятий. Нет, он был уже в кабинете и просил подождать. Передавая ему собранные мною мысли о неравенстве, я заметил, что одну мысль — о том, что способность отдаваться занятиям наукой и искусством вовсе не отмечает выгодно человека, — я взял у современного философа Льва Шестова.

— Мысль очень хорошая, — сказал он.

— Лев Шестов писал против вас, но для вас это, наверное, ничего не значит?

— Конечно! Ведь помещаю же я в своей книге часто мысли Ницше.

Я прочитал ему мысль Шестова, и он согласился включить ее в «На каждый день».

Попутно я заметил, что как раз ведь особенно распространено мнение, что люди науки, искусства — особенные, не такие, как все.

— Да, да... Вот, например, каково отношение к Чехову... Вы просматриваете газеты? Я говорю об юбилейных статьях*. То обстоятельство, что Чехов не знал и не нашел смысла жизни, представляется всем каким-то особенным, в этом видят что-то поэтическое!..

По поводу всё той же мысли Шестова я высказал мнение, что сама книга Шестова о Толстом неудовлетворительна и что прежде всего автор заслуживает упрека в незнании предмета. Л.Н. согласился, что ему часто приходится встречаться с такой критикой его взглядов, но все-таки поинтересовался Шестовым, книги которого у меня на руках, к сожалению, не оказалось.

Что касается работы, то он просил меня собрать еще мысли о неравенстве для всех других месяцев в году: я ведь набрал только на январь, а содержание каждого месяца составляется по одинаковой программе. Таким образом, нужно выбрать по крайней мере шестьдесят мыслей.

— Мне страшно надоело самому выбирать, — говорил Л.Н., морщась и смеясь. — Мне кажется, что в этой механической работе есть что-то, стесняющее свободу мысли.

Кроме того, он обещал дать мне экземпляр рукописи его «упрощенного» «На каждый день», с новыми вставками и изменениями.

— А вы его опять просмотрите критически, — говорил он, — и проследите, что из него годится для этого первого текста, что не годится: одно возьмите, другое выбросьте.

Сегодня же Л.Н. объявил, что, не дожидаясь ответа Владимира Григорьевича, решил оставшиеся выпуски «На каждый день» напечатать в их настоящем виде, по старому плану. По новому плану выйдет то же сочинение в популярном изложении. На завтра мы условились, что я приду вечером, в семь часов.

---

* Семнадцатого января 1910 года широко отмечалось 50-летие со дня рождения Чехова.

— Лев Николаевич болен и лежит, — услыхал я в передней яснополянского дома от старого слуги Ильи Васильевича Сидоркова, приехавши туда вечером.

Оказывается, Л.Н. занемог с самого утра, так что видеть его и заниматься с ним нечего было и думать. Я, однако, разделся, так как знал, что сегодня у Толстых ночевали отец и сын Булыгины, с которыми мне хотелось ближе познакомиться.

Михаил Васильевич Булыгин — сын сенатора, деятеля крестьянской реформы 1861 года и двоюродный брат бывшего министра внутренних дел. Воспитывался он в Пажеском корпусе, служил офицером, потом поступил в Петровскую академию, но ее не кончил. Под влиянием сочинений Толстого он изменил образ жизни, отказавшись от всякой служебной деятельности, и теперь живет с семьей в маленьком именьице за пятнадцать верст от Ясной Поляны, где поселился нарочно, чтобы быть поближе к Толстому.

Двое взрослых сыновей Булыгина вполне разделяют взгляды отца. Оба ведут совершенно рабочий, трудовой образ жизни. Сейчас в Ясной находился старший из них — Сергей.

Я поднялся наверх. Кроме младшей дочери Толстого Александры Львовны, Ольги Константиновны с детьми, Сухотиных и Булыгиных, там находился еще один из друзей Льва Николаевича — Павел Александрович Буланже. Позже пришла Софья Андреевна.

О Л.Н. все думали, что он переутомился. Оказывается, вчера он почти целый день работал над сборником «На каждый день». Сегодня утром он против обыкновения спал долго, что уже служило плохим признаком. Затем, встретив в столовой своих внучат, мальчика и девочку, детей Андрея Львовича Толстого, живших в Ясной Поляне, он не узнал мальчика.

— Люля, кто такой Люля?

— Люля, твой внучек, сын Андрюши.

— А... Но как он изменился, как он изменился!.. Я всё перезабыл, всё перезабыл.

Потом он слег в постель.

Булыгин-отец — кажется, по зову Л.Н., — входил к нему в комнату. Когда он вернулся, Софья Андреевна спросила его:

— Ну, что? О чем же вы говорили?

— Да всё о Боге, о смерти, о том, как непрочно земное существование и что духовное не умирает, — ответил растроганный Булыгин.

Потом между ним, Сухотиным и Буланже завязалась шумная беседа. Сухотин, бывший член 1-й Государственной Думы, очень остроумный человек, рассказывал о своих думских впечатлениях и изображал в лицах Муромцева, Аладьина и других снискавших известность парламентариев. Я разговаривал с Татьяной Львовной. Сергей Булыгин ушел дать корму своей лошади.

Вдруг возвращается только что вышедшая Александра Львовна и говорит, что меня зовет Л.Н. Я пошел к нему, в дальнюю угловую комнату, служившую спальней. Буланже указывал дорогу.

Толстой лежал в постели, в белой рубашке, под одеялом; подушки были приподняты, у изголовья на столике горела лампа.

— Здравствуйте, садитесь! — сказал он и показал на кресло, стоявшее около.

— Как здоровье, Лев Николаевич?

— Ничего.

— Вы, должно быть, переутомились, Лев Николаевич? Вы так много работаете.

— Нет, это не переутомление, просто, старик я уже... Вы у меня вчера были? Или нет? Кажется, были... Да, как же, как же! Я очень рад вас видеть, всегда рад вас видеть. У меня друзья все с буквы Б: Булгаков, Булыгин, Буланже...

— Бирюков, — напомнил я.

— Да, да...

— Чертков...

— Да, и Черткову нужно было бы с буквы Б начинаться, — произнес он, улыбаясь.

Я рассказал, что в одном из последних номеров газеты читал шутливую пародию на произведение одного критика Чехова: критик этот утверждал, что в жизни

14

Чехова играла большую роль буква К, и при этом приводил слова, в которых эта буква отсутствовала.

Л.Н. при упоминании о Чехове повторил то, что он говорил мне вчера.

— Мы вчера ведь имели с вами разговор об этом? — припомнил он.

Я отвечал утвердительно.

— Что я вам хотел сказать? — стал припоминать Л.Н.

Я напомнил, что, может быть, о поправках к «На каждый день». Оказалось, да. Толстой позвонил и попросил вошедшую Александру Львовну дать мне листы с поправками, снова объяснив, в чем должна состоять работа.

— Не скучно вам здесь? — спросил он меня.

— Нет!

— И отношения у вас хорошие установились?

— Да, конечно, — отвечал я и встал, боясь утомить его. Он очень ласково простился со мной.

— Выздоравливайте, Лев Николаевич, — сказал я ему.

— Постараюсь, — отвечал он.

Я вышел в столовую взволнованный. Ничего не было сказано между нами, но доброта Л.Н. так трогала.

23 января

Ездил в Ясную Поляну вечером с Сергеем Булыгиным, который сегодня провел у нас в Телятинках день и остался ночевать.

Вчера Л.Н. утром встал было с постели, но, почувствовав себя слабым, слег снова. Сегодня же он совершенно здоров. Просил своего врача, Душана Петровича Маковицкого, сказать мне, чтобы я вошел к нему. В своем кабинете он просматривал переписанные набело листы упрощенного варианта «На каждый день», лежавшие на выдвижном столике. Они вновь были покрыты поправками. Узнав, что я еще не просмотрел черновых листов этого варианта, Л.Н. заявил, что это хорошо, так как они написаны были неразборчиво, и что теперь он даст мне их переписанными начисто. На первый раз, чтобы ознакомиться с характером моей работы, он дал мне листы дней за десять, тем более что остальной материал ему еще нужен был для просмотра.

15

— Здесь некоторые изречения будут совсем не те, что в корректуре, будут представлять две разные версии, и вы должны выбрать одну из них, какая, на ваш взгляд, более подходит для вашей братии, для интеллигентов, и вставить ее в корректуру... А иногда будут новые вставки, вы также выберите те из них, которые годятся, и внесите в корректуру. И смелее работайте, свободнее!.. Мне интересно будет ознакомиться с тем, что вы сделаете. А мне ужасно надоела работа над этим «На каждый день» и хочется скорее отделаться от него за весь год.

Я сообщил о том, что Чертков предполагает издавать нечто вроде журнала, в котором были бы сведения о ходе свободно-религиозного движения, помещались бы наиболее интересные письма к Толстому и т.д.

— Зачем это он затевает! — воскликнул Л.Н. — Впрочем, — тотчас же спохватился он, — это я сужу со своей точки зрения: у меня так много дела, что я всегда стараюсь ото всего лишнего избавиться и заниматься только более важным.

И потом он уже внимательно и сочувственно прослушал мои объяснения о цели и значении предполагаемого издания.

— Я сейчас был занят письмами о кооперативном движении, которых получил несколько, — говорил он. — И я отвечал так, что кооперативное движение не может занимать человека всецело, что это — только часть религиозного движения; но что участие в нем совместимо с человеческим достоинством, так как не связано с насилием... А то ведь нынче всё положительно на нем основано. Даже такое высокое занятие, как учительство, до чего низведено!.. Мне недавно один учитель писал, что он прямо не знает, что ему делать, чему ему учить своих учеников...

25 января

Опять ездил к Л.Н. с нечаянным спутником, одним из единомышленников и старых знакомых его, бывшим петербургским студентом Михаилом Скипетровым. Скипетров пришел ко мне от Сережи Булыгина, которого он уже знал. Вынул и показал мне в высшей степени ласковое и трогательное письмо Толстого к нему...

Сам страшно кашляет и, видимо, устал и ослаб после пройденных двенадцати верст. На мой вопрос, здоров ли он, Скипетров прямо ответил, что нет, что у него чахотка. Ему трудно было продолжать разговор, и он лег отдохнуть. И лежа всё кашлял.

Потом он рассказал о своих встречах с Толстым. Их было, кажется, всего две. Первая отличалась необыкновенным душевным подъемом как у Скипетрова, так и у Л.Н. Оба они, по словам Скипетрова, сидя на садовой скамейке, плакали и не могли от слез говорить... Скипетров, сам необыкновенно, как это говорят, «душевный» человек, рассказал Л.Н. историю смерти своего отца, говорил о радостных ощущениях силы жизни, несмотря на болезнь, о красоте природы... и Толстой плакал.

Когда мы приехали в Ясную Поляну и я сказал Л.Н., что приехал и хочет видеть его Скипетров, «которому вы писали», тот сейчас же вспомнил его.

— Да, как же, как же! — воскликнул он. — Я его помню по нашей беседе в парке... Пожалуйста, просите его!

Я сначала сдал Толстому свою работу. Он поразился, что я выбрал ему о неравенстве шестьдесят мыслей.

— Я ничего подобного не ожидал! Я только две мысли выбрал пока из «Круга чтения»... Откуда вы выбирали?

Я ответил, что преимущественно из «свода» его мыслей, составляемого Чертковым и Федором Страховым, а затем из Хельчицкого и особенно Карпентера; кроме того, по одной мысли от Шестова и Николая Николаевича Страхова.

Снова Л.Н. повторил, что хочется ему скорее кончить работу.

— Над «доступным» «На каждый день» я работаю с любовью, — говорил он, — а тот (должно быть, предназначавшийся «для нашей братии, интеллигентов». — *В.Б.*) мне надоел, и хочется скорее пустить его как есть!

Пришедший затем Скипетров рассказал Л.Н. о своих переживаниях в прошлую осень, когда в нем совершился переворот в сторону свободно-религиозного мировоззрения. Между прочим, он говорил, что отчасти под влиянием болезни испытывает иногда душевные страдания. Кстати, всё это он прежде уже говорил мне, и потому я не выходил из комнаты.

— Вот на это я вам скажу, — начал Толстой, — что бывает со мной, в мои восемьдесят два года, и раньше бывало... У меня болит печенка, и оттого многое, что прошло бы незаметно при нормальных условиях, останавливает меня, служит препятствием... Оттого, я думаю, что и у вас было то же, то есть ваши душевные страдания зависели от вашей тяжелой болезни. Вообще физическая сторона в человеке часто оказывает большое влияние на духовную.

— Недавно, — продолжал Л.Н., — я получил большое письмо от заключенного в тюрьму Калачева*, всё проникнутое радостным настроением, духовным подъемом... И все так себя там чувствуют. Это понятно. В четырех стенах, в тюрьме, где больше ничего делать не остается, ничто иное невозможно — духовное сознание пробуждается и растет всё больше и больше... Калачев о поселенцах пишет, что один из них говорил: «Ворону гораздо жалчей убить, чем человека, с нее ничего не возьмешь, а у человека хоть плохая одежда, да на рубль возьмешь»... И вот каторжники, матерщинники, во вшах, а духовному состоянию их прямо завидуешь!

Скипетров заметил, что он все-таки не чувствует себя достаточно укрепившимся в религиозных взглядах, в вере в Бога, не уяснил себе всего окончательно.

— Душа моя, — порывисто и горячо воскликнул Л.Н., — да ведь в этом вся жизнь!..

Затем на вопрос Скипетрова о том, признает ли Толстой в науке самостоятельные теоретические вопросы, помимо их прикладного значения, как, например, открытия астрономии и т.п., Л.Н. ответил:

— Я их никогда не отрицал. Я только говорю, что в наше время этот интерес невозможен. Знания должны развиваться равномерно. Между тем в наше время одни из них чрезвычайно вытянуты, удлинены, а другие остаются в зачаточном состоянии. Это уродливо, ненормально... Но в другое время, я не отрицаю, все эти параллаксы и кометы Галлея будут иметь значение. Об этом скоро выйдет моя переписка со Шмитом, немецким анархистом,

---

* Петр Васильевич Калачев был осужден в 1908 году за отказ от военной службы на четыре года арестантских отделений.

хорошим человеком, но, к сожалению, очень ученым. Я отвечаю на его возражения.

Затем Л.Н. поделился с нами своей мыслью о том, что необходимо составить самоучители — именно самоучители, а не учебники — по разным отраслям наук для тех людей, которые жаждут знаний, образования и не могут найти его нигде, иначе как и школах, которые только развращают. Люди эти, от которых Толстой получает ежедневно письма, — преимущественно молодые крестьяне, только-только грамотные, окончившие разве лишь низшую школу. В первую очередь необходимы самоучители по языку и математике (арифметике, геометрии), а также по совершенно новому предмету — «Истории нравственного движения человечества». Л.Н. уверен, что «Посредник»* возьмется печатать эти самоучители и получит доход и что они необходимы.

Как это ни странно, эта же мысль о точно таких самоучителях приходила уже раньше и мне. Теперь я всей душой посочувствовал идее Л.Н. О них он говорил уже с Буланже. Так как этот последний находился сейчас в Ясной Поляне, Толстой захотел позвать его. Для этого он несколько раз крепко постучал кулаком в стену у своего столика. Явилась Александра Львовна, которую он и просил вызвать Буланже.

— Павел Александрович, — сказал он, когда тот пришел, — вот эти господа, то есть не господа, а братья, друзья, будут работниками над самоучителями, а вы — главный редактор...

И Л.Н. вновь развил стою идею о самоучителях.

Потом Буланже стал читать Толстому в нашем присутствии свою статью с популярным изложением жизнеописания и учения Будды. Л.Н. делал замечания и поправки. Потом он пошел принимать ванну, и чтение прервалось. Все мы попрощались и ушли.

26 января

Вечером в аллею яснополянской усадьбы почти одновременно въехало двое саней: мои и чьи-то запряженные парой, с бубенчиками. Оказалось, приехал из Ясенок

---

* Издательство, созданное в 1884 году по инициативе Толстого и при участии Черткова с целью издания дешевых и доступных книг по всем отраслям знания и художественной литературы.

писатель Сергеенко, с которым мы и познакомились у крыльца дома Л.Н. С сыновьями Сергеенко Алексеем и Львом я познакомился и подружился еще в Крёкшине, у Черткова. Сергеенко привез граммофон и недавно вышедшие пластинки с голосом Толстого.

Наверху, в столовой, Л.Н. играл в шахматы, кажется, с Сухотиным. Там был и сын Л.Н. Андрей с женой. Поздоровавшись, Толстой просил меня подождать. Я спустился в комнату Душана Петровича.

Через некоторое время Л.Н. пришел и продиктовал мне поправки к его ответу на письмо о «загробной жизни», полученное из Сибири. Так как на столе у Душана чистой бумаги не оказалось, то я писал на листах, вырванных из записной книжки. Заметив, что я вырываю вторые два листа, Толстой сказал:

— Ай-ай! Сколько вы бумаги вырвали!.. Ну, я вам подарю записную книжку, у меня есть лишняя... Меня Софья Андреевна награждает ими.

Работу мою он обещал просмотреть утром, а пока просил Татьяну Львовну дать мне следующие листы «доступного» «На каждый день» и предложил остаться послушать граммофон.

Толстой и сам слушал граммофон вместе с другими. Он почти всё время молчал, когда граммофон сначала воспроизводил его, а потом — Кубелика, Патти, Трояновского.

Но во время слушания произошел интересный инцидент. Машина стояла в гостиной, причем отверстие трубы направлено было в зал, вероятно, для вящего эффекта. Слушатели сидели в зале (столовой) полукругом, у двери в гостиную. Потом граммофон почему-то перенесли в зал и поставили на большой стол, близко к противоположной от входа стене, повернув трубу к углу, где за круглым столом, уютно освещенным лампой, поместились все Толстые и Сухотины.

Во время перерыва между двумя номерами Л.Н. произнес:

— Нужно бы повернуть трубу к двери, тогда бы и они могли слышать.

«Они» — это были лакеи, какой-то мальчик, какая-то женщина и еще кто-то. Одним словом, прислуга, которая в передней толпилась на ступеньках лестницы и сквозь перильца заглядывала в зал и ловила долетавшие до нее отрывки «слов графа» — как они говорили, что я слышал, проходя по лестнице.

Наступило едва заметное молчание.

— Ничего, папа́, — быстро заговорил Андрей Львович, всё хлопотавший около граммофона, — его ведь по всему дому слышно, и даже внизу!..

— Даже в моей комнате всё слышно, — добавила Софья Андреевна.

Толстой молчал. Минут через пять Андрей Львович повернул трубу так, как говорил отец.

— Что, папа́, — рассмеялась Татьяна Львовна, — тебе уже надоело?

Л.Н. ничего не отвечал, только как-то ежился в кресле.

— Должно быть, немножко да? — продолжала она смеяться.

И все засмеялись.

Прошло еще минут десять. Толстой встал и вышел из комнаты.

Завели «Не искушай», дуэт Глинки. Пели «Фигнера», как выразилась Татьяна Львовна.

Л.Н. пришел по окончании номера и заметил, что «очень мило!». Еще ему понравилась серенада из «Дон-Жуана» в исполнении Баттистини. Ее он, оказывается, всегда особенно любил.

Усевшись в вольтеровское кресло у двери в гостиную, Л.Н. долго разговаривал с Сергеенко относительно конструкции граммофона. Подали чай. Я осталась по приглашению Софьи Андреевны. Пока садились за стол и начали пить, Л.Н. снова ушел.

За столом завязался оживленный разговор: о патриотизме, о преимуществе заграницы перед Россией и, наконец, о земле и о помещиках и крестьянах. К этой теме, как я успел заметить, часто сводится разговор в большой столовой яснополянского белого дома. Говорили много и долго, спорили страстно и упорно. Сухотин, его жена и Сергеенко отмечали крайнее озлобление крестьян против помещиков и вообще господ.

— Русский мужик — трус! — возражал Андрей Львович. — Я сам видел, на моих глазах пятеро драгун выпороли по очереди деревню из четырехсот дворов!..

— Крестьяне — пьяницы, — говорила Софья Андреевна. — Войско сто́ит столько, сколько тратится на вино, это статистикой доказано. Они вовсе не оттого бедствуют, что у них земли мало.

Вошел Толстой. Разговор было замолк, но не больше чем на полминуты. Л.Н. сидел, насупившись, за столом и слушал. Поверх рубахи на плечи у него накинута была желтая вязаная куртка.

— Если бы у крестьян была земля, — тихо, но очень твердым голосом произнес он, — так не было бы здесь этих дурацких клумб, — и он презрительным жестом показал на украшавшую стол корзину с прекрасными благоухающими гиацинтами.

Никто ничего не сказал.

— Не было бы таких дурацких штук, — продолжал Л.Н., — и не было бы таких дурашных людей, которые платят лакею десять рублей в месяц.

— Пятнадцать! — поправила Софья Андреевна.

— Ну, пятнадцать...

— Помещики — самые несчастные люди! — продолжала возражать Софья Андреевна. — Разве такие граммофоны и прочее покупают обедневшие помещики? Вовсе нет! Их покупают купцы, капиталисты, ограбившие народ...

— Что же ты хочешь сказать, — произнес Толстой, — что мы менее мерзавцы, чем они? — И он рассмеялся.

Все засмеялись. Л.Н. попросил Душана Петровича принести полученное им на днях письмо от одного ссыльного революционера и прочитал его*.

В письме этом писалось приблизительно следующее: «Нет, Лев Николаевич, никак не могу согласиться с вами, что человеческие отношения исправятся одной любовью. Так говорить могут только люди хорошо воспитанные и всегда сытые. А что сказать человеку голодному с детства и всю жизнь страдавшему под игом тиранов? Он будет бороться с ними и стараться освободиться от рабства. И вот, перед самой вашей смертью говорю вам, Лев Николаевич, что мир еще захлебнется в крови, что не раз будут бить и резать не только господ, не разбирая

---

* Речь о письме С.И.Мунтьянова, отбывавшего ссылку за свою революционную деятельность.

мужчин и женщин, но и детишек их, чтобы и от них не дождаться худа. Жалею, что вы не доживете до этого времени, чтобы убедиться воочию в своей ошибке. Желаю вам счастливой смерти».

Письмо произвело на всех сильное впечатление. Андрей Львович опустил голову к стакану и молчал. Софья Андреевна решила, что если письмо из Сибири, то его писал ссыльный, а если ссыльный, то, значит, разбойник.

— А иначе бы его и не сослали! — пояснялось при этом.

Ее пытались разубедить, но напрасно.

Вся эта сцена произвела на меня глубокое впечатление. Я впервые ярко почувствовал тот разлад, который должен был переживать Л.Н. из-за несоответствия коренных своих убеждений и склонностей с окружавшей обстановкой.

Сидя в санях с моим товарищем по телятинскому одиночеству, который из-за ветра, заметавшего дорогу, сопровождал меня сегодня в Ясную Поляну и немножко досадовал, что я задержался, я торопился передать ему разговор, происшедший в столовой, и фразу Толстого о гиацинтах. Фраза эта и весь разговор показались мне чрезвычайно знаменательными.

В душе моей зарождалась странная уверенность, что в личной жизни Толстого, несмотря на его глубокую старость, еще не всё кончено, что он непременно предпримет еще что-то такое, чего от него теперь никто и ждать не может: мне казалось, что нельзя с такой силой и искренностью и так мучительно, как он, переживать сознание неправильности, фальши своего положения, чтобы не попытаться каким-нибудь путем выйти из него.

Спутник мой сонно сопел и почти не слушал меня. И мне было стыдно, что я, увлекшись обществом великого человека и его семьи, заставил своего возницу дожидаться в «людской». И нечем было загладить свою вину перед ним.

28 января

Ездил в Ясную Поляну утром; по вечерам часто заносит дорогу, так как стоят метели, и можно заблудиться. Л.Н. утром не так удобно: он сразу хотел бы садиться за свою работу; но все-таки просил ездить утром. Условились, что он к утру будет приготовлять всё нужное и затем разговор о деле вести со мной в самых существенных чертах. Мне неприятно, что я могу стеснять его, но, кажется, иначе сделать нельзя. Если же все-таки Л.Н. будет неудобно, то, конечно, порядок этот изменится.

Он просмотрел мои поправки в корректуре январского выпуска «На каждый день» за первые десять дней, сделанные по «доступному» «На каждый день», и «с одним согласился, а с другим нет». Я передал ему ту же работу, сделанную для остальных дней января.

В самом начале, когда Л.Н. после прогулки прошел со мною в кабинет, он сказал:

— А я сейчас о вас думал. Скажите, вас не страшит эта перемена жизни?

Я отвечал совершенно искренне, что нет, хотя раньше я и испытывал нечто вроде страха. И рассказал ему подробно о своем теперешнем душевном состоянии.

— Помогай вам Бог! — сказал Л.Н. и дал мне несколько советов о жизни, которые здесь приводить не буду, так как они находятся в полном соответствии с тем, о чем говорил Толстой раньше и что находится в его писаниях.

Между прочим он говорил, что придает огромное значение «работе над собой» в мыслях, то есть тому, чтобы человек следил за своими мыслями, ловил себя на недоброжелательстве к другому и вообще на дурных мыслях и тотчас стремился остановить, заглушить их.

— Это очень сильно помогает в истинном направлении деятельности, — говорил Л.Н. — Говорю я это как практическое правило, гигиеническое предписание для ума, так как считаю это очень важным.

Сегодня же он подарил мне записную книжку, которую обещал третьего дня. При этом добродушно смеялся. Сегодня он был, если можно так выразиться, очень добрый.

29 января

Сегодня Л.Н. был очень занят, и утром между нами имел место лишь короткий деловой разговор. О поправках к «На каждый день» он сказал, что сделает их сам постепенно, во время работы, так как сделать это нужно не для одного январского выпуска, а для всего года. Он дал еще два письма для ответа, предложив мне решить, нужно ли отвечать; одно письмо для передачи Сереже Булыгину и одно от заключенного в тюрьму Смирнова для прочтения. В прошлый раз он дал мне тоже для прочтения письмо от отказавшегося Калачева. Не могу не усмотреть в этом доброго отношения и внимания ко мне Л.Н., который, конечно, понимает, что чтение таких писем нужно мне — как намеревающемуся сделать то же, что сделали эти люди.

В Ясной Л.Н. задержал меня еще на час-полтора приблизительно, для того чтобы я внес в корректуру январского «На каждый день» новые поправки, сделанные им в черновой, опять-таки по своему усмотрению. Я сообщил ему, что ко мне от Чертковых приехали двое, — Ф.Х.Граубергер и Я.А.Токарев, которые желали бы повидаться с ним и просят его указать время для этого.

— Когда угодно, — сказал он. — Но лучше все-таки вечером. Да я сегодня и сам к вам заеду, часа в три, когда поеду кататься.

Вернувшись, я сообщил нашим гостям радостное известие, что Толстой сам приедет в Телятинки, и мы стали ждать его.

Токарев и Граубергер оказались очень приятными и интересными людьми. Оба давно уже состоят почитателями Л.Н. и его единомышленниками. Из них один, Яков Алексеевич Токарев — торговец в большом саде на Волге, скромный, деликатный человек, малоразговорчивый сам, но к речам других прислушивающийся весьма внимательно.

Граубергер Федор Христофорович — садовод и сельский хозяин, бывший раньше народным учителем. В противоположность Токареву — горячий спорщик. На своей родине он устраивает диспуты с православными священниками, разные собрания и пр. — словом, является настоящим «толстовским миссионером».

Без пяти минут три, сидя в своей комнате, я сказал одному из гостей:

— Что-то нет Льва Николаевича. Да, впрочем, он сказал, что, может быть, заедет...

25

В то же время мне почудилось в окно, что к нам кто-то проехал. Я поспешил на улицу. Только что отворил дверь своей комнаты и вышел в проходную, как отворилась противоположная дверь в эту комнату, из сеней, и вошел Л.Н., в своей желтенькой шапочке, в валенках, в синей поддевке, с хлыстом в руках, окруженный нашими домочадцами.

— Здравствуйте, — обратился он к Маше Кузевич (девушка, живущая у Чертковых и обучающая грамоте деревенских ребятишек. — *В.Б.*) и деревенским детям.

Те отвечали.

Я провел его к себе в комнату, взял у него и положил на стол хлыст, ремешок, которым он подпоясывался, бережно развязал ему башлык и снял с него поддевку, повесив ее на гвоздь. Л.Н. сел на стул у стола.

В комнате моей собралось еще человек пять кроме меня: Егор Павлович Кузевич (управляющий хутором), Токарев, Граубергер и Скипетров, который опять к нам приехал. Пришел однорукий работник Федор и направился к Л.Н.

— Здравствуйте, Лев Николаевич!

— Здравствуйте, — сказал Толстой и приподнялся, протягивая ему руку.

Я пошел за стульями, а Л.Н. обратился с расспросами к Токареву и Граубергеру. Граубергер передал ему письмо из Москвы, от Горбунова-Посадова.

— Извините, — сказал Л.Н., распечатывая письмо. Он начал читать его про себя, но затем прочел вслух. Горбунов писал о новых изданиях «Посредника», вышедших и предполагающихся, о суде над ним за издание Спенсера и Гюго, о своей усталости и решимости все-таки не бросать работы.

— Это приятно! — сказал Л.Н. — Очень хорошее вы мне письмо привезли.

В разговоре с Токаревым о его детях Толстой коснулся вопроса о воспитании и сообщил свою мысль о самоучителях, развив взгляд на план этого дела, о котором он подробно толковал с Буланже.

— Вы устали, наверно, Лев Николаевич? — спросил я, узнав, что он приехал вовсе не в санях, а верхом, в сопровождении слуги.

— Нет, ни крошечки! — воскликнул Л.Н.

Затем через некоторое время он встал. Я так же бережно помог ему одеться, и на душе у меня было самое радостное чувство.

— Ну, прощайте! — произнес он и стал пожимать протягивавшиеся к нему руки.

Кстати, Граубергера и Токарева он просил приехать к нему завтра в таких выражениях:

— Приезжайте днем, к часу, когда по-нашему, по-дурацкому, бывает завтрак, а у добрых людей — обед.

Он вышел в проходную комнату. За столом сидели ученики и ученицы Маши Кузевич — деревенские ребятишки.

— Вот, Лев Николаевич, народу-то у нас сколько! — сказал я ему.

— Хороший народ! — воскликнул он и, наклонившись к одной из сидевших за столом девочек, произнес: — А ну-ка, покажи, какая у тебя книжка. — И стал перелистывать ее.

Книжка была обычная детская, на толстой бумаге, напечатанная крупным шрифтом, с картинками, грязная и замазанная.

— А ну, прочитай что-нибудь, я хочу посмотреть, как они успевают.

— Да эта девочка не умеет еще, она недавно учится, почти ничего не знает, — всполошилась было Маша.

— Нет, нет, пусть она что-нибудь прочтет! — запротестовал Л.Н.

— А ну-ка читай! — И он указал на слово в книжке. Девочка прочитала:

— Об-ра-до-ва-ла-сь...

— Очень хорошо! — сказал Л.Н. и перешел к другой:

— А ну-ка ты прочти.

Девочка прочитала несколько слов уже значительно бойчее.

— Очень хорошо, прекрасно! А эта уже понимать может...

Потом он вышел на крыльцо. Трое гостей и четверо хозяев-мужчин толпились на крыльце не одетые и без шапок.

Как это иногда бывает, точно нарочно, из-за туч, все последние дни заволакивавших небо, выплыло мягко светившее вечернее солнце и внесло еще больше радости во всё происходившее.

— А ну-ка подведите мою лошадь к этой кучке за поводья, чтобы я влез, — обратился ко мне Л.Н.

— Может быть, табуретку принести, Лев Николаевич? — засуетились все.

— Нет, нет, не нужно!

Я в одних ботинках соскочил в снег и подвел к кучке снега красивую, тонкую лошадку Толстого.

— Еще, Лев Николаевич?

— Нет, довольно! Опустите поводья!.. — ответил он, берясь за луку седла.

Но я не решился сделать это: став на край кучки, Л.Н. примял снег и стоял почти вровень с землей. Стоило только лошади пошевелиться, и он мог бы упасть. Я еще крепче взял поводья и зорко следил за каждым его движением. Вот он вдел левую ногу в стремя, оперся на нее, медленно стал заносить правую в сером валенке и... сел. Победоносно оглянулся и потянул поводья. Я выпустил их.

Л.Н. тронул лошадь. Проезжая мимо, он посмотрел на меня; всё лицо его довольно улыбалось, голову он держал прямо, и глаза ясно говорили: «Что, видели? Не так-то я еще стар! А уж вы, Валентин Федорович, наверное довольны?»

— Спасибо, Лев Николаевич, что заехали, — сказал я.

— Я сам был рад повидать друзей, — ответил Л.Н. и шагом отправился по дороге.

30 января

Ездил в Ясную с Граубергером и Токаревым. В передней нас радушно встретила Татьяна Львовна.

— Пожалуйте наверх, — провозгласила она.

Я, Граубергер в скромной серой рубашке и Токарев в пиджаке и чесучовой манишке вошли в столовую, большую, светлую. Там так же радушно встретили нас Л.Н., Сухотин, Ольга Константиновна и ее дети. Усиленно предлагали нам завтракать, но все мы отказались, так как только что пообедали в Телятинках.

Завязался оживленный, простой разговор.

— А Софья Андреевна дома? — осведомился я у Душана Петровича, сидевшего рядом со мной.

— Нет, она уехала на пять дней в Москву, — ответил он.

Тогда мне стало понятным, почему возможно было приглашение Граубергера и Токарева наверх, к завтраку, и почему в воздухе разлита была такая простота и непринужденность...

— Все изобретения цивилизации, — говорил Л.Н., — удобны и интересны только сначала, а потом они надоедают. Вот хотя бы это, — указал он на граммофон, — ведь это просто ужас!..

Разговор зашел о вопиющей нужде, в которой живут крестьяне, и об озлоблении в народе.

— Я вчера опять встретил мужика, с которым раньше об этом говорил. И он хочет иметь землю, сесть на нее и быть свободным человеком. Они вовсе не хотят работать на помещиков, потому что всё это не их; оттого они и мало работают и пьют. И не знаешь, что и говорить в таких случаях, потому что живешь сам в этих роскошных условиях. И не покидаешь их, опутанный всякими путами. Это очень мучительно переживать!..

Заговорили об Англии, где живет госпожа Шанкс, гостья, присутствовавшая здесь.

— Там рабочий считает за счастье работать для господ и думает, что это так и должно быть. У нас этого нет, и в этом отношении Россия стоит впереди Англии... Кстати, я получил одну английскую комедию, роскошно изданную, с картинами, но очень глупую!* Там «господа» совершенно не могут понять, как это рабочий мог сесть за один стол с ними. Они оскорбляются и уходят... Но бишоп, епископ, в человеке, который чистил отхожие места, узнает своего брата, который когда-то потерялся, и так далее. Характерна только эта уверенность в своем превосходстве со стороны богатых!..

Я напомнил Л.Н., что как раз это изображается и в его «Люцерне».

— А что там такое? Я, право, забыл...

— Там англичанин с женой тоже встает и уходит из-за стола в гостинице, когда автор или рассказчик привел

---

* Речь о книге Чарльза Кеннеди «The Servant in the House».

туда и посадил за этот стол с собой оборванного странствующего певца.

— Как же, как же! Да это я сам и привел его... Всё это действительное происшествие.

Один из гостей, Граубергер, говорил на тему о том, что люди — дети, находятся в детском состоянии, потому лучше с них ничего не спрашивать, а относиться к ним как к детям.

Л.Н. сначала очень сочувственно слушал его и всё поддакивал: «Верно, верно!» — но потом сказал:

— Это верно, но только в этом мне не нравится одно — неуважение к людям. Не нужно осуждать других. Можно еще это думать вообще о поколении людей, но нельзя говорить так о Марье, Иване, Петре.

И потом отстаивал свой взгляд.

31 января

Решил снова ездить в Ясную Поляну не утром, а после двенадцати часов, чтобы не беспокоить Толстого, отрывая его от работы. Приехав, застал в столовой московского общественного деятеля князя Павла Долгорукова и биографа Толстого Павла Ивановича Бирюкова. Они приехали на открытие в Ясной Поляне библиотеки Московского общества грамотности в честь 80-летия Толстого (28 августа 1908 года).

Л.Н. прошел со мной в кабинет. Письма мои, написанные по его поручению, ему понравились, особенно одно, бывшему солдату, уставшему от жизненных невзгод. На нем Л.Н. приписал: «Мой друг Булгаков так согласно с моими взглядами ответил на ваше письмо, что я могу только прибавить выражение моего сердечного сочувствия вашему душевному состоянию и желание и надежду на то, что вы найдете то истинное духовное благо, которого вы ищете».

На мой вопрос, просмотрел ли он корректуру «На каждый день» с пометками, сделанными мною по его указанию, Л.Н. ответил, что нет, и, спохватившись, что это скоро нужно, пообещал сегодня же вечером просмотреть (чтобы затем отослать ее в типографию). Больше пока он мне ничего не поручил, если не считать данных раньше для распределения по дням мыслей о неравенстве.

Затем все Толстые и гости с Л.Н. и Долгоруковым во главе пешком отправились во вновь открываемую библиотеку. Так как я приехал верхом и не мог оставить лошадь, я проехал к библиотеке раньше, по льду пруда. Помещается библиотека в первом домике направо в деревне, если идти от усадьбы. Там уже собралось несколько человек крестьян — старых учеников Л.Н. — и много ребят.

Войдя в крошечное помещение библиотеки, Толстой принялся осматривать всё, что тут было. Из книжных шкафов он вынимал одну за другой книги и читал их названия. Подбор книг оказался случайным, чем Л.Н. не мог остаться доволен. На одной из стен укреплены были две своеобразные папки с множеством раскрашенных картин исторического и географического содержания. Л.Н. просмотрел картины и одобрил помещение их в библиотеке, где крестьяне могли их рассматривать.

Затем Долгоруков обратился к Толстому, присевшему у окна на табуретке, с небольшой учтивой речью, какие говорятся в подобных случаях. В речи он приветствовал его от имени Общества грамотности.

Л.Н. благодарил и выразил надежду, что «наверное, и мои близкие (указывая на крестьян) разделяют мою благодарность». Те подтвердили его слова, заявив, что «охота читать у них была большая». Л.Н. сам показывал им картины и называл книги. Наконец фотограф от «Русского слова» снял общую группу, и Л.Н. уехал кататься верхом с Душаном.

Между прочим, старик крестьянин Семен Резунов, стоя у крыльца, начал рассказывать (еще когда Л.Н. был в домике и показывал библиотеку крестьянам), как он учился у Толстого.

— Ученье было хорошее! Утром придешь — кататься, а потом блины есть — блины хорошие!.. А на стене написано: гуляй, ребята, Масленица!..

Кругом все смеются.

А Семен, с лицом артиста Артема из Художественного театра, продолжал рассказывать о блинах, о каком-то дьячке и еще о чем-то.

Л.Н. вышел на крыльцо и слушал улыбаясь.

— А ведь ты, Семен, теперь бойчее стал, чем в школе-то был! — заметил он.

ФЕВРАЛЬ

В столовой Татьяна Львовна читала сообщение «Русского слова» о постановке в Париже пьесы Ростана «Шантеклер». Когда она прочла о том, что появление на балу у курицы каких-то петухов стоило театру несколько тысяч франков, и о том, что один из этих петухов произносил патриотический монолог, Л.Н. сказал:

— Прав Граубергер, это дети, и скверные дети!.. Это похоже на того московского купца, который отдал тысячи клоуну Дурову за дрессированную свинью, зажарил ее и съел...

Пройдя в кабинет, он вручил мне совершенно готовую корректуру январского выпуска «На каждый день» с просьбой внести поправки начисто в другой экземпляр и отослать его издателю. Мысли о неравенстве, собранные и распределенные мною по месяцам, он просмотрел за январь, очень одобрил и просил вставить в корректуру.

— Значит, это идет по новому плану? — еще раз осведомился Л.Н.

— Да.

— Прекрасно!

Затем он дал мне извлеченные из «На каждый день» за весь год мысли о религии, предназначенные для напечатания в «Посреднике» отдельной книжкой в одну копейку, просил просмотреть и сказать мое мнение о том, не будет ли удобнее напечатать их двумя книжками по одной копейке, чтобы избежать однообразия, которое могло стать заметным и обременительным для читателя, если бы все мысли были помещены в одной книжке.

2 февраля

— Ну, нет ли у вас каких-нибудь новостей, писем?.. — говорил Л.Н., ведя меня в кабинет.

— Да вот, письмо от матери получил.

— Ах! Что же она пишет?

— Ругает меня за переезд в Крёкшино из Москвы. Она всё никак не может помириться с тем, что я покидаю Москву и университет.

Л.Н. посочувствовал мне:

— Нужно стараться тронуть ее, дать ей понять, что вам самим больно.

— Да я уже старался много раз, Лев Николаевич, и теперь очень трудно: всё равно тебя не хотят понять.

— Знаю, что трудно. Но нужно еще и еще стараться!..

— Она упрекает меня в каком-то легкомыслии, говорит, что я все дела, которые начинаю, не кончаю: бросил университет, начал учиться пению и бросил.

— А вы поете, и у вас хороший голос?

— Пою, да. И не в оперу же мне было поступать, бросив всё?!

— А отчего бы не поступить? — спросил Толстой, усмехаясь доброй улыбкой и поглядывая хитро себе на ноги, наклонив голову.

— Да уж очень это праздная жизнь, Лев Николаевич! Да и для кого же бы я стал петь в городе? Вы же сами писали, что богатым людям искусство дает возможность продолжать свою праздную жизнь. Да я лучше в деревне крестьянам буду петь...

— Знаю, знаю, — закивал Л.Н. — Я только проверяю себя; думаю: не один ли я держусь таких взглядов?

Что касается дела, то я высказал Л.Н. свое мнение, что мысли о вере лучше напечатать в двух книжках. Он, однако, решил печатать в одной; только просил меня выпустить или соединить вместе однородный материал и, кроме того, распределить его удобнее.

— Меня эти книжки мыслей по отдельным вопросам очень интересуют, — говорил он. — Вот только я всё затрудняю вас, — добавил он, и тон его голоса был такой виноватый.

Эту виноватость в голосе я подмечал у Л.Н. и раньше: в те моменты, когда он или просил меня сделать какую-нибудь работу, или принимал и хвалил уже сделанную.

Уже выйдя от него и поговорив с Александрой Львовной о высылке книг Толстого нескольким лицам, я снова на лестнице столкнулся с Л.Н.

— Не унываете? — спросил он.

— Нет!

— Смотрите же, не унывайте! «Претерпевый до конца, той спасен будет»... Не претерпевый до конца, той спасен будет! — это об университете и о пребывании в нем можно так сказать.

Уехал кататься верхом. Я вышел, чтобы садиться в свои сани и ехать домой.

— До свиданья, Лев Николаевич!

— Прощайте! — отозвался Л.Н. уже с лошади. — Ожидаю от вас великих милостей!..

«Что такое?» — подумал я.

— Каких, Лев Николаевич?

И вспомнил, что он говорит о данной мне сегодня работе над книжкой «О вере», о которой он говорил мне еще раз в передней, что придает ей большое значение.

4 февраля

Когда я приехал, Л.Н. завтракал в столовой.

— У вас в Телятинках тиф, — сказала мне Софья Андреевна, — смотрите не заразите Льва Николаевича! Меня можно, а его нельзя.

Я успокоил ее, сообщив, что все сношения с деревней обитателями хутора, где я живу, прерваны.

Л.Н. просил тут же показать, что сделал я с полученной вчера работой. Я объяснил, что разбил мысли о вере на отделы, по их содержанию, и прочел заглавия отделов: «1. В чем заключается истинная вера? 2. Закон истинной веры ясен и прост. 3. Истинный закон Бога — в любви ко всему живому. 4. Вера руководит жизнью людей. 5. Ложная вера. 6. Внешнее богопочитание не согласуется с истинной верой. 7. Понятие награды за добрую жизнь не соответствует истинной вере. 8. Разум поверяет положения веры. 9. Религиозное сознание людей, не переставая, движется вперед».

— Очень интересно! — сказал Л.Н. — Ну а выбрасывали мысли?

— Нет, ни одной.

— А я думал, что вы много выбросите.

Он положительно удивляет меня той свободой, какую мне, да и другим домашним, предоставляет при оценке его произведений и которой я никак не могу привыкнуть пользоваться. Ну как могу я «выбрасывать» те или другие мысли Толстого из составляющегося им сборника?! Переставлять, распределять эти мысли я еще могу, но «выбрасывать»!..

Не в пример мне большой храбростью в критике Л.Н. отличается Сухотин, иногда яростно нападающий на те или иные выражения или страницы писаний Толстого. И меня всегда одинаково поражает как храбрость Михаила Сергеевича, так и то благодушие, с каким Толстой выслушивает в таких случаях своего зятя и которое несомненно составляет одну из замечательных черт его.

Прослушавши в столовой план, по которому я распределил мысли в книжке «О вере», Л.Н. пригласил меня перейти в кабинет. Там он дал мне просмотреть распределенные им самим мысли в одной из следующих книжек, а сам вернулся в столовую. Придя через несколько минут, он сел читать мою работу, а меня просил взять в «ремингтонной» письма, на которые он хотел поручить мне ответить.

Когда я вернулся, Л.Н. сказал, что «то, что он просмотрел, очень хорошо», и дал мне для такого же систематического распределения мыслей вторую книжку, «О душе».

— Я бы хотел, чтобы вы в тексте делали изменения смелее, свободнее!.. И вообще хотел бы критики, больше критики!

Я набрался духу и, с его позволения, раскритиковал распределение мыслей в той книжке, которую он давал мне просмотреть сегодня.

— Ваше распределение, — сказал я, — если можно так выразиться, формальное: вы разделяете мысли на положительные, отрицательные, метафизические, притчи и так далее. Я же распределяю их по содержанию... И так, мне кажется, лучше...

— Да, это верно, — согласился Л.Н. и просил еще раз распределить именно так мысли во второй книжке.

После этого я говорил ему о моей работе «Христианская этика», исправление которой, по его указаниям, я кончил. Л.Н. советовал мне о ее издании написать в Петербург Владимиру Александровичу Поссе, редактору журнала «Жизнь для всех», добавив, что он, Толстой, изданию ее сочувствует и готов послать Поссе «препроводительное письмо».

После того я в столовой занялся чтением газет. Выходит из гостиной Л.Н.

— Вы идете гулять, Лев Николаевич? — спросил я.

— Нет, просто проветриться вышел...

Меня поразило, что на ходу он однажды вдруг сильно покачнулся, точно под порывом сильного ветра, и лицо его было очень утомленное. Я вспомнил, что в кабинете, при прощанье, на мой вопрос: «Вы устали сегодня, Лев Николаевич?» — он ответил: «Да, совсем заработался!» Становилось жутко за дорогого человека, но сказать ему о необходимости больше отдыхать я не решился. Да я и знал, что на такие советы он не обращает внимания.

5 февраля

Л.Н. встретил меня на верху лестницы.

— А я всё жду, — сказал он, здороваясь и смеясь, — что вы мне скажете: оставьте вы меня, надоели вы мне со своей работой!..

Я принялся разуверять его в возможности того, чтобы ожидание его могло сбыться.

Работой моей он остался удовлетворен, но опять говорил об этом таким виноватым голосом.

— Очень рад, очень рад, — говорил Л.Н., — это так хорошо выходит!..

Затем он дал мне для распределения мыслей следующие две книжки: «Дух *божий* живет во всех» и «Бог», а также пять писем для ответа, причем на три из них я мог, если бы нашел нужным, и не отвечать. На одно из них потому, что оно, как выразился Л.Н., написано только «ради красноречия».

7 февраля

Сегодня из Ясной Поляны ко мне пришел некто Шмельков, принесший от Л.Н. записочку такого содержания: «Примите, милый Вал. Фед., этого нашего нового друга, побеседуйте с ним и приезжайте с ним ко мне. Л.Толстой».

Со Шмельковым мы приехали в Ясную после часа дня и запоздали: Л.Н. уже уехал верхом кататься. Решили так, что Шмельков и Михаил Васильевич Булыгин (приехавший с нами вместе) подождут Л.Н. до вечера (когда он вернется, отдохнет и пообедает), а я вернусь домой. Но только что я, уже одевшись, собрался выйти на улицу, как вошел Толстой и, несмотря на все просьбы не беспокоить себя разговором с гостями до вечера, велел мне раздеться, сказал, что посмотрит мою работу, и пошел к Шмелькову и Булыгину.

Шмельков — помощник машиниста на железной дороге. Он сочувствует взглядам Толстого. Свою службу считает бесполезной и потому хочет бросить ее и заняться земледелием, хотя ни земли, ни денег не имеет. У него жена и трое детей.

Л.Н. советовал ему жить, занимаясь прежним трудом, причем заметил, что служба на железной дороге — еще одна из более приемлемых для христианина.

— Он счастливый человек! — сказал Л.Н. Булыгину про Шмелькова, который говорил, что жена его вполне солидарна с ним по взглядам.

Зашел вопрос о воспитании детей и о том, нужно ли им так называемое «образование».

— Не нужно им никакого образования, — сказал Толстой. — Ведь это не парадокс, как про меня говорят, а мое истинное убеждение, что чем ученее человек, тем он глупее... Я читал статью N, тоже ученого, так ведь это прямо дурак, прямо глупый человек. И что ни ученый, то дурак. Для меня слова «ученый» и «глупый» сделались синонимами. Да что N! И этот такой же, как его, знаменитый?

— Мечников?

— Да, да!.. Меня Долгоруков приглашал на заседание «Общества мира», где будут присутствовать французские гости, Детурнель и другие...* Так он является противником антимилитаризма. Он говорит, что наука так усовершенствует военные приспособления, выдумает такие электрические торпеды, которые уж будут непременно попадать в цель, что воевать будет невозможно, и война тогда прекратится. Я хотел ему сказать на это: так, значит, чтобы не обжираться, нужно принимать рвотное, а чтобы предохранить людей от греха блуда, так надо сочетать их с женщинами, больными венерическими болезнями?!

Добавляю, что всё это Л.Н. говорил спокойным, немного усталым, но очень убежденным голосом, только

---

* Пацифистское «Общество мира» было создано в Москве в 1908 году Павлом Дмитриевичем Долгоруковым.

не озлобленным. Потом он говорил о своих работах, брал у меня и показывал гостям одну из привезенных мною книжек его мыслей, заставил Булыгина прочитать несколько мыслей из нее и затем просил меня взять в канцелярии и прочесть вслух (нам троим) полученное им сегодня от его знакомого Н.Е.Фельтена письмо о тяжелом состоянии находящегося в тюрьме петербургского литератора Хирьякова. Про это письмо я слышал еще раньше, сразу по приезде, от Ольги Константиновны. Она говорила, что письмо ужасно взволновало Л.Н., что Софья Андреевна недовольна Фельтеном, переславшим хирьяковское письмо Толстому, сердится и даже бранится.

Войдя за письмом в зал, я увидел Софью Андреевну, сидящую на полу и занятую какой-то игрой со своими внучатами, Танечкой Сухотиной и Илюшком Толстым. Поздоровавшись, она стала жаловаться на неосторожность Фельтена, причем мне показалось, что глаза ее были заплаканы.

— Можно было просить Льва Николаевича написать Хирьякову, — говорила Софья Андреевна, — чтобы облегчить его положение, Фельтен и делает это, но он хотел какого-то красноречия пустить, и Лев Николаевич ходит с самого утра сам не свой!..

Когда я вернулся вниз, Л.Н. предложил мне пойти с ним наверх и показать свою работу. Он дал мне для распределения мыслей еще две книжки — «Любовь» и «Грехи, соблазны, суеверия», а также два письма для ответа.

Я простился с ним. Но он еще задержал меня и выразил удивление, как Шмельков (который ему, как и мне, очень понравился) мог проникнуться такими возвышенными стремлениями, живя среди людей и обстановки, которые совершенно этому не благоприятствовали (как рассказывал сам Шмельков), и как, напротив, другие люди совершенно не могут понять, что в них живет высшее духовное начало.

— Невольно вспоминается индийская поговорка о ложке, которая не знает вкуса той пищи, которая в ней находится, — добавил Л.Н.

Придя (пешком, по случаю прекрасной погоды) в Ясную, узнал, что вчера Л.Н. был не совсем здоров, слаб, но сегодня чувствует себя лучше. Он просмотрел написанные мною и переданные ему в прошлый раз письма, одобрил и отправил их по назначению. Взял сегодняшнюю работу и дал для просмотра две новых книжки мыслей — «Грех угождения телу» и «Грех тунеядства», а также еще одно письмо для ответа — от революционера, опровергающего его взгляды, но сомневающегося и в своих. При мне просил дочь ответить на письмо директрисы какого-то учебного заведения, где устраивается спектакль и ставится «Власть тьмы». Эта директриса спрашивает Толстого, как произносить: «таё» или «тае».

— Так напиши, что, по-моему, «тае», — говорил Л.Н. улыбаясь.

На днях в трех русских газетах появилась статья Толстого «Последний этап моей жизни». Когда-то, с год тому назад, она была напечатана в «Русском слове» под названием «Ход моего духовного развития». Ее перевели на французский язык, а теперь с французского опять на русский и, конечно, всячески исказили, чем Л.Н. был очень недоволен. Ему не нравилось и заглавие, приделанное произвольно к статье.

— Меня по этапам не водили, — шутил он.

Главное, он удивлялся, как попала эта статья (или письмо — он и сам не помнил) в руки газетных корреспондентов. Об этом Л.Н. послал запрос Черткову.

Просил меня остаться обедать и до обеда просмотреть первые четыре книжки мыслей, уже распределенных мною, просмотренных им, — просмотреть еще раз для того, чтобы ознакомиться с теми требованиями, какие предъявлял к тексту Л.Н., и потом делать в следующих выпусках соответствующие изменения самому.

Л.Н. сел было за просмотр принесенной мною сегодня работы, но опять встал.

— Нет, устал. Здесь нужно быть внимательным... Уж у меня такая привычка: всё кончать сразу. Но это посмотрю после.

В шесть часов я вышел к обеду. Л.Н. гулял, отдыхал и немного запоздал. За столом разговаривал с домашними и приехавшим из Овсянникова, ближней деревни, Буланже — о крестьянах, о злополучной статье с французского и пр. Между прочим, сладкое он уговорился есть с одной тарелки со своей маленькой внучкой «Татьяной Татьяновной» (Сухотиной); «старенький да маленький», по выражению Софьи Андреевны; и когда Танечка, из опасения остаться в проигрыше, стремительно принялась работать ложечкой, Л.Н. запротестовал и шутя потребовал разделения кушанья на две равные части. Когда он кончил свою часть, Татьяна Татьяновна заметила философски:

— А старенький-то скорее маленького кончил!..

После обеда Л.Н. обещал показать внучатам, как пишут электрическим карандашом, присланным ему в подарок Софьей Александровной Стахович, старым другом семьи.

— Ну, кто не видал действие электрического карандаша? Пожалуйте! — провозгласил торжественно Л.Н., встав из-за стола.

Трое внучат, Буланже, я, Ольга Константиновна, Татьяна Львовна, Сухотин отправились за ним в темную комнату, его спальню. Л.Н. встал в середине и зашуршал какой-то бумажкой.

— Что такое? — послышался его голос.

Карандаш не действовал. Отворили дверь в освещенную комнату, стали чинить карандаш — нет, ничего не выходило!

— За детей обидно! — недовольным голосом говорил Толстой.

Зрители в большинстве разошлись. Л.Н. прошел в «ремингтонную».

— А вот я вам двоим покажу кое-что интересное, — обратился он ко мне и Буланже.

Он сел за стол и взял перо.

— Я покажу вам, как брамины доказывали Пифагорову теорему за сотни лет до Пифагора. Я узнал это из недавно присланной мне книжки.

Л.Н. сделал чертеж и быстро выполнил доказательство браминов, гораздо более простое, чем у Пифагора.

— Так вот я хочу этим сказать, — говорил Л.Н., — насколько многообразна область знаний и какие бесчисленные вариации могут быть в ответах на один и тот же вопрос!.. И разве в силах человеческий ум их все исчерпать?

По его просьбе, я принес снизу просмотренные мною его поправки и предполагаемые сокращения в четырех книжках мыслей. Я предложил ему несколько мыслей (до десяти), предназначенных к сокращению, сохранить в сборничках. Почти во всех случаях Л.Н. согласился. Некоторые из них он хотел выкинуть лишь потому, что его не удовлетворяла их редакция.

— Благодарю вас, — сказал он по окончании разбора рукописей.

Буланже говорил Л.Н. о предисловии, которое тот обещал написать к его статье о Будде. Толстой снова обещал, но добавил, что он теперь очень занят, что много работает.

— Жить мне осталось два с половиной года, а дел у меня два с половиной миллиона, — говорил он сокрушенно.

Тут вспомнили, что некий Болквадзе в Петербурге, издатель журнала, получивший уже от Л.Н. принципиальное согласие на участие в его издании, пишет, что без его статьи не выпустит первого номера журнала. Письмо это начали обсуждать.

— Да, это немного нехорошо, — сказал Л.Н.

И рассказал, кстати, о другом своем корреспонденте. Предводитель дворянства Костромской губернии Шулепников, принявший в число дворян своей губернии бывших членов 1-й Думы — кадетов, исключенных своими дворянскими обществами за подписание «Выборгского воззвания», сообщает, что правительство им недовольно, и спрашивает, продолжать ли ему деятельность в прежнем духе, или покориться, и еще что-то. Бедный Толстой!

— И представьте, — говорил Л.Н., — что у меня о предводителях дворянства сохранилось такое воспоминание, что я перед ними просто Левочка Толстой... Эта важность, белые штаны... да, да... (Л.Н. засмеялся.) И я отношусь так ко всем важным лицам, к писателям и прочим... А ведь этот предводитель, наверное, моложе меня, и я перед ним — почтенный старик!..

— Ну, пойдемте играть в шахматы, — обратился он к Сухотину и отправился с ним в зал.

Поломанный электрический карандаш Л.Н. послал со мной для починки слывущему техником Сереже Булыгину, который завтра обещал быть у меня. Дал еще для ответа письмо одного поэта-крестьянина, поручив одобрить его стихи обличительного характера, добавив только, что ему не нравится в них чувство злобы, которого нужно стараться избегать.

10 февраля

Вопрос о статье «Последний этап моей жизни» выяснился: она была написана двадцать лет тому назад, представляет страницу из дневника Л.Н., была напечатана в издававшемся Чертковым в Англии «Свободном слове», откуда и заимствована газетами. Теперь они выдают ее за новость!

По поводу сборничков мыслей Л.Н. сказал сегодня:

— Иногда они меня интересуют, а иногда мне кажется, что это слишком однообразно. Как вы думаете?

Я сказал, что так как эти книжечки предназначаются для простого народа, а другой популярной философской литературы нет, то они, по-моему, очень нужны. Толстой больше ничего об этом не говорил.

Затем он сообщил, что предполагает воспользоваться для сборника «На каждый день» мыслями из Достоевского. Он прочел в «Русской старине» статью о нем, и это натолкнуло его на мысль о том, сколько интересного материала заключается в сочинениях Достоевского и как мало он заимствовал оттуда.

Выборку мыслей Л.Н. хочет поручить мне, для чего завтра приготовит для меня сочинения Достоевского.

— Гоголь, Достоевский и, как это ни странно, Пушкин — писатели, которых я особенно ценю, — говорил он. — Но Пушкин был еще человек молодой, он только начинал складываться и еще ничего не испытал... Не как Чехов!.. Хотя у него было уж такое стихотворение, как «Когда для смертного умолкнет шумный день»...

О Чехове я заметил, что мне, напротив, казалось, что он как бы шел к Толстому, так что я пытался даже проводить параллель между ними; что интересны его взгляды на интеллигенцию, хотя бы в пьесах. Л.Н. возразил:

— Всё это — только следствие известной склонности к иронии. Это не сатира, которая исходит из определенных требований, а только ирония, — ирония, ни на чем не основанная.

Оставил меня прочесть упомянутую статью о Достоевском, а сам поехал кататься.

11 февраля

Приезжаю сегодня и узнаю, что Александра Львовна, помогавшая вести переписку, заболела корью и слегла. Ввиду этого переписчица сочинений Толстого и воспоминаний Софьи Андреевны Варвара Михайловна Феокритова просила меня остаться пожить некоторое время в Ясной, так как она одна не в силах справиться с работой.

— Мы о вас всё утро говорили и хотели даже посылать за вами, — говорила она.

Я выразил, конечно, полное согласие на ее предложение. Зайдя к Л.Н., я передал ему книжки мыслей и получил еще одну новую. Он также говорил, что будет рад, если я приеду. Ввиду того что я остаюсь, он сдал мне и все полученные им сегодня письма для ответа, числом более двадцати. Днем я ничего не стал делать, так как нужно было съездить домой — отправить лошадь, взять некоторые вещи и пр.

Был доктор из Тулы. Рассказывал о «геройстве» своего пациента, убившего при защите одного из напавших на его хутор грабителей. Л.Н. молчал. Он сам вызвал доктора на разговор, спросив его о четырех смертных приговорах в Туле. Но того, видимо, этот вопрос не так занимал.

Доктор уехал, не кончив обеда, к поезду на Тулу.

Л.Н., между прочим, сказал:

— Меня очень интересуют эти люди, приговоренные к казни за свои убийства и грабежи. Я никак не могу понять, как можно за сто, тысячу рублей убивать совершенно неизвестного мне человека. Хотя причину такого состояния я понимаю. Это происходит от временного затемнения. Иные только сомневаются в рае, в чудесах, а этим людям, которые убедились в ненужности всего этого, временно ничего этого не нужно. У них нет ничего.

Говорил с Л.Н. о некоем Соколове, литераторе из Петербурга, который спрашивал недавно у него о том, «могут ли овцы кротостью заставить волков есть сено». Я ответил, по поручению Толстого, указав на те его сочинения, где можно было найти ответ на этот вопрос. Теперь Соколов прислал обиженное письмо, уже мне лично. Про него Л.Н. сказал:

— Он, как многие из таких людей, вырос среди людей, которых он был выше, привык быть самоуверенным среди них и ко всем другим так относится.

Вечером Софья Андреевна показала мне, где я буду спать, где умываться и т.п. Показала, кстати, еще не виденную мною другую половину дома, где помещается ее комната, показывала свои опыты в живописи и т.п., вообще была очень любезна. Говорила, что она просит меня остаться потому, что, уезжая (на четыре дня) в Москву, боится оставлять Л.Н. без постоянной помощи на всякий случай.

Я и спать буду в комнате рядом со спальней Л.Н.; из его спальни в эту комнату проведен звонок.

За чаем Софья Андреевна говорила Л.Н.:

— Я оставляю тебя под присмотром Булгакова.

— Никакого присмотра мне не надо, — возразил он. Я долго занимался. Вечером поздно вошел Л.Н.

— Будет, будет сидеть! Ложитесь спать.

Я улегся — на том самом диване в «ремингтонной», на котором спал когда-то Гусев. Лев Николаевич спит рядом. Я должен ходить на цыпочках, чтобы не разбудить его. Иногда слышится его кашель.

12 февраля

Вчера около часа ночи я уже стал засыпать, как послышались стоны. Недалеко находилась комната, где лежал больной мальчик Сухотин. Вечером я даже обещал Татьяне Львовне и Михаилу Сергеевичу зайти к Дорику, если позовет сиделка няня, на случай какой-нибудь помощи: он мог начать метаться, бредить и т.д. Я думал, что это он стонет и вскрикивает. Няня не приходила, и я продолжал лежать. Но наконец решил проведать больного. Одевшись наскоро, я подошел к двери в коридорчик и, приотворив ее и прислушавшись, вдруг совершенно неожиданно для себя убедился, что стоны и вскрикивания шли не из комнаты Дорика, а из спальни Толстого.

«Не несчастье ли?» — подумал я, и мне почему-то сразу вспомнился Золя, умерший с женой во время сна от угара в комнате.

Я быстро повернул ручку двери и вошел к Л.Н.

Он громко стонал. Было темно.

— Кто это, кто там? — послышался его голос.

— Это я, Лев Николаевич, Валентин Федорович. Вы нехорошо себя чувствуете?

— Да... нехорошо... Бок болит и кашель. Я вас разбудил?

— Нет, ничего. Я позову Душана Петровича?

— Нет, нет, не нужно!.. Идите, ложитесь спать!

— Может быть, позвать, Лев Николаевич?

— Нет, не нужно! Он ничего не поможет...

Я продолжал просить, не догадавшись сразу, что мне просто нужно было бежать за Душаном.

— Нет, не нужно! Мне одному покойнее... Идите спите.

Я вышел и пошел за Душаном Петровичем. Тот не зашел сразу к Толстому, а улегся на диване в гостиной, через одну комнату от его спальни. Но стоны сначала слышались изредка, а потом совсем прекратились, и ночь прошла спокойно.

Душан говорил, что это бывает с Л.Н., что он иногда стонет и вскрикивает по ночам (я этого не знал), но что сегодня, раз он болен, «другое дело» и я хорошо сделал, что вошел к нему.

Наутро Л.Н. проснулся не совсем здоровым. По мнению Душана, давала знать себя печень. Он вышел утром ненадолго в халате, предлагал мне денег на расходы, но я отказался, сказав, что у меня есть. Часов в одиннадцать, осведомившись, скоро ли я пишу, и получив утвердительный ответ, продиктовал мне предисловие к статье Буланже о буддизме и просил потом исправить шероховатости слога.

Усевшись за разборку корреспонденции, я полюбопытствовал, между прочим, какие письма Л.Н. оставляет без ответа; оказалось, что в большинстве случаев — все, написанные высокопарно, патетически, с необыкновенными излияниями, одним словом, внушающие подозрение в искренности авторов.

День прошел в работе. За обедом Л.Н. был очень бодр и весел.

— Ужасно противно, когда старики чавкают губами, — говорил он, разжевывая кушанье, — вот так, как я. Я думаю, как противно на меня смотреть!

— Старик вообще противен, — заметил Сухотин.

— Нет, не согласен! — засмеялся Л.Н.

— Ну, по крайней мере я себе противен, — продолжал Михаил Сергеевич.

— Хорошо, что вы старик, — возразил Толстой, — а я не старик!..

— Дедушка, — лепетала внучка Л.Н., известная Татьяна Татьяновна, сидевшая с ним рядом, — ты видел мою косичку?

И она повертывала к дедушке косичку.

— Что, картинку?

— Косичку!

— Косичку? Ах, какая!.. Да, маленькая, меньше, чем у дьячка...

Сладкое дедушка опять ел из одной тарелки с внучкой.

— Это и приятно, — поучал он ее, — и полезно: мыть нужно не две, а только одну тарелку. — И добавлял: — Когда-нибудь, в тысяча девятьсот семьдесят пятом году, Татьяна Михайловна будет говорить: «Вы помните, давно был Толстой? Так я с ним обедала из одной тарелки».

Л.Н. рассказывал о сне, который видел в ночь на сегодня. Ему снилось, что он взял где-то железный кол и куда-то с ним отправился. И вот, видит, за ним крадется человек и наговаривает окружающим: «Смотрите, Толстой идет! Сколько он вреда всем принес, еретик!» Тогда Л.Н. обернулся и железным колом убил этого человека. Но он через минуту же, по-видимому, воскрес, потому что шевелил губами и говорил что-то.

Были за обедом разговоры и более серьезные. Особенно много говорили о конституциях в разных странах и об их призрачном благе.

Вечером дорогой дедушка пришел, сел рядом со мной на диван у моего стола и читал мне, чтобы я после мог лучше разобрать, черновые некоторых своих кратких ответов на письма. Сидел совсем, как говорится, рядышком, и я посматривал сбоку на его пушистую и чистую седую бороду, освещенную лампой, и серьезное лицо. Кто-то сказал, что у каждого человека есть свой специфический запах. Как это ни смешно, по-моему, Толстой пахнет каким-то церковным, очень строгим запахом: кипарисом, ризами, просфорой...

Выйдя к чаю, Л.Н. воскликнул:

— Я сегодня черт знает сколько сделал!..

И перечислил свои работы, выполненные сегодня.

За чаем долго говорили о литературе, в частности об Ибсене; о театре, в частности о Художественном московском. Толстой заявил, что он с удовольствием посмотрел бы там «Ревизора». Говорили опять о Детурнеле*.

— Французы все-таки самые симпатичные люди, — говорил Л.Н. — В политике они идут вперед, дали первый толчок революцией. Мыслители их также замечательны: Руссо, Паскаль — блестящие, ясные... Как я ни ценю Канта, но он такой — не скажу неглубокий, но тяжелый.

Вечером я сказал Л.Н., что, отвечая на адресованные ему письма, чувствуешь известное удовлетворение, потому что в большинстве случаев письма серьезные, нужные, да и от простого рабочего и крестьянского народа.

— Да, совесть говорит, что нужно отвечать на письма, — сказал Л.Н.

У него немного болит горло и небольшой жар.

— Опять буду ночью кричать, — говорил он.

Но меня благодарил за то, что я вчера зашел к нему, и говорил, что я хорошо сделал.

13 февраля

Ночь Л.Н. провел спокойно. Утром прислал мне с Душаном Петровичем яблоко.

По поводу не особенно хорошего самочувствия Толстого в эти дни Михаил Сергеевич шутил с ним:

— Смотрите не заболейте без Софьи Андреевны! А то она приедет и скажет: вот, только стоит мне уехать, и Лев Николаевич расхворается... Это ей хлеб!

— Да, уж я стараюсь! — ответил Л.Н.

---

* Разговор был вызван телеграммой Детурнеля — главы французской парламентской делегации, находившейся в России, — где он высказал «великому и благородному Толстому свое почтительное восхищение».

По поводу продолжающейся шумихи вокруг французских гостей во главе с Детурнелем он, между прочим, говорил:

— Говорить о мире и быть врагом антимилитаризма — это самое отвратительное фарисейство. Война кому-нибудь нужна. И действительно, на ней держится весь современный строй. Мужик это видит, а ученый профессор нет.

Он удивлялся сегодня моему почерку:

— Как вы пишете! Нет, в самом деле: аккуратно, весело, смотреть приятно! Вот я бы хотел так писать.

Вечером, идя спать, сказал:

— Постараюсь вас не тревожить сегодня.

Видимо, он ожидал и боялся противного.

Моя работа вчера и сегодня: собрал и расклеил на отдельные листочки, для удобства перемещения, мысли для книжки «Грех недоброжелательства» (по расписанию Толстого, из разных мест «На каждый день»); распределил по отделам эту книжку и другую — «Грех чувственности»; послал больше десятка писем, написанных по поручению Л.Н., его собственные письма, а также несколько бандеролей с книгами.

Два слова — для характеристики корреспонденции, получаемой Л.Н. Я заметил, что просьбы об автографах поступают большей частью из-за границы.

Сегодня один корреспондент Л.Н., какой-то неизвестный солдатик, сообщает: «У нас погода теплая, до 2° тепла. Снегу нет». Другой начинает свое письмо так: «Во имя Отца и Сына и Святаго Духа аминь. Осмеливаюсь прибегнуть к милосердию Господню, чтобы Господь послал мне грешному разумение написать сию письмо к многими уважаемыми народами русской земли, даже слышно и заграницами Ваше громкое имя, — то и я, грешный человек и самый маленький, как букашка, хочу доползти хоть письмом до Вашего имени, Лев Николаевич г-н Толстов».

Оба письма относятся к разряду так называемых «хороших писем», то есть серьезных, искренних и более или менее оригинальных. Есть еще у Л.Н. разряд писем «просительных» (о материальной помощи), которые он оставляет без ответа, и разряд писем «обратительных», авторы коих пытаются обратить его в православие и в прочие правоверные взгляды.

Заслуживает быть отмеченным, что Л.Н. часто вспоминает о Черткове. Сегодня за обедом он говорил о нем в связи с полученными от него письмами и точным текстом статьи, появившейся в газетах под названием «Последний этап моей жизни». И меня часто спрашивает, получаю ли я письма из Крёкшина, и просит передавать их содержание.

Одна характерная для него черточка.

За обедом подали сладкое.

— Безумная роскошь видна хотя бы в этом, в пирожном. Мы в свое время пробавлялись хворостиками, разными киселями и оладьями. А такое пирожное подавалось разве в большие именины.

Сегодня, после обеда, произошел оживленный разговор об отказах от воинской повинности — в связи с предстоящим мне отказом — между мною, Л.Н. и Сухотиным. Начали мы этот разговор с Михаилом Сергеевичем еще раньше, днем, гуляя по саду и споря о том, нужно ли мне оттянуть время отказа елико возможно, пользуясь правом отсрочки, предоставляемой мне пребыванием в университете, или же я должен немедленно выйти из университета, в котором числился уже только формально, и подвергнуться призыву на военную службу, а следовательно, и всем последствиям отказа от нее. Я настаивал на нравственной необходимости последнего шага, Сухотин же убеждал «не торопиться», «помедлить», «не губить себя, ибо могут и самые законы измениться».

Решили спросить у Толстого, кто из нас прав. Говорили долго. Л.Н. решительно отказывался высказаться в ту или иную сторону и что-нибудь советовать, говоря, что человек сам должен решать такие вопросы. Последствиям отказа (вроде влияния на других и пр.) он не придает значения. «Не могу» — вот в чем все доводы отказывающегося.

Между прочим, он говорил:

— Я никак не могу себе представить чувства, с которым человек идет на отказ — вот как вы или Сережа Булыгин. Мне, старику, не страшно было бы это, мне жить осталось только несколько месяцев, год, а у молодого человека так много впереди!

Говорил также, что для него тюрьма была бы освобождением от тех тяжелых условий жизни, в которых он находится.

Весь разговор невозможно передать, но он очень взволновал меня. Да и собеседники мои оказались, кажется, в несколько приподнятом настроении. По крайней мере я, уйдя в свою «ремингтонную», еще слышал из залы их о чем-то переговаривающиеся голоса. Между тем игра в шахматы, за которую сели Михаил Сергеевич и Л.Н., обычно проходит у них в молчании.

За чаем говорили о разном. Одно время Л.Н. сидел, задумчиво смотря в угол, и вдруг вымолвил:

— Как противен этот граммофон и труба эта!

Все присоединились к его мнению, и «изобретению цивилизации» снова порядочно досталось.

Перед сном зашел ко мне, подписал почтовые повестки на заказные письма и просмотрел написанные мною письма.

— Как вы себя чувствуете? — спросил он.

— Хорошо!

— Вы один у нас бодрый, да Душан еще. Ну, прощайте!

15 февраля

Утром Л.Н. вошел ко мне, еще не одетый, с бумагой в руках.

— Написал письмо Хирьякову. Хотел написать хорошо, а всё оборвал, испортил.

Концы письма, написанного на листе от большого блокнота, были действительно неровны, но написано письмо было на редкость четко. Не результаты ли это разговоров о его неразборчивом почерке?

Был гость. Молодой человек, бывший рабочий, желающий сесть на землю и взять к себе в помощники двух безработных босяков. Главная его идея состояла в том, чтобы постепенно увеличивать число безработных, привлекаемых к труду на земле.

— Разочаруется! — говорил Л.Н.

Но в общем гость ему очень понравился, и он вспоминал о нем несколько раз.

Всё вновь и вновь получаются Толстым письма по поводу журнала петербургского издательства Максимова «Ясная Поляна». Название издательства и журнала вводит доверчивую публику в заблуждение, она щедро вносит деньги Максимову, обещающему «полное собрание запрещенных в России сочинений Л.Н.Толстого», а затем, поняв, что попалась в руки афериста, жалуется на его недобросовестность Л.Н. и даже упрекает последнего. Например, сегодня некто кончает свое наполненное упреками письмо патетическим возгласом: «Я надеюсь на Вашу честь, граф!»

Чтобы положить конец досадному недоразумению, причиняющему Л.Н. немало хлопот, я, по его поручению и под его редакцией, написал сегодня такое письмо в одну из наиболее распространенных газет:

«Лев Николаевич Толстой получает за последнее время много писем, касающихся издательства "Ясная Поляна". Авторы этих писем, преимущественно подписчики журнала упомянутого издательства, справляются о его достоинствах, жалуются на невысылку или неаккуратную высылку книг, часто упрекают за это, просят немедленно начать высылку журнала или вернуть подписную плату и многое другое. А между тем Лев Николаевич уже заявлял печатно и поручил мне снова заявить, что он никакого отношения к издательству "Ясная Поляна" не имеет; издает ли оно его сочинения, как издает, какие именно и на каких условиях — он не знает; если же издает, то без всякого его ведома, пользуясь лишь его общим разрешением беспрепятственно печатать и издавать все его сочинения, написанные после 1881 года. Так что считать себя в какой бы то ни было мере ответственным за деятельность этого издательства Лев Николаевич никак не может».

Про работу над отдельными книжками мыслей, выбираемых из «На каждый день», Л.Н. говорил мне, что она для него очень радостна, интересна и он уже не сомневается в том, что она нужна.

Утром я несколько раз по разным поводам входил в комнату Л.Н. во время его работы и извинился перед ним. Но он, по свойственной ему деликатности, возразил:

— Что вы! Я вас боюсь, а не вы меня бойтесь!..

Перед обедом был еще гость — пожилой господин с необыкновенно звучной двойной фамилией, который просил Л.Н. прочесть его поэму и дать удостоверение, что в ней не заключается «болезненного направления». Конечно, он только утомил Л.Н. Сказать же о своем деле до свидания с Толстым он не хотел.

За обедом Л.Н. говорил о рассказе Леонида Андреева, напечатанном в «Утре России».

— Это написано каким-то непонятным, не русским языком, по-испански, должно быть. Всё дело в том, что какой-то священник залез на паровоз, повернул рычаг и уехал... Я самым талантливым из нынешних писателей считаю Куприна — так это потому, что его направление менее безумно.

Заговорили о пародиях Измайлова на современных писателей.

— Измайлов хорошо пишет, — заметил Л.Н.

После обеда он читал вслух Сухотину и мне новую статью Федора Страхова в одной маленькой народной газете. Снова говорил о теперешней своей работе, что она очень занимает и радует его. Вечером подписал свои переписанные на пишущей машинке письма и просмотрел написанные мной.

— Спите спокойно! — проговорил он уходя.

Часов в двенадцать, когда я еще не спал, Л.Н. отворил дверь из своей комнаты и заглянул ко мне.

— Что же вы не спите?

И тут же попросил меня приготовить ему завтра для поправки, распределив по новому плану, февральский выпуск «На каждый день», который нужно было отсылать в типографию.

После его ухода я некоторое время продолжал еще заниматься и приблизительно в час или в половине второго пошел вниз, отнести почту. Вдруг раздался электрический звонок, за ним другой.

Я вспомнил, что это звонок из комнаты Л.Н. в мою, тот самый, которым он должен был воспользоваться «на всякий случай», и немного даже испугался: ведь Л.Н. ни разу ко мне не звонил, даже во время болезни.

Прибегаю. Л.Н. лежит в постели. На столике — зажженная свеча.

— Мне бы Душана Петровича, — говорит он.

— Вы нездоровы, Лев Николаевич?

— Нет... А то вы сделайте. В углу мышь скребется, так возьмите в кабинете свечу, зажгите и поставьте вон в тот угол.

Я всё исполнил и, пожелав спокойной ночи, вышел, довольный, что ничего худшего тревожные звонки не обозначали.

16 февраля

Утром говорил:

— Я ужасно гадок сегодня, чувствуется какая-то тяжесть во всем теле... Так что вы будьте снисходительны ко мне!

После я слышал, как он говорил:

— Нездоровится, но работается ничего.

И действительно, работал, как всегда, до двух часов и вечером, нисколько не отступив от обычного распределения дня.

Утром же Л.Н. прочел в только что полученном номере журнала «Жизнь для всех» статью Черткова «Две цензуры для Толстого», которая очень ему понравилась.

Л.Н. очень беспокоит продолжающаяся болезнь Александры Львовны, которую он часто навещает, сам носит ей вниз по лестнице кофе и т.д. Кто-то высказал предположение, что у Александры Львовны «сильный взрыв инфлюэнцы» или что-то в этом роде. Л.Н. засмеялся.

— У Саши не корь, не инфлюэнца, — сказал он, — она больна. И одни болеют дурно, другие хорошо болеют, так она — хорошо. А доктора все говорят разное.

Нужно сказать, что у Толстых перебывало уже три доктора.

После обеда Л.Н. сел подписать накопившиеся визитные и фотографические карточки, присланные для этого любителями автографов.

— Работа кипит! — шутил он, подписывая их одну за другой, тогда как я беспрестанно вынимал из-под его руки подписанные и подсовывал новые.

Тут же были Сухотин и Буланже. Шутили, что на библиографическом рынке автографы Толстого идут по низкой цене, так как выпущено их много; говорили о грамматических ошибках у Толстого и т.д. Л.Н. смеялся вместе со всеми.

За чаем Софья Андреевна, Татьяна Львовна и Л.Н. вспоминали о поэте Фете, которого все они хорошо знали и который часто бывал в Ясной Поляне. Л.Н. говорил:

— И художник, и писатель, и музыкант дорог и интересен своим особенным отношением к явлениям жизни, дорог тем, что он не повторяется... Так и Фет. И я понимаю даже и это его стихотворение (его только что читала Татьяна Львовна. — *В.Б.*) о том, что ему пробор волос дороже всего на свете: он соединяет в своем представлении этот пробор с известной личностью... Тургенев говорил как-то, что Фет глуп; да он сам был гораздо глупее его!..

И Л.Н. продекламировал стихотворение Фета «Шепот, робкое дыханье...».

— А ведь сколько оно шума наделало когда-то, сколько его ругали!.. Но в нем одно только нехорошо и не нравится мне: выражение «пурпур розы».

Сухотин рассказал, как когда-то Толстой при нем высказывал то же мнение об этом выражении самому Фету и как Фет с ним спорил.

Л.Н. забыл уже про это.

— Да неужели?! — воскликнул он.

Утром были француз, представитель кинематографической фирмы, и молодой человек — революционер. Первый отложил снимание Л.Н. до весны; второй ушел, оставив очень неприятное и нелестное о себе воспоминание.

Ввиду того что у Л.Н. болит горло, Душан предупредил всех домашних, чтобы его меньше вызывали на разговор. Выйдя в столовую к обеду, Л.Н. рассказал, что он читал целый час с сыном Сухотина Михаилом «Мертвые души» Гоголя. О Гоголе он говорил:

— Замечательно, что когда он описывает что-нибудь, выходит плохо, а как только действующие лица начнут говорить — хорошо. Мы сейчас о Собакевиче читали. Прошу!.. (Л.Н. весело засмеялся. — *В.Б.*). «Один прокурор хороший человек, да и тот... свинья!.. А губернатор? Разбойник!..» — И снова залился добродушным смехом.

Затем говорили о купце, поклоннике Л.Н., который всё присылает в Ясную Поляну ситцы своей фабрики;

о хорошем письме из Японии, полученном Л.Н., о положении католицизма на Западе в сравнении с положением православия в России и пр.

Заговорили о снах. Толстой рассказал, как ему приснилось на днях, что он вальсировал на балу с какой-то дамой и всё смущался, что он танцует по-старинному, тогда как все — по-новому.

— Сны — это удивительное явление, — говорил Л.Н. — Совершенно справедливо изречение Паскаля, что если бы сны шли в последовательности, то мы не знали бы, что — сон, что — действительность.

Сегодня Л.Н. получил большое и горячее письмо от студента Киевского университета Бориса Манджоса с призывом уйти из Ясной Поляны, от тех неестественных условий, в которых Толстой живет здесь.

«Дорогой, хороший Лев Николаевич! — писал, между прочим, киевский студент. — Дайте жизнь человеку и человечеству, совершите последнее, что Вам осталось сделать на свете, то, что сделает Вас бессмертным в умах человечества... Откажитесь от графства, раздайте имущество родным своим и бедным, останьтесь без копейки денег и нищим пробирайтесь из города в город... Откажитесь от себя, если не можете отказаться от близких своих в семейном кругу».

Л.Н. отвечал Манджосу следующим письмом, о котором просил меня никому не говорить: «Ваше письмо глубоко тронуло меня. То, что вы мне советуете сделать, составляет заветную мечту мою, но до сих пор сделать этого не мог. Много для этого причин (но никак не та, чтобы я жалел себя); главная же та, что сделать это надо вовсе не для того, чтобы подействовать на других. Это не в нашей власти и не это должно руководить нашей деятельностью. Сделать это можно и должно только тогда, когда это будет необходимо не для предполагаемых внешних целей, а для удовлетворения внутреннего требования духа, когда оставаться в прежнем положении станет так же нравственно невозможно, как физически невозможно не кашлять, когда нет дыханья. И к такому положению я близок, и с каждым днем становлюсь ближе и ближе.

То, что вы мне советуете сделать: отказ от своего общественного положения, от имущества и раздача его тем, кто считает себя вправе на него рассчитывать после моей смерти, сделано уже более 25 лет тому назад. Но одно, что я живу в семье с женою и дочерью в ужасных, постыдных условиях роскоши среди окружающей нищеты, не переставая и всё больше и больше мучает меня, и нет дня, чтобы я не думал об исполнении вашего совета.

Очень, очень благодарю вас за ваше письмо. Письмо это мое у меня будет известно только одному человеку. Прошу вас точно так же не показывать его никому.

Любящий вас *Л. Толстой*».

Уже вечерело, когда я за чем-то зашел в кабинет Л.Н. Почему-то упомянуто было письмо киевского студента. Л.Н., засунув кисти рук за пояс, стоял против большого окна и, немного запрокинув голову, задумчиво глядел в темнеющий сад.

— Если бы не дочь, не Саша, я бы ушел!.. Я бы ушел!..

Я не сдержался и высказал то, что было у меня на душе, по поводу этого постоянно предъявляемого к Толстому требования уйти из Ясной Поляны. Мне кажется, что те, кто предъявляют подобное требование, не доверяют ему. Надо научиться доверять ему. По крайней мере я, после того как я подробнее познакомился с его произведениями последних лет, не могу чувствовать иначе, как так, что всё, что ни сделает Толстой, всё это к лучшему, всё это ему нужно — значит, так и нужно! Остается он в Ясной Поляне — я верю, что это так нужно; если бы он покинул Ясную Поляну — я верил бы, что, значит, именно так и нужно...

Л.Н. очень внимательно и, как мне показалось, сочувственно прослушал мою тираду. Внешним образом он не выразил своего отношения к ней, если не считать несколько раз вырвавшихся у него характерных для него восклицаний (удивления и сочувствия):

— Хха!.. Хха!..

Против обыкновения, ответ Л.Н. студенту Манджосу не был переписан на «ремингтоне» в нескольких копиях. С черновика я переписал его своей рукой, Л.Н. подписал переписанный мною экземпляр, а черновик я сохранил у себя.

Сегодня день «святого Льва, папы римского», и Л.Н. — именинник. Но, конечно, в доме человека, отлученного от церкви, было бы странно ждать, чтобы этот день выделяли из других. Впрочем, за обедом был сладкий пирог — «именинный», по словам Софьи Андреевны. Это, вероятно, остаток прежних традиций, еще памятных семейным.

Первыми словами Толстого, когда он вышел к обеду, был вопрос к Михаилу Сухотину:

— Ну, как дела Чичикова, подвигаются? — И опять заговорил о Гоголе, которого читал молодой Сухотин.

Вспомнил Л.Н. и рассказал еще об одном «ругательном» письме, полученном им сегодня. Письмо это я тоже читал. Автор его ругает Толстого на шести страницах и, наконец, в приписке к письму заявляет: «И все-таки вы старик хороший». Одним словом, что-то вроде собакевичевского выражения о прокуроре, но только в обратном смысле.

Л.Н. интересовал вопрос, отчего, собственно, охватило автора этого письма такое злостное к нему отношение (письмо его, оказывается, было далеко не первым). Татьяна Львовна напомнила ему, что этот корреспондент, бывавший раньше у них, — поэт.

— А! Теперь я понимаю, — воскликнул Л.Н. — Оправдывается латинское изречение *Irritabilis gens poetarum**.

После обеда читал вслух остроумную пародию Измайлова на творения Леонида Андреева. Вечером, подписывая повестки на заказные письма, он сокрушенно покачал головой:

— Сколько повесток, и такие пустые письма!

Между прочим, теперь на моей обязанности лежит еще раздача денег и книжек прохожим и нищим.

Утром было трое посетителей: молодой человек, который хотя и пытался, но никак не мог объяснить, зачем он пришел, «газетный работник», просивший денег на проезд в Петербург, и административно высланный учитель — тоже за материальной помощью.

---

* «Гневливо племя поэтов».

Позже приехал старый знакомый Толстых, князь Оболенский, разговорчивый, добродушный старик. Л.Н. называет его Иовом, ввиду того что Оболенский перенес ряд сокрушительных ударов судьбы: потерю большого состояния, преждевременную и часто трагическую смерть нескольких детей и т.д. Теперь Оболенский занимается и журналистикой и, между прочим, свои посещения Ясной Поляны описывает в «Русском слове». Это дает ему некоторый заработок.

Разговаривали о судебных делах, которыми интересовался Л.Н., о присяжном поверенном Гольденблате из Тулы, который вел эти дела. Оболенский читал вслух речь кадета Караулова в Думе против сметы Синода. Речь, сильная и искренняя, всем и Л.Н. понравилась.

Сегодня один корреспондент писал Л.Н.: «Еще прошу выслать мне две книги — химию экспериментальную и органическую». В другом письме читаем следующее: «Открываю вам свою тайну, которую я хранила чуть не три года. Я хочу, ужасно хочу учиться на писательницу».

20 февраля

Утром жаловался мне, что ему плохо работается над предисловием к статье Буланже о буддизме.

— У меня теперь такая интересная работа над книжками «На каждый день», а это предисловие отвлекает меня и ужасно мешает мне.

Надо сказать, что Л.Н. переделывал его уже раз шесть-семь.

— Я, старый хрен, — говорил он за обедом, — уж таков, что если не хочется писать, нет расположения, то напишу хуже, чем волостной писарь.

— Значит, нужно вдохновение, нужно, чтобы посетила муза? — спросил Сухотин.

— Да, нужно, чтобы была такая потребность писать, чтобы от нее нельзя было отделаться, как от кашля...

С утренней прогулки вернулся вместе с норвежским журналистом, бывшим русским подданным, Левиным.

— Вот друг Бьёрнсона! — представил он его.

И тут же с оживлением рассказал о маленьком эпизоде, случившемся с ним на прогулке. Он захотел что-то записать, развернул свою складную трость-стул и уселся.

В это время подрались около него собаки и одну чуть не загрызли. Он прикрикнул на них, собаки разбежались, а выученный им черный кобель Жулик из благодарности бросился к нему и вскочил на него обеими лапами. И не успел Л.Н. опомниться, как «чебурах вверх ногами, прямо в снег!».

Поговорив с Левиным, он оставил его до вечера, а сам, как всегда, отправился работать. Зачем-то зашел он в нашу «канцелярию». А я как раз перед этим разговаривал с Самуилом Моисеевичем Белиньким (ремингтонистом, присланным в Телятинки Чертковым для услуг Толстому и посещающим ежедневно Ясную Поляну) о том, что как будто Л.Н. с некоторого времени стал писать гораздо разборчивее, чем раньше.

Когда вошел Толстой, Белинький стал просить его не стараться писать разборчивее.

— А разве вы заметили, что я разборчивее пишу? Как же, это нехорошо, что я всё пишу неразборчиво! Всё забываю: начну хорошо писать, а потом незаметно опять плохо...

— Это всё ваша экономия на бумагу, Лев Николаевич, — заметил стоявший тут же Сухотин, — всё вот так, так уписать, чтобы места меньше заняло!..

— Ну вот, теперь надо только экономию бросить, — засмеялся Л.Н., — и будет всё хорошо.

Это верно, что Л.Н., с его бережным отношением к произведениям человеческого труда, старается очень экономно тратить бумагу и использовать всякий клочок ее. Он, например, отрывает чистые, не записанные половинки от получаемых им писем и на них иногда пишет свои ответы или употребляет их для черновиков. Если не ошибаюсь, эта же черта — экономия на бумагу — свойственна была Дарвину.

Кроме норвежца, под вечер приезжал тульский адвокат Гольденблат с двумя детьми и беседовал с Л.Н. о судебных делах, которые интересовали последнего, и о проектируемом посещении Толстым одного из заключенных в тюрьме. После обеда Гольденблат уехал.

Вечером между Л.Н. и норвежским журналистом шла долгая и интересная беседа.

— У вас в Норвегии прямо рай! — говорил Л.Н. — Право, я поеду к вам. И знаете, хорошо, что у вас климат плохой, который мешает разным дармоедам наезжать к вам. Ведь у вас мало туристов, да? Вот только бы эти дармоеды к вам не ездили.

Левин распространился о высоте норвежских законов, о том, что в Норвегии нет нищенства, которое запрещается законами.

— Ну, это меня уж не так прельщает, — сказал Л.Н. — У вас, как вы говорили мне, совсем не наблюдается в народе религиозного движения, всё держится на законах — значит, на городовом, как последней инстанции насилия. А от городового, я думаю, не может быть ничего хорошего. Нет, не поеду в Норвегию!

Левин согласился, что всё держится на городовом, последней инстанции насилия, но стал отстаивать норвежских городовых как вежливый и прекрасный народ.

— Посмотрите, в каких отношениях наши городовые с детьми! Дети не только не боятся городовых, но очень любят их. Если, например, городовой встретит заблудившегося ребенка, он купит ему конфет, развлечет его. Я сам видел, как городовой вел одного мальчугана в участок, а тот прыгал за ним на одной ноге.

— Нет, поеду к вам! — проговорил опять Толстой.

— А вот я скажу кое-что, после чего едва ли вы, Лев Николаевич, опять захотите поехать, — вмешался Михаил Сергеевич. — Если, например, бежит вор, — обратился он к Левину, — то станет городовой его преследовать и поволочет его в участок?

— Станет, поволочет, — отвечал несколько смущенный, растерявшийся норвежец.

— Ну, что, поедете вы теперь в Норвегию? — опять обратился Сухотин к Л.Н.

— Нет, нет, не поеду!.. Вот вы хвастаетесь всё, а в Шанхае, где населения, пожалуй, будет больше, чем у вас во всей стране, китайская половина города живет прекрасно без всяких городовых, — говорил Левину Л.Н.

В одиннадцать часов гость уехал, очень довольный всеми и благодарный. Л.Н. еще остался в столовой и разговаривал с Михаилом Сергеевичем об ужасной катастрофе на Ходынке во время коронации в 1896 году.

— Я хотел писать на эту тему, она мне очень интересна. Психология этого события такая сложная. Обезумевшая толпа, дети, спасающиеся по головам и по плечам; купец Морозов, выкрикивающий, что он заплатит восемнадцать тысяч за спасение. И почему именно восемнадцать? А главное, эта смена: сначала у всех веселое, праздничное настроение, а потом эта трагедия, эти раздавленные тела... Ужасно!

Все примолкли. Толстой сидел на стуле у одной из стен, запрокинув голову и задумавшись.

— Удивительно, — сказал он через некоторое время, уже вставая, чтобы идти спать, — крестьяне стали как будто точно невежливы со мной. Сегодня, например, три мужика не поклонились мне, я сам поклонился. А раньше всегда кланялись. А вы знаете, Михаил Сергеевич, — уже прощаясь, сказал он, — как говорят, когда тот, с кем поздороваются, не снимает шапки? Нет? Ему говорят: «Не снимай, не снимай шапку, а то вши расползутся!» Это чтобы отомстить, — засмеялся Л.Н. и пошел к себе.

Он уже очень, видимо, устал. Всякие гости все-таки очень утомляют его.

21 февраля

Утром приезжали к Л.Н. старик старовер и молодой крестьянин, по личному делу. В семь часов вечера, со скорым поездом, приехали муж и жена Молоствовы: он — предводитель дворянства Тетюшского уезда Казанской губернии, она — исследовательница русского сектантского движения. Из них каждый говорил с Толстым о своих интересах. Особенно долго говорили о Законе 9 ноября*. Л.Н., конечно, является его противником, Молоствов же высказывался как сторонник его.

Затем говорили опять всё о той же Ходынке. Эта последняя тема оказалась особенно благодарной ввиду того, что Молоствова была одной из очевидиц события, находясь близ Царского павильона вместе со своим дядей, генералом Бером, заведовавшим всем празднеством.

---

* Девятого ноября 1906 года П.А.Столыпин издал указ, по которому крестьянам предоставлялось право свободного выхода из сельской общины.

К чаю вышел мрачный и, не помню почему, сказал, что на свете жить тяжело.

— Тебе-то почему тяжело? — спросила Софья Андреевна. — Все тебя любят.

— Еще как тяжело-то! — возразил Л.Н. — Отчего же мне не тяжело-то может быть? Оттого, что кушанья хорошие, что ли?

— Да нет, я говорю, что тебя все любят.

— Я думаю, — снова возразил Л.Н., — что всякий думает: проклятый старикашка, говорит одно, а делает другое и живет иначе, пора тебе подохнуть, будет фарисействовать-то! И это совершенно справедливо. Я часто такие письма получаю, и это — мои друзья, кто мне так пишет. Они правы. Я вот каждый день выхожу на улицу: стоят пять оборванных нищих, а я сажусь верхом на лошадь и еду, и за мной кучер!..

Молоствов (очень простой и добрый человек) принялся утешать Л.Н., но перестал, видимо, чувствуя, что тут дело не в утешениях.

Вечером, читая одно из написанных мною писем с более или менее резкими, прямыми выражениями о правительстве, о церковном суеверии и т.п. Л.Н. проговорил:

— Ой-ой-ой! Вам за это плохо может быть. Как вы не боитесь? И матери может быть неприятно.

Я указал, что письмо закрытое.

Л.Н. закончил сегодня составлять общий план всех тридцати книжек из «На каждый день». Я подготовил для него книжку «Соблазн тщеславия», послал много писем и, между прочим, пять денежных пакетов на сумму шестьдесят рублей. Деньги эти посылаются в тюрьмы его единомышленникам. Л.Н. посылает им рублей по пяти в месяц. Теперь посылалось за два месяца шести лицам. Помогает он и родственникам некоторых из них.

Происхождение этих денег таково: они составляют гонорар Толстого за представление его пьес «Власть тьмы» и «Плоды просвещения» в императорских театрах. Первоначально Л.Н. хотел отказаться от этого гонорара, но его предупредили, что в таком случае деньги будут употреблены на усиление и развитие казенного балета. Тогда Толстой решил не отказываться от этих «театральных» денег. Сумма гонорара достигает двух или трех тысяч рублей в год, и все эти деньги идут на помощь лицам, сидящим в тюрьмах, крестьянам-погорельцам и другим нуждающимся.

22 февраля

Утром Л.Н. опять показывал браминское доказательство Пифагоровой теоремы Белинькому и Молоствову. За обедом говорили о подвигах собаки-сыщика Трефа, о которых трубят московские газеты*, о громком деле Тарновской**, почему-то о страховых обществах. Л.Н. больше, как и обыкновенно во время таких разговоров, молчал и, только узнав, что страхование жизни возможно лишь до известного возраста, заметил:

— Наш брат, значит, совсем никуда не годится!

— Я сейчас думал, — сказал он, выйдя к чаю, — о том, что всё остается. И мне это так ясно представилось! Это ко всем людям одинаково относится. И всё, что Таня делает, остается, потому что отражается не только на Танечке, но и на Верочке... Ильинишне***.

Затем рассказал о письме одного учителя:

— Он пишет, что ему мешает духовенство в его деятельности. Я думаю, что дело учителя такое нужное, что его ни на какое другое нельзя променять и что можно учителю успешно работать, несмотря на противодействие духовенства.

Говорил опять о статье для Буланже, что работается ему над ней плохо, а между тем предмет ее важный и требует, чтобы статья была хорошо обработана.

Завели граммофон. Пели Михайлова и Варя Панина, играл на балалайке Трояновский.

— Плясать хочется! — воскликнул Л.Н., слушая гопак в исполнении Трояновского.

Всем нравилось и пение Паниной. Я вспомнил сказанные недавно слова Л.Н. о цыганском пении:

— Это удивительный жанр — цыганский, и далеко не оцененный!

---

* За время своей розыскной деятельности в полиции доберман Треф раскрыл более 1500 преступлений.

** Мария Тарновская «заказала» одному своему любовнику убийство другого, а третий следил за выполнением «заказа».

*** Верочка — горничная Татьяны Львовны, дочь Ильи Васильевича Сидоркова, слуги Л.Н.

На Паниной остановились дольше других. Романс за романсом очень тонко выводил ее мощный, почти мужской голос, невольно захватывая слушателей. Я сидел в сторонке, в конце стола, и слушал, не вступая в разговоры. Думаю, Л.Н. заметил, что я несколько взволнован пением, или, с его чуткостью, предположил это, потому что он вдруг поднялся, потихоньку подошел ко мне и, дружески улыбаясь, спросил:

— Не раскаиваетесь, что не стали певцом?

Я поглядел ему в глаза и ответил:

— Нет, Лев Николаевич!

Можно ли было променять на какое бы то ни было пение ту радость общения с Толстым и всё, что оно давало!.. Какой прекрасной музыкой прозвучал для меня самый вопрос, до такой степени растрогавший меня, что я едва был в состоянии удержать готовые брызнуть слезы!..

Музыка прекратилась. Начались разговоры о достоинствах и недостатках граммофона и вообще механических музыкальных инструментов. Л.Н. стал хвалить самоиграющее пианино «Миньон», передающее игру пианистов механически. Он слышал его в Москве.

— Недостаток его в однообразии: пьеса исполняется всегда одинаково, а живой человек играет всегда с разнообразными оттенками.

По этому же поводу говорил:

— Художник должен дать больше фотографии в своем произведении.

Когда Л.Н. уже отправился спать, я принес ему в кабинет повестки для подписи.

— А я получил письмо из Парижа, от Гальперина-Каминского, — сказал он, — и теперь жду его посылки, пьесы «La Barricade» (Поля Бурже), с критиками на нее. В ней проповедуется необходимость насилия и говорится о вашем покорнейшем слуге. Да, далеко им еще до непротивления. И это всегда так: как доходит до непротивления, так это им...

— Камень преткновения? — подсказал я.

— Камень преткновения! — согласился Л.Н.

Приезжал торговец из Самары, большой черноволосый человек, очень серьезный, но детски наивный. Его интересовал вопрос о награде и наказании в загробной жизни. Поговорив с ним немного, Л.Н. передал его на мое попечение.

— Это заведующий моими делами. Всё, что я скажу вам, всё это он знает. И книг вам даст.

Купец уехал, видимо облегченный беседой (его мучил страх загробных страданий) и с подарком, портретом Толстого с собственноручной надписью. Причем купец обязательно настоял, чтобы Л.Н. написал на портрете: «Дарю такому-то». Это «дарю» особенно ему хотелось иметь на портрете. И Л.Н. так и написал.

После завтрака я сопровождал его в верховой прогулке. Он ездил в деревню Овсянниково, за шесть верст от Ясной, проведать больную Марию Александровну Шмидт. Сначала он ехал было шажком, и я думал, что мы так и будем ехать всё время, — и что же? С половины дороги, а особенно на обратном пути, Л.Н. ехал временами такой крупной рысью на своей прекрасной лошадке Дэлире, что мне пришлось поспевать за ним галопом. Сидит он на лошади прекрасно — прямо, держа поводья одной левой рукой и подбоченясь правой. А когда летит, то очень красив: лошадь выбивает копытами снежную пыль, навстречу ветер, седая борода блестит на солнце.

Вечером Михаил Сергеевич и Софья Андреевна, когда Л.Н. отдыхал еще у себя, подсмеивались, что он любит похвастать умелой и быстрой ездой и что, наверное, он хотел меня удивить. Между тем, видимо, сегодняшняя поездка его утомила. Ему нездоровилось. К тому же у него отчего-то разболелось колено правой ноги. Душан боится, что это начало припадка закупорки вен — болезни, которой давно страдает Л.Н.

После чая Толстой читал с Михаилом Сергеевичем полученные сегодня французские статьи о «La Barricade» Бурже. Между прочим, сегодня он получил хорошее письмо от одной девушки из Пятигорска. Недавно она писала ему, что хочет отравиться и уже купила карболовой кислоты. Л.Н. отвечал и послал ей книг. Теперь девушка эта сообщала ему, что три дня после получения его письма она колебалась, не зная, что делать, но наконец выбросила карболку и теперь начинает убеждаться, что жизнь не есть сплошное зло и что человеку доступно благо, к которому он стремится. Письмо очень искреннее, не дающее никакого повода думать, чтобы написанное в нем было неправдой.

24 февраля

Л.Н. нездоров. Утром он еще гулял, но больше из дома не выходил и даже не завтракал.

Из Петербурга приезжал дамский портной, автор портновского учебника. Провел в Ясной целый день и очень всех утомил. Расположился в одной из нижних комнат как у себя дома, вечером обедал. Разослал всем своим знакомым открытки с приветом из Ясной Поляны. Всё уговаривал Софью Андреевну принять от него в подарок сшитую им шелковую муфту. Но Софья Андреевна категорически от муфты отказалась, заявивши кстати, что она лично считает приличным употребление только меховых муфт. Татьяну Львовну портной принялся учить метать петли...

В конце концов мы не знали, что делать с человеком, никак не хотевшим понять, что он уже достаточно злоупотребил вниманием хозяев. Наконец Л.Н. позвал портного в маленькую гостиную, и между ними произошел короткий разговор. Как после передавал сам Л.Н., он сказал портному, что у каждого есть свое дело — свое у него, Толстого, и свое у портного — и что лучше без особой нужды не отрывать друг друга от этого дела. Высокая, вылощенная фигура портного выскользнула из гостиной и моментально ретировалась из яснополянского дома.

Получено письмо из Москвы от Малахиевой, сотрудницы «Русской мысли», в котором она просит Л.Н. позволить приехать в Ясную Поляну хоть на самое короткое время Льву Шестову, философу. Посоветовавшись с Михаилом Сергеевичем и расспросив меня, что я знал о Шестове как о писателе, Л.Н. просил меня написать Малахиевой о его согласии принять Шестова. Надо сказать, что на это согласие особенно повлияло то обстоятельство, что, как узнал Л.Н., Шестов писал против него.

В столовой заговорили как-то о земледельческих машинах. Я, вспомнив никуда не годное изложение взглядов

Толстого на труд в «Очерках политической экономии» профессора Железнова, который пишет, между прочим, что Толстой будто бы проповедует необходимость возвращения к работе посредством первобытных орудий, спросил Л.Н., сочувствует ли он распространению земледельческих машин и работе на них.

— Да, еще бы, — отвечал он, — как же не сочувствовать! Только я говорю, что должна быть постепенность в стремлениях.

Мысль его была мне понятна: он хотел сказать, что, прежде чем выдумывать дорогие земледельческие машины, нужно позаботиться об удовлетворении более насущных потребностей крестьян — главным образом о наделении их землей.

25 февраля

Опять Л.Н. утром гулял, но не завтракал и после двух часов на обычную прогулку не выходил. Всё время сидел у себя в кабинете и работал, усиленно работал, гораздо больше обыкновенного.

За чаем Софья Андреевна начала декламировать стихи Тютчева, и Л.Н. поддержал ее, подсказывая и декламируя сам.

— Если стихотворение хорошо, — говорил он, — в нем всякое слово на месте.

Вспомнили и самого Тютчева, которого, кроме Л.Н. и Софьи Андреевны, знал и Сухотин.

— Сегодня, — продолжал Толстой, — я прочел от начала до конца номер газеты и вывел такое заключение, что во всем свете теперь самые главные события — это смерть Комиссаржевской и юбилей Савиной. Это два великих человека... Ужасно! Слово, которое должно служить передаче мысли, до такой степени извращено!..

Удивительны эти так называемые «просительные» письма к Толстому. Сегодня одна девица просит сто рублей на свадьбу, так как «она дочь офицера, а офицерские традиции требуют то того, то другого»; затем молодой человек просит тоже сто рублей на подготовку к экзаменам на вольноопределяющегося и т.д.

Почты было мало. Л.Н. окончил предисловие к статье Буланже, и теперь я уже отослал его Поссе.

Л.Н. нездоров. Не завтракал, не гулял. Как и вчера, особенно много занимался.

Утром приходили трое — посмотреть на Толстого, но ушли, напрасно прождав у крыльца.

После обеда состоялся спектакль: Софья Андреевна устроила для своих внучат кукольный театр. Был построен в зале балаган, написаны на «ремингтоне» афиши, играл граммофон вместо оркестра и т.д. Пьеса, придуманная самой Софьей Андреевной, называлась «Пропавшая девочка». Софья Андреевна, скрывшись за кулисами, передвигала кукол и сама говорила за них. За некоторых «мужчин» говорил Михаил Сергеевич.

Л.Н. хотел уйти, как только завели перед началом граммофон, но остался посмотреть, как чинно входили под торжественный оркестровый марш ребятишки-зрители и усаживались перед крохотной сценой. Подняли занавес. Представление началось. «Папенька» с «маменькой» внушали своей «дочке Лидочке», чтобы она не ходила в лес, где ее может обидеть «разбойник». Л.Н. подошел очень близко к сцене и, щурясь, вглядывался в движущиеся фигурки действующих лиц. Потом повернулся и ушел к себе. Но тотчас вернулся с какой-то большой коробкой в руках. Сел поодаль, у стола, и, не торопясь, раскрыл свою коробку и достал из нее огромный морской бинокль, который и направил на сцену. Через минуту я оглянулся на него. Л.Н. хлопал руками по коленам, заливаясь смехом. Он просидел минут десять и опять ушел, унося с собой бинокль.

Софья Андреевна сильно устала от спектакля и, когда пили чай, прилегла в зале на кушетку.

— Ну, теперь я начинаю уважать Комиссаржевскую, — произнес, указывая на жену, Л.Н.

Все засмеялись и заговорили о спектакле. Вспомнили, что действующие лица перепрыгивали через стены, чтобы попасть на сцену (иначе устроить нельзя было, потому что все они были прикреплены за головы к проволоке).

— Да, вот в Художественном театре всё держится на обстановке, — шутя заметил Л.Н., — а здесь пьеса была такая содержательная, что действующие лица через стены прыгали, и все-таки все внимательно следили за пьесой, и это не мешало впечатлению.

Л.Н. получил письмо Н.Н.Гусева с выпиской из письма крестьянина Калачева. Выписка эта о жизни и Боге так понравилась Толстому, что он просил меня принести письмо и прочесть его вслух.

— Да, вот мужички-то что теперь говорят! Так профессора не говорят, не только архиереи.

Говорили о воспитании. Толстой сказал:

— Всё, что дается человеку воспитанием, в сравнении с его характером — ничтожество, одна тысячная доля. Я сужу хотя бы по себе... Человек все всегда воспринимает субъективно.

Приготовил и отдал Л.Н. четырнадцатую книжку мыслей — «Суеверие неравенства».

27 февраля

Приезжали с Кавказа кубанские казаки посоветоваться с Толстым о том, как относиться им к воинской повинности. Люди очень хорошие, и Л.Н. очень понравились. Про одного из них, проповедника, особенно способного, он мне после говорил:

— В нем соединяются вместе религиозное чувство, желание славы людской и суеверие возможности обустроить жизнь других.

По почте пришло из Петербурга роскошное с внешней стороны издание биографии Толстого, составленной Сергеенко и Молоствовым, с негодными по содержанию иллюстрациями, с ошибками, вроде того, что на обложке изображен прекрасно исполненный рисунок дома Толстых в Москве и подписано: «Вид в яснополянском парке» (что-то в этом роде!) и т.д. Там, где описывается юность Толстого, помещена виньетка, изображающая голых женщин, витающих в каких-то облаках вокруг головы двадцатилетнего Толстого.

Издание показали Л.Н. Он остался совершенно равнодушен к его недостаткам.

— Ничего, пускай, — говорил он, — красиво, это большинству и нужно.

После, просмотрев издание подробнее, он говорил:

— Ах, удивительно плохо! Изгнано всё духовное и оставлено материальное и грубо аляповатое.

За обедом присутствовала Татьяна Татьяновна и, по обыкновению, пищала и лепетала, как птичка.

— Дедушка, ты сколько блинов съел? — обратилась она к Л.Н.

— Пятый не съел, а четвертый не доел, — отвечал дедушка.

На днях у нас был бывший матрос, революционер, участник одного из восстаний на Юге. Он просил рублей пятнадцать на дорогу, чтобы добраться до румынской или болгарской границы и совсем покинуть Россию. Человек, по-моему, ничем не выделяющийся. Но Л.Н., который прошелся с ним по парку, что-то привлекло в нем, и он принял в матросе живое участие. Отправил его передохнуть на хутор к Чертковым и сам собрал для него среди домашних нужную сумму денег, за которыми матрос должен зайти завтра. Отмечаю этот факт как показатель отсутствия в Толстом какого-либо догматизма.

Вечером говорили о книге профессора Яроцкого «Идеализм как физиологический фактор», которая Л.Н. совсем не понравилась, и об увлечении молодежи (теперь уже спадающем) «пинкертоновской» литературой.

Помню, как Л.Н. говорил, кажется, по поводу книги Яроцкого:

— Духовная жизнь еще более сложна, чем материальная. Сказать про человека, что он хороший, дурной, умный или глупый — большая ошибка.

Меня заставили петь. Я исполнил несколько романсов русских композиторов. Аккомпанировала Татьяна Львовна и приехавшая из Тулы Надежда Павловна Иванова. Л.Н. слушал из своего кабинета. После он пришел и сказал, что «Жаворонок» Глинки ему не нравится, но что я будто бы прекрасно спел глинковское же «Я помню чудное мгновенье» (под аккомпанемент Татьяны Львовны).

И опять поздно вечером, когда я принес в кабинет для просмотра письма, Л.Н. говорил:

— Я всё боюсь за вас, чтобы вы не раскаялись в том, что избрали такой путь... Вы так молоды, и в вашей жизни еще так много впереди.

Утром приходили опять казаки, чтобы проститься, и революционер, который был очень рад помощи Л.Н. Кроме них, приезжали повидаться с Толстым муж и жена, малороссийские помещики, славные степные люди. Они пришли нарядные, волнуясь. Л.Н. принимал их в гостиной. Сколько я могу судить, беседа была серьезная и нужная для супругов. Оба вышли из гостиной растроганные, в слезах.

Здоровье Л.Н. сегодня немного лучше. После завтрака он ездил в санях кататься, а это служит хорошим признаком. Сегодня он получил стихи из Тобольска. Ему показалось, что это от смотрителя каторги, и Толстой хотел ему ответить, что печатанием и просмотром стихов не занимается. Но письмо оказалось от каторжанина, нуждающегося при этом в деньгах. Тогда Л.Н. решил переслать стихи в какой-нибудь журнал. По моему предложению, он послал их Якубовичу-Мельшину в «Русское богатство».

Между прочим, Л.Н. надо было послать три посылки с запрещенными изданиями «Обновления»*. Он просил собрать книги, а адрес надписать хотел сам, чтобы не подвести меня. Я, впрочем, не стал его затруднять.

Масленица отражается и в получаемых Толстым письмах. Сегодня один корреспондент пишет: «Поздравляю Вас широкой Масленицей и желаю Вам в веселом настроение и полном добром здоровие. Покушать горяченьких блинков, и рыбке на полные здоровия».

Было трогательное письмо: «Покорнейше прошу вас, Лев Николаевич, человек я бедный, сирота, так как я не имею никаких средств, так, пожалуйста, прошу, Лев Николаевич, вы хотя бы взяли меня к себе в ученики, так я наслышался от постороннего народа вашего премудрого учения и великой милости. Затем-то я у вас, Лев Николаевич, прошу, не развяжете ли вы мою повязку с головы, потому что я сие время нахожусь как будто в темнице какой или же не вижу белого света».

---

* «Обновление» — издательство, организованное в 1906 году для печатания и распространения произведений Толстого, запрещенных в России.

Человеку этому я ответил, что учеников при Л.Н. нет, а те люди, которые разделяют его взгляды, узнают их из его сочинений и что поэтому я и ему посылаю эти сочинения.

Л.Н. одобрил мое письмо. Кстати, давая мне письма, Толстой теперь очень часто не пишет даже вкратце, что именно нужно отвечать, а просто ставит на конверте: «В.Ф.» или «В.Ф., ответьте». Но потом, конечно, прочитывает все мои ответы.

Март

1 марта

— Я получил письмо со стихами, — говорил мне утром Л.Н., разбирая сегодняшнюю корреспонденцию, — и хотел не отвечать на него, но совесть мучит. Это молодой человек, восемнадцать лет, крестьянин. Так напишите ему, пожалуйста, что-нибудь.

Сегодня оказались еще стихи, так что сам Толстой написал большое письмо о «зловредной эпидемии стихотворства».

Вечером, кажется, опять по поводу книги Яроцкого, Л.Н. говорил:

— Большинство людей попадают в жизни в такую колею, из которой им ужасно трудно выбраться и не хочется, хотя бы это нужно было. И они в ней остаются. И это в религиозной сфере так же, как в научной. Вот Душан Петрович попал в такую же колею со своим отношением к евреям, о чем мы с ним сегодня говорили, — добавил, улыбаясь, Л.Н.

Я не говорил еще об этом печальном недостатке Душана Петровича — его антисемитизме. В человеке, чьи взгляды и чья личная жизнь могли бы служить завидным примером для каждого из нас, каким-то непонятным образом укоренилось недоброжелательство к целому народу. Говорят, это следствие впечатлений детства, проведенного в Венгрии, в области, населенной евреями. Все равно я никогда не мог понять этой странной слабости Душана Петровича. Не понимал ее и Л.Н., и никто из окружающих.

Толстой говорил не раз Душану, что его нелюбовь к евреям — это тот материал, который Бог дал ему для работы над ним и для преодоления в себе этого недостатка. «Если бы не этот недостаток, то Душан был бы святой», — говаривал Л.Н. о своем друге.

В ответ на слова о «колее» Душан Петрович что-то ответил, и вот завязался длинный разговор о евреях. Душан Петрович спорил с Л.Н. с большим упорством.

— Как можно ненавидеть, не любить целый народ! — говорил тот. — Я понимаю, что можно инстинктивно питать нерасположение к некоторым недостаткам евреев, но нельзя же из-за этого осуждать их всех: надо, напротив, стараться самому избавиться от этого недоброжелательного чувства как от недостатка. Иначе будешь оказывать сочувствие и поддержку таким человеконенавистническим обществам, как «Союз русского народа», который устраивает еврейские погромы, и так далее. Евреи притесняемы, находятся в исключительном положении, и их нельзя обвинять в том, что они участвуют во всяком протесте против правительства, участвовали в революции.

Если я сам видел особенные черты в русском народе, выделял русских мужиков как обладателей особенно привлекательных сторон, то каюсь. Каюсь и готов отречься от этого. Симпатичные черты можно найти у всякого народа. И у евреев есть выдающиеся черты, например их музыкальность. Вы говорите, что дурные стороны у евреев преобладают, что они безнравственнее других народов, как это статистикой доказано, но я думаю, что статистика эта неверна; да статистика большей или меньшей нравственности и противоречит религиозному чувству. А что значит это слово «еврей»? Для меня оно совершенно непонятно. Я знаю только, что есть люди. Географическую карту я знаю, знаю, что здесь живут евреи, здесь — немцы, французы, но деление людей на разные народы мне представляется фантастическим. Я его не могу знать так же, как четвертого измерения в геометрии. Недоброе чувство может быть только к отдельному человеку.

Если вы и не любите евреев, то единственное средство сделать их лучше, единственное средство против них — это дать им равноправие, уравнять их со всеми, так как, повторяю, они находятся в исключительном положении. Но дело даже не в последствиях, а в требованиях религиозного мировоззрения. Для меня согласиться с вами — это все равно что отречься от всего того, во что я верю: отречься от главного моего убеждения, что все люди равны. И я не понимаю, как можете вы, с вашими взглядами, с вашей жизнью, так относиться к целому народу. Я думаю, что вам нужно только желать избавиться от такого чувства как от недостатка.

Душан Петрович всё спорил, не соглашался с Л.Н. и, видимо, остался при своем мнении.

2 марта

С сегодняшней почтой пришел из Америки художественно расписанный с английским текстом лист бумаги, что-то вроде адреса для Толстого.

— Воздаяние, — перевел Л.Н. заглавие, когда я показал ему этот манускрипт, и равнодушно добавил: — передайте его Тане.

Я получил письмо от Владимира Александровича Поссе, в котором он писал, что мое сочинение «Христианская этика» готов издать редактор «Вестника знания» Битнер. Я прочел письмо Толстому. Он советовал послать работу Битнеру, что я и выполню на днях.

Л.Н. сегодня слаб. После завтрака лег спать. Ходит в черной суконной поддевке, так как его знобит.

После обеда приезжал из Москвы философ Лев Шестов и оставался до десяти часов вечера. Говорил он с Толстым у него в кабинете, наедине, очень долго, часа полтора.

— Поговорили так, как можно только вдвоем, а третий был бы излишен, — привел после Л.Н. английскую пословицу. Однако особенного впечатления гость на него, по-видимому, не произвел.

Сам Л.Н. после говорил про Шестова:

— Он не философ, а литератор.

У Шестова я тоже не заметил особенного удовольствия или душевного подъема после его разговора с Толстым.

— Разве можно в такой короткий срок обо всем переговорить? — ответил он мне на вопрос о том, какое впечатление произвел на него Толстой.

Одним словом, что называется, «не сошлись характерами».

Гуляя утром, Лев Николаевич разговаривал с каким-то крестьянином, зачем-то снял перчатки и забыл их на перилах веранды. Двое прохожих, нищих, заметили перчатки и принесли в дом.

Приехал из Тулы тамошний корреспондент «Русского слова», просидел в Ясной Поляне очень долго, но, бедный, не добыл почти никакого материала для писания, потому что Л.Н. не разговаривал с ним по нездоровью, да, я думаю, и по отсутствию тем для разговора.

Зайдя в «ремингтонную», Толстой говорил о Шестове:

— Одни думают для себя, другие думают для публики. Так он думает для публики.

И, по-моему, это чрезвычайно метко.

За завтраком рассказывал, что к нему приходил крестьянин жаловаться на ветеринарного врача, который будто бы стал лечить его корову тем, что намазал ее скипидаром, а она издохла. И вот крестьянин хотел искать убытки с ветеринара.

— Я ему и говорю, — говорил Л.Н., — зачем же ты к ветеринару-то пошел?.. И так мы с ним хорошо поговорили, и он согласился со мной, что искать денег с ветеринара не стоит.

После завтрака Л.Н. поехал верхом. Я ему сопутствовал. На этот раз он ехал всё шагом, только на обратном пути, уже подъезжая к Ясной, немного проехал рысью, и это имело печальные последствия: после он опять заболел. «Соблазнишься!» — говорил потом.

День сегодня был прекрасный: голубое небо покрыто облаками — белоснежными «барашками», снег; места, по которым мы проезжали, чрезвычайно живописны.

— День-то какой чудесный, а места-то какие! — воскликнул Л.Н., повернув лошадь назад, мне навстречу, и воротившись с той дороги, по которой было поехал, чтобы свернуть на другую.

Ехали долго; встречали мужиков на санях, пересекли полотно какой-то железной дороги, проезжали мимо каких-то одиноких избушек, принадлежащих, должно быть, лесным сторожам. Л.Н. уверенно свертывал с тропинки на тропинку, с дороги на дорогу. Вот деревня. Он спрашивает у встречных крестьян, как проехать к Ясной Поляне, чем немало меня удивляет. Поспорив с прохожим, наконец поворачивает лошадь на указанную им дорогу, но тотчас же возвращается обратно.

— Нет, нет, врет он! — говорит Толстой, проезжая мимо меня, и сворачивает на другую дорогу.

Едем. По бокам поленницы дров, уголь. Вдруг смотрю — Л.Н. поворачивает опять назад.

— Там дальше нет дороги, — объявляет он.

Выезжаем опять на перекресток. Тут стоит одинокая избушка. Л.Н. опять расспрашивает о какой-то ближайшей дороге на Ясную Поляну и наконец получает удовлетворительные сведения: поворот на эту дорогу мы, оказывается, давно проехали. Это была та самая дорога, с которой он свернул в первый раз, когда хвалил мне погоду.

— Далеко ехать, Лев Николаевич, — говорю я ему, — может быть, вы бы слезли с коня и отдохнули здесь?

— Нет, нет, поедем!

И вот мы дома.

— Устали, Лев Николаевич? — спрашиваю я его в сенях, чувствуя, что и сам я сильно устал.

— Да, немного устал, — отвечает он. — Сегодня мы верст двадцать проехали... Только вы не говорите Софье Андреевне.

Он тяжело поднимается по лестнице и уходит к себе в спальню отдохнуть.

— Сегодня мучили мы друг друга с Валентином Федоровичем, — говорил Л.Н. вечером. — Заблудились!.. Я потому не узнал настоящей дороги, что, когда мы ездили с Душаном, она была непроезжая.

За обедом присутствовало новое лицо: Сергей Львович, сын Толстого, приехавший только на один день из Москвы. Вечером Л.Н. с ним и обеими дочерьми играл в карты. За чаем довольно много говорили о процессе революционера Чайковского, с которым некоторые из присутствующих были знакомы*.

---

* Двадцать третьего февраля в Петербургской судебной палате слушалось дело Николая Васильевича Чайковского (1850—1926), по обвинению в заговоре против существующего строя, оправдан.

Приехал пианист Александр Борисович Гольденвейзер. Из Тамбовской губернии приехал повидаться с Толстым религиозный крестьянин Андрей Тарасов, который Л.Н. чрезвычайно понравился. Крестьянин отправился пожить некоторое время в Телятинки. С утренней почтой пришло письмо от болгарина Шопова, отказавшегося от военной службы по религиозным убеждениям и заключенного в «самую скверную тюрьму в Болгарии». Л.Н. тотчас сам ему ответил.

— Как я сам хотел бы присоединиться к таким людям, — сказал тамбовский крестьянин после того, как я рассказал ему о Шопове.

— Я бы и сам хотел, — ответил ему Толстой, — да вот видишь, мы с тобой не сподобились!

Утром, когда я в первый раз увидал Л.Н. (он, лежа на кушетке в гостиной, разбирал письма), на мой вопрос, как он чувствует себя, он отвечал:

— Совсем скверно. Нога болит и слабость. Это всё вчерашняя прогулка. Помните, как я пустил лошадь на гору рысью, когда мы подъезжали домой? Это оттого... Я тогда же почувствовал, что устал, потому что надо подняться все-таки на стременах и упереться в них.

Это же Л.Н. говорил Гольденвейзеру, выйдя к нему. Он добавил еще (что уже говорил как-то), что физическое недомогание плохо влияет на душевное настроение.

— Если у меня нездоров желудок, — смеясь сказал он, — так мне во время прогулки всюду попадаются на дороге собачьи экскременты, так что даже гулять мешают, а если, наоборот, я здоров, так я вижу облака, лес, красивые места.

Рассказывая Гольденвейзеру о приезде Льва Шестова, Л.Н. продолжил свое вчерашнее рассуждение о философах, думающих для публики и думающих для себя. К первым он относил, между прочим, Владимира Соловьева, Хомякова, а ко вторым — Шопенгауэра, Канта.

Перед завтраком зашел ко мне. Я сидел за письменным столом на диване, а внучка «великого писателя земли русской», очаровательная крошка Татьяна Татьяновна, или «сокровище», как еще зовут ее родители, стояла на диване позади меня и щекотала мне шею.

Когда Л.Н. вошел, она своим тоненьким голоском коварно начала его упрашивать:

— Дедушка, сядь на диванчик! Сядь на диванчик, дедушка!..

Ей, видно, очень хотелось и дедушке запустить руки за воротник и пощекотать шею. Но дедушка отговорился тем, что еще не завтракал, и поспешил уйти.

Позавтракав, он, несмотря на недомогание, отправился с Гольденвейзером проехаться. Но, прежде чем сесть в сани, принялся ему доказывать, черти по снегу тростью, Пифагорову теорему («по-брамински»).

— Это теперь мой пункт! — сказал он Гольденвейзеру.

Вечером Л.Н. пришел в «ремингтонную».

— А я сейчас читал книгу Страхова (Федора), которую вы привезли, — сказал он, обращаясь к Гольденвейзеру, — прочел только «Дух и материя»... Прямо замечательная книга! Она будет одной из самых замечательных книг. Его только не знают еще сейчас. Вот действительно философ, и философ, который мыслит и пишет для себя. И он затрагивает самые глубокие философские вопросы... Ах, какая прекрасная книга! Кротость, смирение и серьезность — вот отличительные черты Страхова.

Л.Н. получил письмо от писателя Наживина, который просил его прислать ему для одной его книги последний портрет Толстого. Когда Л.Н. сел разбирать отсылаемые сегодня письма (в большинстве написанные им самим), он попросил меня принести из его кабинета папку с его портретами, чтобы выбрать из них который-нибудь для Наживина.

Принесши папку, я начал разбирать ее вместе с Гольденвейзером.

Л.Н. вдруг усмехнулся.

— Смотрю я на эти портреты и думаю, особенно теперь, прочитав Страхова, и это я не кривляюсь, — говорил он, — думаю, что вся эта моя известность — пуф!.. Вот деятельность Страхова и таких людей, как он, серьезна, а моя, вместе с Леонидом Андреевым и Андреем Белым, никому не нужна и исчезнет. Иначе не было бы этой шумихи около нас и этих портретов.

После чая Гольденвейзер сел за рояль. Сыграв по одной, по две пьесы Скрябина, Аренского и Листа, он играл затем исключительно Шопена. Всё исполнялось им замечательно.

— Прекрасно, чудесно! — проговорил Л.Н., прослушав одну из прелюдий Скрябина.

Аренский тоже понравился ему. Когда-то композитор бывал в Ясной Поляне, и Толстой теперь вспоминал о нем как об очень симпатичном человеке.

— Чепуха, чепуха! — произнес Л.Н. после пьесы Листа. — Здесь нет вдохновения. Все эти, — и он показал руками и пальцами, как делают пассажи на фортепиано, — ничего не стоит сделать и сочинить в сравнении с той простотой, с тем изяществом, как в том, что вы перед этим играли.

Играна была пьеса Аренского.

— А вы как думаете, Михаил Сергеевич, — обратился Л.Н. к своему зятю, — нравится вам Аренский?

— Для меня, Лев Николаевич, — отвечал тот, — Скрябин, Аренский — все равно что в литературе Андрей Белый, Вячеслав Иванов; я их не понимаю и друг от друга отличить не могу.

— Что-о-о вы! — протянул усовещивающе Толстой.

Затем он долго слушал Шопена и промолвил:

— Я должен сказать, что вся эта цивилизация — пусть она исчезнет к чертовой матери, но музыку — жалко!

Стали говорить об отношениях Шопена и Жорж Занд.

— Что ты эти гадости рассказываешь, — вмешался всё молчавший Л.Н, обращаясь к Татьяне Львовне, и добавил, смеясь: — где уж ваша сестра замешается, там всегда какие-нибудь гадости будут!..

— Уж я тебе отомщу, погоди! — погрозила отцу пальцем Татьяна Львовна.

— Смешивают любовные пакости с творчеством, — продолжал Толстой. — Творчество — это нечто духовное, божественное, а половая любовь — животное. И вот выводят одно из другого!.. Шопен не оттого писал, что она пошла гулять (Л.Н. усмехнулся), а оттого, что у него были эти порывы, это стремление к творчеству.

— Отчего, — говорил он затем, — живопись, поэзия понятны всем, как понятна всем религия, а музыка представляет в этом отношении исключение? Поймет ли вот такую музыку неподготовленный, простой мужик, даже вообще склонный к эстетическим... «переживаниям»?.. Будет ли он испытывать такое наслаждение, какое испытываем теперь мы? Вот это меня очень интересует! Я думаю, что он не поймет такой музыки. Поэтому я хотел бы, чтобы музыка была проще, была бы всеобщей.

Между прочим, сегодня Л.Н. писал в письме к Наживину: «Я живу хорошо, подвигаюсь понемногу к тому, что всегда благо, и ослаблением тела, и освобождением духа».

Приготовил ему книжку «Суеверие государства». В работе мне помогала уже почти совсем выздоровевшая Александра Львовна: размечала «безответные» письма, завязывала посылки, собирала книги и т.д. Хотя червячок ревности (растягивающийся иногда и в червячище) всё еще копошится в ее душе, но все же, узнав меня поближе, она, кажется, убедилась, что не настолько уж я опасное для нее чудовище, и стала ко мне более снисходительна. В ревности своей она уже признавалась мне самому, а разве это не прямой признак, что ревность ослабела?

— Ненавижу Гуську, не люблю Булгашку! — напевает она иногда, сидя за пишущей машинкой, в то время как «обер-секретарь» (как она меня называет) восседает, разбирая важные бумаги и корректуры, за столом. «Обер-секретарю» остается, конечно, только посмеиваться...

5 марта

Л.Н. слаб сегодня, но на вопрос о здоровье я получил от него вот такой ответ:

— Хорошо, всё хорошо, лучшего и желать нечего!

Вечером он зашел ко мне.

— Кончили все дела? — спросил он, улыбаясь доброй улыбкой. — Ну, давайте ваши хорошие перья!

Он уверяет почему-то, что в «ремингтонной» особенно хорошие перья, каких у него и в помине нет. Вероятно, Софья Андреевна редко меняет их.

Л.Н. подписал письма, которых сегодня было довольно много: почти на все полученные им письма он ответил сам.

— Лев Николаевич, не могу ли я задать вам один вопрос, не относящийся к делу, а так? — обратился я к нему.

— Пожалуйста, пожалуйста! Я очень рад. Когда работа, так общение как будто прекращается, и я очень рад, если могу ответить, когда меня о чем-либо спрашивают в таких случаях.

Я спросил, только ли физический труд можно считать вполне нравственным и будет ли таковым труд не физический, но несомненно полезный, нужный, как, например, работа хорошего учителя в школе, свободной от всяких посторонних вредных влияний, или работа Душана, доктора, которого Л.Н. называет иногда святым.

Толстой высказался в том смысле, что возможен нравственный труд — и не физический.

— Но если можно дышать чистым воздухом, то какой же человек будет дышать скверным? — говорил Л.Н. — Так и физический труд. Человек всегда должен стремиться к совершенству, хотя бы он и не мог его достигнуть. А в настоящем положении человека ему, быть может, лучше, нужнее всего быть тюремщиком!.. Может быть, именно это... Вот, говорят, одна женщина занималась в театре гримировкой актеров, а те деньги, которые зарабатывала, тратила на то, что собирала больных и искалеченных собак, ухаживала за ними и содержала их. Так это величайший педантизм — говорить, что она поступает безнравственно, так как отнимает у людей деньги и тратит на собак. Это такой педантизм!.. Тут нужнее всего освободиться от соблазна славы людской, не думать о том, что скажут о тебе люди. С этим труднее бороться, чем с личной похотью, особенно вам, молодым людям, да и нам, старикам... И я сам каких-нибудь полтора года избавился от этого соблазна, стараюсь избавиться и радуюсь, когда успеваю в этом.

Днем Л.Н. ездил в Телятинки вместе с Андреем Тарасовым, сегодня пришедшим к нему оттуда. Толстой продолжает очень интересоваться им. И сегодня он говорил про него:

— У него все нравственные вопросы на очереди. Он женат, у него двое детей, и вот он думает, что не лучше ли теперь жить с женой как брату с сестрой. Накопил он сбережения — пятьсот рублей — и спрашивает теперь, что с ними делать и хорошо ли иметь эти деньги.

Распределил сегодня Л.Н. мысли в книжке «Обман ложной веры», то есть, как и в предыдущих книжках, разбил мысли на несколько отделов, озаглавив эти отделы и в каждом из них расположив мысли в определенном и последовательном порядке.

Сегодня всем газетам — радость и праздник: Хомяков ушел из председателей Думы. Теперь это первая злоба дня.

— Что, Лев Николаевич, говорил я вам, что скандал, устроенный Пуришкевичем, будет иметь очень значительные последствия? — встретил сегодня утром Сухотин Л.Н. — Хомяков ушел!..

— А разве это значительно? — спросил Л.Н.

— Как же, помилуйте! Председатель Думы...

— Не все ли равно? Ушел Хомяков, будет на его месте какой-нибудь Толбяков. Все они друг на друга похожи. Как дух божий живет во всех, так и дух глупости, — улыбнулся Л.Н., — дух дьявольский во всех.

С утренней почтой пришло очень интересное письмо о половом вопросе («Не показывайте его Саше: оно очень грязное»). В письме отмечалось доброе влияние Л.Н. Оно очень взволновало Толстого. Он написал ответ, но при письме не оказалось даже адреса: корреспондент нарочно не приложил его, из нежелания затруднять ответом. Письмо так и осталось неоправленным.

Сегодня я уезжаю из Ясной Поляны в Москву — устроить свои дела с университетом, в котором я продолжаю числиться студентом. После завтрака я собирал в «ремингтонной» свои вещи и только что кончил, как вошел Л.Н.

— Хотите, поедемте и будем благоразумны? — обратился он ко мне.

— Как, верхом, Лев Николаевич?

— Да.

— А вы не боитесь, Лев Николаевич?

— Нет, ничего.

Толстой пошел переобуть сапоги на другие. В валенках уже нельзя было ездить: сыро. Он надел свои дорожные сапоги, в которых я недавно щеголял дня три, когда отдавал в починку свою обувь. Но в чем было ехать теперь мне? Я ходил в ботинках. Илья Васильевич принес найденные в комнате для посетителей, в комодике, огромные старые сапоги с лакированными голенищами, с широкими и длинными ступнями. Я и влез в них. Что же? Сапоги эти оказались принадлежащими не кому иному, как Петру Веригину, духоборческому вождю. Как они попали в Ясную Поляну, Илья Васильевич и сам не знал. В них я и поехал. И промучился всю дорогу: ступни были до такой степени широки, что не влезали даже в стремена.

Всё тает. По дороге — глубокие просовы, так что быстро ехать нечего и думать: лошадь может сломать ногу. Сегодня большой туман: глубокий, белесоватый, он заволакивает всю окрестность, леса, деревенские избы. Шагом проехали всю деревню по черной, грязной дороге. В поле ничего кругом не видно, кроме полоски дороги, обрывающейся спереди и сзади в тумане, да наших двух темных фигур.

Сделали большой круг: до Двориков, деревни, и оттуда назад по другой дороге.

— Как я благоразумно ехал, — улыбнулся Л.Н., поворачивая лошадь с шоссе на дорогу в Ясную.

Правда, ехали все время шагом. На один только пригорок в конце дороги Толстой взъехал опять рысью (должно быть, «соблазнился»).

После обеда, вечером, приехал в Ясную из Москвы Михаил Александрович Стахович, член Государственного совета и камергер, старый друг семьи Толстых. Он привез с собой всевозможных фруктов, а также какой-то дорогой прибор для карточной игры в подарок хозяевам от себя и «Мити» (графа Дмитрия Адамовича Олсуфьева, также члена Государственного совета). После чая играли в карты с Л.Н. и его дочерьми.

— Почему это, Михаил Александрович? — говорила ему в отсутствие Л.Н. Софья Андреевна, сидя за чайным столом и, по своей привычке, покачивая одной ногой, закинутой на другую. — Вот я это и Василию Алексеевичу Маклакову говорю. Оба вы такие деятели, ораторы. Почему вы не сделаете так, чтобы прошли эти реформы и наладилось дело?

— Нет власти, графиня! Нет власти, — отвечал, вздыхая, Стахович. — Знаете, графиня, — говорил он, обильно уснащая свою речь французскими фразами, — власть — это кучер, а мы — это вожжи, кнут в руках кучера. Зачем это? Да, это тяжело, но это необходимо. Это необходимо, графиня. На войне нельзя быть добрым, в дипломатии нельзя быть откровенным, а в политике нельзя быть чистым.

— Это хорошо! — любезно улыбаясь, отвечала графиня.

В одиннадцать часов я отправился на станцию. Поцеловав Л.Н. и поблагодарив Софью Андреевну за ее доброе отношение ко мне во время моего пребывания в Ясной Поляне, я выехал на Засеку вместе с Сухотиными, которые тоже отправились по делу в Москву.

10 марта

Только сегодня вернулся я и в Ясную из поездки в Москву и в Крёкшино, к Чертковым.

Еще на станции услыхал отрадную весть: Л.Н. здоров. Видел его и успел поработать в Ясной Поляне: распределил мысли в книжке «Освобождение от грехов, соблазнов, суеверий и обманов — в усилии воздержания».

После завтрака Л.Н. уехал кататься с Душаном, а я с Белиньким отправился в Телятинки, к старым своим друзьям, у которых не жил целый месяц. Во время моего отсутствия в Ясной был Горбунов-Посадов, который взялся печатать составляемые Л.Н. книжки (числом 31).

12 марта

Пришел утром в Ясную и, к своему удивлению, узнал, что Л.Н. еще не гулял и даже не вставал с постели, хотя было уже больше девяти часов. В доме все тревожились. Встал Толстой в одиннадцатом часу, совершенно здоровым. Сам удивлялся, что так долго проспал. Но, вероятно, это случилось просто оттого, что вчера он поздно лег. А лег поздно оттого, что вечером долго читали его давнишние письма к дальней его родственнице графине Александре Андреевне Толстой. Письма, говорят, очень интересны. Л.Н. слушал их с большим вниманием и очень взволновался в конце концов. Помню, как-то еще до моего отъезда по поводу этих писем он сказал:

— Я их не помню, но помню только, что я в них умственно кокетничал.

Из Москвы приехал художник В.Н.Мешков рисовать Толстого.

После завтрака Л.Н. отправился гулять и на лестнице, по дороге, говорил зятю:

— Думаешь, как приятно умирать, а между тем сколько доставишь неприятностей своей смертью!

— Да, да, много доставите неприятностей, Лев Николаевич, — подтвердил Михаил Сергеевич.

Л.Н. со мною был сегодня очень добр, всё лицо его и глаза светились добротой. Пишу это, так как не могу не умиляться этим.

13 марта

В «Речи» напечатан отрывок из письма Толстого к Гусеву о комете Галлея. Л.Н. писал:

«Мысль о том, что комета может зацепить Землю и уничтожить ее, мне была очень приятна. Отчего не допустить эту возможность. А допустив ее, становится особенно ясно, что все материальные, видимые, осязаемые последствия нашей деятельности в материальном мире — ничто. Духовная же жизнь так же мало может быть нарушена уничтожением Земли, как жизнь мира — смертью мухи. Еще гораздо меньше. Мы не верим в это только потому, что приписываем несвойственное значение жизни вещественной».

Кто-то заметил, не совсем удачно, что печатают всё, что бы ни написал Толстой.

— Да, это так трудно, — сказал Л.Н., — так часто напишешь свойственные тебе глупости, и всё это попадет в печать.

Я принес сегодня ему книжку «Усилие воздержания в мысли» и три написанных мною по его поручению письма, которые он сейчас и прочел. На одном сделал надпись о своем согласии с высказанным мною, по поводу другого сказал:

— Это очень хорошо. Я как раз то же хотел сказать, что служить ли старостой, сборщиком податей, венчаться ли в церкви — всё это человек должен решать сам и выполнять это, сколько позволяют силы. Я особенно ясно понял, что нужно стремиться к достижению идеала по своим силам, но не нужно умалять его. Допускается жениться и половая жизнь с женой, но можно подняться выше этого и относиться к женщине так, как брат к сестре. Допускается, что собственность можно иметь и защищать, но человек может и совсем отказаться от собственности.

Я говорю в том смысле, что это и легче; говорю против возражений, что это трудно.

— Мало вы у нас бываете, — сказал Л.Н., когда я стал прощаться, — оставайтесь обедать с нами. Вы пешком пришли? Ну, вот и прекрасно! А ночи теперь лунные...

Приехал к Толстому молодой человек, но показался ему неопределенным, и он послал меня к нему. Оказалось, что он — приказчик магазина шапок, читал произведения Л.Н. и не хочет служить на прежнем месте, так как, торгуя, должен обманывать; приехал издалека, из Екатеринбурга, посоветоваться, каким бы ему заняться другим трудом, более свободным и честным.

Я с записочкой отправил его в Телятинки переночевать. За обедом рассказал о нем Л.Н. Он высказал радость, что Ч., молодой человек, оказался «довольно милым». Татьяна Львовна вспомнила, что у крыльца утром стоял еще какой-то мальчик, с «таким нехорошим лицом».

— Хуже твоего? — спросил Л.Н.

— Хуже! — смеясь, отвечала Татьяна Львовна.

А нужно сказать, что у Толстого есть привычка, когда кто-нибудь из домашних называет другого глупым, нехорошим, всегда спрашивать у называющего: «Глупее тебя?», «Хуже тебя?» — и этим обычно смущать его. Так он спросил и теперь.

— У него не то чтобы некрасивое лицо, — продолжала Татьяна Львовна о мальчике, — а прямо нехорошее, как бывает у человека, который пьет, курит...

— Недоедает, — добавил Л.Н.

Когда Толстой сел с Сухотиным за шахматы, Мешков и Татьяна Львовна расположились рисовать их. Татьяна Татьяновна выпросила у меня карандаш и тоже уселась за стол «рисовать дедушку». Ее старший брат, гимназист Дорик, перерисовывал картинку с какой-то открытки. Я тоже уселся в углу и оттуда стал срисовывать работающего Мешкова, Л.Н. и Сухотина.

Внезапно Л.Н. встал и пошел ко мне: его партнера вызвали зачем-то вниз. Я хоть и поспешил отодвинуть рисунок, но он увидал его, наклонился и усмехнулся. Пока там изображен был лишь Мешков (или его подобие) со своей кудлатой головой.

Ушел я домой перед чаем, в девять часов. Действительно, была светлая, прекрасная лунная ночь.

К нам в Телятинки приезжал Л.Н. в сопровождении Душана. Не слезая с лошади, он поговорил со всеми нами, высыпавшими на двор, и уехал обратно. Белинькому сказал, что он будет хлопотать через графа Олсуфьева о Молочникове, которого только что арестовали в Новгороде и в судьбе которого Белинький, как близкий друг его, принимал большое участие*.

15 марта

Отнес Л.Н. книжку «Освобождение от грехов — в самоотречении» и написанное по его поручению письмо. Он дал мне еще письмо для ответа — изложение какой-то особенной философской теории; но, прочитав это письмо, я подумал, что едва ли нужно отвечать на него (такая путаница в голове у этого философа), и Толстой думал так же.

Получил письмо от Битнера из Петербурга о его согласии печатать мою книгу. Говорил Л.Н., и он был рад за мою работу.

— Нужно бы мне ее всю просмотреть еще: там было слишком методическое разделение грехов... Да я надеюсь на вашу чуткость!..

Петр Алексеевич Сергеенко прислал Л.Н. мысли писателя Лескова о религии, о жизни. В них много общего со взглядами Толстого.

Л.Н. мысли эти очень трогают.

— Слушайте! — сказал он, придя с листами лесковских мыслей в «ремингтонную», где, кроме меня, была также Татьяна Львовна. — «Лучше ничего не делать, чем делать ничего», «Если бы Христос жил в наше время и отпечатал Евангелие, дамы попросили бы у него автограф, и тем всё дело окончилось бы».

Л.Н. прочел еще одну мысль и внезапно повернулся и ушел. Оказывается — заплакал.

— У него всегда глаза на мокром месте, — пошутила Татьяна Львовна. — Его и маленького звали Лёва-рёва. Я тоже вся в него в этом отношении...

---

* Владимир Айфалович Молочников, отсидевший год в тюрьме за распространение запрещенных сочинений Толстого, в марте 1910 года был вновь арестован.

Через минуту опять вошел, всё с теми же мыслями в руках.

— «Из Христа не сделали бы религии, если бы не выдумка воскресения, а главный выдумщик — Павел», — прочел он. — Ведь это как верно и как глубоко!...

Лескова он читал снова в зале домашним и находящимся в Ясной Поляне брату (Александру Александровичу) и сестре (Софье Александровне, фрейлине двора) Стаховичам. Припомнили, что в духовном отношении Л.Н. имел на самого Лескова большое влияние.

— Лесков сам говорил, — рассказывала Татьяна Львовна, — что он шел со свечой и впереди увидел человека, несущего факел, и он присоединился к нему и пошел с ним вместе. И этим человеком с факелом он считал Толстого.

16 марта

Получен журнал «Жизнь для всех» со статьей Буланже и с предисловием к ней Л.Н. Он беспокоился, как бы редактор не поплатился за резкие суждения в предисловии о церкви.

— Журнал тем и хорош, — заметил, однако, после Л.Н., — что, как и говорил мне Поссе, он из печатаемых статей не выпускает ни одного слова.

Получил Толстой еще письмо от новгородского слесаря Молочникова из тюрьмы. Молочников — человек семейный, своим трудом содержащий семью, и Л.Н. ему очень сочувствует.

— Это нам с вами хорошо сидеть в тюрьме, — говорил он мне, — вы человек не семейный, а я уже отстал от этого...

Дал мне для ответа два письма. Одно от того самого революционера из Сибири, первое письмо которого он читал еще давно, в январе, вслух, в большом обществе, в присутствии Андрея Львовича, Сергеенко и др. Революционер писал всё в таком же непримиримом духе против учения о любви, о непротивлении.

— Этот, по-видимому, из глухих, из тех, которые не хотят слышать, — сказал Л.Н., — но мне бы хотелось ответить ему. Прочтите и, может быть, напишете ему.

Разбирая дальше корреспонденцию, он наткнулся и на одно «обратительное» письмо.

— Удивительно! — произнес он. — Я всегда это замечал; если человек твердо верит, то он никогда никого не обращает; а если вера нетверда, колеблющаяся, то такому человеку обязательно нужно всех обращать в свою веру. Так вот и Александра Андреевна Толстая (переписка которой с Л.Н. недавно читалась в Ясной).

Пришедший со мной из Телятинок милый парень Федор Перевозников, приехавший из Крёкшина, в прихожей, где все мы одевались, сообщил Л.Н., что Владимир Григорьевич Чертков собирается на лето поселиться в Серпухове, на границе Московской и Тульской губернии. В Тульскую губернию ему въезд запрещен*.

— Чтобы мне ближе было ездить? — засмеялся Л.Н.

— Да почему же вы смеетесь?

— Да мне смешно, что вот в Серпухове может жить человек, а ближе не может. И всё потому, что кто-то вздумал провести воображаемую границу и установить губернию. Как это глупо!..

19 марта

Узнал от Л.Н., что у Гусева в ссылке был обыск. Нашли статьи Толстого, грозит привлечение к ответственности и новая кара**. Молочников прислал новое письмо из тюрьмы: «унывает», как передавал Л.Н., из-за семьи, конечно. Мешков и Стаховичи уехали. Горбунов прислал корректуры первых пяти книжек мыслей, причем сам обещает приехать послезавтра вместе с Арвидом Ернефельтом, финским писателем. Ернефельт вместе с сыном и дочерью жить будет не в Ясной Поляне, а у нас в Телятинках. Мы ждем его уже со вчерашнего дня.

Л.Н. сегодня нездоровится: он простужен и говорит сильно в нос и басом. Я передал ему двадцать седьмую и двадцать первую книжки мыслей «Освобождение

---

* В марте 1909 года Чертков был выслан из Тульской губернии, так как его проживание там было сочтено «опасным для общественной тишины и спокойствия».

** Секретарь Толстого Н.Н.Гусев был выслан на два года в Пермскую губернию «за революционную пропаганду и распространение недозволенных к обращению литературных произведений».

от лжеучений — в свободе мыслей» и «Истинная жизнь — в настоящем», а также написанное по его поручению большое письмо, в котором говорилось, между прочим, о науке и искусстве. Письмо Л.Н. одобрил.

— Я как раз вчера думал и записал в дневнике о науке, — сказал он. — Записал так. Предположим, что на Землю придет существо, человек с Марса, ничего не знающий о жизни на Земле. И вот ему говорят, что одна сотая людей устроила себе религию, искусство и науку, а остальные девяносто девять сотых не имеют ничего этого... Так я думаю, ему уже из этого было бы ясно, что жизнь тут нехороша и что эти религия, искусство и наука не могут быть хорошими, истинными.

Смеясь, Толстой показал мне последний номер «Новой Руси», где из десяти мыслей «На каждый день» была напечатана только одна, а остальные выпущены цензурой и заменены точками, причем оставлены лишь номера мыслей и имена писателей.

Я иногда записывал в дневнике, что Л.Н. цитирует стихи или говорит о них, притом всегда о Пушкине и Тютчеве, да еще иногда о Фете. Привожу по этому поводу очень интересную выписку из одного сегодняшнего письма Толстого (к Озеровой):

«Я не люблю стихов вообще. Трогают меня, думаю, преимущественно воспоминания молодых впечатлений, некоторые, и то только самые совершенные стихотворения Пушкина и Тютчева».

21 марта

В Телятинки приехали Ернефельты — отец, сын и дочь. Вместе с ними и Димой Чертковым отправился в Ясную. Л.Н. болен, ходит в халате и говорит довольно хриплым голосом. Все-таки он вышел к Ернефельтам. Потом снова ушел к себе.

Я передал ему мое письмо к революционеру, который «не хочет слышать». Оказалось, однако, что Л.Н. получил от него новое письмо, на которое уже написал, хотя не отослал еще, ответ. Я было предложил не посылать моего письма, но Л.Н. не согласился с этим.

— У них, вероятно, есть ведь какой-нибудь кружок, где они делятся мыслями, — сказал он. — Если не повлияет на него, то может повлиять на других. Да и вообще о последствиях не нужно думать. Мы делаем это для своего удовольствия, и ему это ни о чем не говорит, он вот даже и книг моих не хочет читать, а все-таки — кто знает? — может быть, и переменится. Если делать это от всей души, как я, да и как вы, я уверен, делаете, то это, наверное, окажется нужным, если не сейчас, то когда-нибудь. Вот я читал сегодня о половой анкете среди студентов. И оказывается, что процент девственников теперь увеличился: раньше их было двадцать процентов, а теперь двадцать семь, причем одна из главных причин воздержания — нравственные соображения. Очевидно, они под влиянием учений о нравственности. Или вот на днях было письмо от молодого человека: пишет, что он колебался, как ему поступать в вопросе половой жизни, а прочел «Крейцерову сонату» и решил остаться девственником. Так что, такое дело — никогда не даром, оно всегда остается. Это не то что выстроить семьсот дворцов и раздать миллиарды: то, как река текучая пройдет, и нет его.

Прочитав мое письмо, Л.Н. одобрил его.

— Да, — заметил он, — впечатление такое, что он не поймет таких взглядов... Да и трудно спорить с выводами: ведь основное его мировоззрение он не может изменить.

Революционер писал между прочим: «Социализм — моя вера, мой Бог». Но всегда утешает, — добавил он опять, — что могут понять другие.

— Позовите сюда Ернефельта и детей, — сказал Л.Н., когда я хотел уйти из кабинета. — Я, грешный человек, хотел говорить с ними, да там говорить невозможно.

Он имел в виду постоянный общий шум в зале, когда его речь, как и сегодня, бесцеремонно перебивали или когда давали общему разговору нежелательное, пустое направление.

Побеседовав с Толстым в его кабинете, Ернефельты отправились осматривать парк и окрестности Ясной Поляны и потом всё восхищались их живописностью. В их отсутствие Л.Н. выходил в зал, сидел в вольтеровском кресле и слушал рассказы Димы Черткова о распущенных нравах крёкшинских крестьян.

— Нужна религия, — сказал он, — я всё буду тянуть одну эту песню. А то всегда будет и разврат, и наряды, и водка.

Между прочим, Софья Андреевна предложила, чтобы я прочёл вслух вновь открытую юношескую поэму Лермонтова, напечатанную в «Русском слове»*.

— Скушно! — возразил Л.Н. и взял газету. — Да и какие дурные стихи, — сказал он и прочёл вслух несколько первых строк, действительно очень невысоких в художественном отношении.

Так поэма и осталась непрочитанной.

После обеда Л.Н. играл с Ернефельтом-отцом в шахматы. Оба обыграли друг друга по разу. По окончании игры завязался между ними разговор, тут же, за шахматным столиком. Постепенно все собрались в кружок около них: Татьяна Львовна, Ольга Константиновна, Душан Петрович, дети Ернефельта, я, Дима Чертков.

Больше всего говорили о Генри Джордже. Выяснилось, что его нигде не признают или не понимают: ни в Финляндии (по словам Ернефельта), ни русские крестьяне (по свидетельству Л.Н.), не говоря уже о правительствах всех европейских государств.

— Удивительно, — говорил Толстой, — люди мыслят не по требованию духа, а по требованию выгод того положения, в котором они находятся. Так это с большинством привилегированных классов. Положение земельного вопроса теперь то же, что положение вопроса о крепостном праве перед освобождением крестьян. Я всегда привожу это сравнение. Передовые люди и тогда, так же как теперь по отношению к земельной собственности, чувствовали несправедливость рабства, но, как декабристы, по разным причинам не могли его уничтожить, хотя и пытались сделать это. И так же были защитники крепостного права, как теперь — земельной собственности.

Затем Л.Н. расспрашивал Ернефельта о Финляндии.

— Истинная справедливость должна распространяться не на один народ, а на всё человечество, — сказал он по поводу сообщения Ернефельта о патриотизме большинства финнов.

---

* Впервые была опубликована одна из ранних романтических поэм Лермонтова «Последний сын вольности».

— А какова у вас грамотность? — спросил он.

— Очень большая, — был ответ.

Л.Н. сообщил о своем плане справочного словаря для народа.

— Ведь вот у нас на полке стоит энциклопедия, и в любой момент мы можем ею пользоваться, — говорил он, — а ведь у простого народа ничего этого нет. Конечно, ему нужен переработанный справочник. Нужно прямо взять наш словарь и одно откидывать, другое переделывать. Скажем, какой-нибудь неизвестный писатель — это, очевидно, не нужно, это выкидывать. А встретится, например, слово «Голландия» или «электричество» — это, конечно, нужно, но только нужно изложить это, имея в виду людей, прошедших в лучшем случае лишь школу грамотности. Я думал об этом, — добавил Л.Н., — и как раз получил письмо из Харькова, где мне сообщают, что неизвестное лицо выражает желание пожертвовать для доброй цели пятнадцать тысяч рублей и просит меня указать эту цель. И вот я думаю, что можно бы употребить эти деньги на составление такого словаря. Я написал об этом. Ответа пока не было.

После, улучив минуту, когда Л.Н. был один, я, как мне ни совестно было, напомнил ему (что собирался и не мог решиться сделать в течение последних пяти-семи дней), что он хотел написать «препроводительное письмо» издателю моей книги и что теперь я отсылаю рукопись Битнеру, поэтому письмо его было бы нужно.

— А разве я не написал его? — удивился Толстой.

— Нет.

— Как же, как же, я обязательно напишу, — отвечал он.

При прощании, через некоторое время, он спросил меня, что мог бы он написать в письме. Я отвечал, что только то, приблизился я или нет более или менее к верному пониманию его взглядов.

— Так я напишу в таком роде, — сказал Л.Н., — что взгляды мои изложены совершенно правильно, что мне очень радостно было читать вашу работу и что я думаю, что она нужна... Да я ужасно глуп сегодня, — улыбнулся он внезапно, — и хорошенько обдумаю всё завтра.

И, крепко пожав мне руку, пошел к себе. С гостями он уже простился: они уезжали в Телятинки, чтобы завтра, не заезжая к Л.Н., отправиться на родину.

22 марта

День с Ернефельтами в Телятинках. Арвид Александрович Ернефельт — очень интересный человек, простой, искренний, тихий и скромный. Такие же у него и дети.

Вечером, собравшись все вместе, говорили о смерти и о страхе ее. Высказалось несколько человек.

— Всегда по этим вопросам высказываются разными словами, никогда не встретишь совершенно совпадающих мнений, — заметил Ернефельт.

Беседа наша была прервана внезапным приездом кучера Толстых в больших санях парой, с письмом от Л.Н., в котором он приглашал Ернефельта приехать к ним еще, хоть на часок, и высказывал огорчение, что тот не приехал днем. Как ни жалко было всем телятницам, Ернефельты должны были немедленно собраться и уехать в Ясную, чтобы оттуда уже отправиться на вокзал.

Во всех нас они оставили прекрасное впечатление. И пожили-то они в Телятинках всего два дня, а после их отъезда вдруг как-то сразу стало скучно и пусто вокруг. И вспомнились опять слова Л.Н., сказанные им мне, когда я рассказывал, как быстро я подружился с Чертковыми:

— Нас соединяет то, что Одно во всех нас.

23 марта

Приехав в Ясную Поляну, нашел там для себя письмо от Димы Черткова, уехавшего вместе с финнами. Он сообщал, что Л.Н. согласился писать пьесу для домашнего спектакля крестьянам, который затеваем мы в Телятинках. Мне Л.Н. тоже подтвердил это.

Сегодня он прочел мне вслух написанное им письмо о самоубийствах. В нем проводилась мысль о необходимости религии. Начало очень остроумно и забавно и написано в форме, приближающейся к художественной. Слушая это начало, я не мог удержаться от смеха. Л.Н. тоже смеялся, а потом говорил:

— Я как раз читал в газете мнение профессора о самоубийствах. Он перечисляет разные причины самоубийства:

и психические и всякие, а об отсутствии религии ни слова не говорит.

Меня оставили в Ясной Поляне до вечера, чтобы послушать музыку молодого человека А.П.Войтиченко из Нежина, приехавшего поиграть Толстому на «кимвалах». Играл он очень хорошо. Л.Н. подарил ему, по его просьбе, свой портрет с надписью и заметил ему все-таки, что играет он недостаточно ритмично и что в его исполнении слишком резки переходы между *piano* и *forte*.

— Я считаю долгом сказать вам это, — добавил он, — потому что вижу, что у вас настоящий талант.

Музыкант с его замечаниями вполне согласился. После того Софья Андреевна завела граммофон, чтобы дать возможность «кимвалисту» послушать балалайку Трояновского.

— *Bis, bis*! — попросил Л.Н., когда прослушал в исполнении Трояновского так называемую «Scène de ballet». Вчера тоже ставили эту пьесу, и Толстой тоже просил ее повторить.

Когда же раздались звуки гопака, то Л.Н., сидя с Сухотиным за шахматным столиком и не переставая следить за ходом игры, принялся так сильно пристукивать ногами и прихлопывать в ладоши, что шум пошел по столовой.

24 марта

Отнес Л.Н. последнюю, тридцать первую книжку мыслей «Жизнь — благо».

Принимая ее от меня, он сказал:

— А знаете, я стал зачеркивать ваши названия отделов. Вы не рассердитесь на меня? Они мне большую службу сослужили, но только при чтении их будут смешивать с текстом... Не обижаетесь? — снова спросил он и, конечно, получил в ответ, что я и не думаю этого делать, так как главное, чтобы ему можно было удобнее сделать, как он считает нужным.

Получил он сегодня «ужасное» письмо от Молочникова. Тот описывает тюрьму.

Одет Л.Н. уже не в халат, а в обычный костюм: рубаху и проч., и на вопрос о здоровье отвечал:

— Совсем хорошо.

Теперь у меня начинается новое дело: подготовка для отсылки в типографию следующих выпусков сборника «На каждый день», начиная с марта. Январь и февраль уже были мною посланы.

27 марта

Привез в Ясную Поляну мартовский «На каждый день» для отсылки в типографию с внесенными поправками из черновиков Л.Н., но он еще задержал его у себя, чтобы сделать новые добавления и поправки. Между прочим, согласно новому плану, уже не излагается отдельно «соблазн неравенства людей», а мысли о неравенстве, давно уже подобранные мною на 15-е число каждого месяца на целый год, теперь распределяются по разным дням каждого месяца.

Передал Л.Н. письмо, написанное мною по его поручению. При мне не читал. Дал мне еще два письма для ответа. Узнав о том, что Дима Чертков опять приехал, заметил:

— Нужно для вас драму писать. У меня есть два сюжета. А о вашей работе я написал?

— Нет еще.

— Ах, батюшки! Что же вы не напомнили?

И он тут же продиктовал мне письмо к Битнеру, где писал, что в моей работе нашел «верное и хорошо переданное» изложение его миросозерцания.

Затем ушел к себе, но через несколько времени приотворил дверь и промолвил:

— Прибавьте в письме: даже «очень» хорошее.

28 марта

С восемнадцатилетним сыном Владимира Григорьевича отправились в Ясную Поляну в начале седьмого. Всюду грязь непролазная, или в снегу просовы. Под самой деревней мы увидали завязшую в лощинке тройку. Дима, на котором были высокие сапоги, отправился помогать ямщику. Из пролетки вышли и стояли в снегу господин и дама. Мы приняли сначала господина за чеха, профессора Масарика, которого ждали сегодня у Толстых, но оказалось, это Михаил Александрович Стахович с сестрой. Кое-как выбрались лошади из ямы, и Стаховичи уехали.

В Ясной — особенное оживление и веселье, Масарик не приехал, будет завтра. На мое имя получено письмо от поэта Якубовича-Мельшина из «Русского богатства», который сообщает, что из присланных ему мною по поручению Л.Н. шести стихотворений ссыльного из Тобольска, писавшего Толстому, четыре будут напечатаны в «Русском богатстве». Я сказал об этом Л.Н.

— Вот и прекрасно! — ответил он.

В «ремингтонной» я разбирал последние статьи и письма. Раздался звонок из кабинета. Александра Львовна бегом ринулась туда из зала, но... тотчас вернулась обратно.

— Господин обер-секретарь, вас! — возгласила она.

Я поспешил к Л.Н. У него сидел Дима.

— Мы вот беседуем. У нас нет секретов, но *two is company, three is none*, как говорит английская поговорка. Я ее ужасно люблю, — сказал Л.Н. — Ну-с, — продолжал он, — послал я вам «пашпорт».

Под «пашпортом» он разумел письмо к Битнеру, принявшему к изданию мою книгу. Это счастливое выражение Михаила Сергеевича Сухотина для обозначения всех многочисленных предисловий и рекомендаций, пишущихся Л.Н. для творений разных авторов. Впервые это выражение было употреблено в отношении предисловия к статье Буланже для журнала «Жизнь для всех». С этим предисловием Л.Н. особенно долго мучился: нужно было писать, а ему не писалось.

Говорил, что получил сегодня ругательное письмо, с ругательствами самыми откровенными, циничными. Ему грустно от этого. Получил еще письмо от священника, который просил сказать ему, без всяких философий и без литературы, как думает Л.Н.: воскрес ли Христос плотию, или нет?

— И очень доброе письмо, — говорил Л.Н. — Как это мне было ни неприятно, я должен был ответить ему. И написал так, что если бы Христос знал про эту выдумку воскресения, то он бы очень огорчился.

Затем говорил, что ему «даже жалко» одну деревенскую старуху, попрошайку, всех обманывающую и лишившуюся поэтому обычной помощи от тех, от кого она ее получала.

— Придет к вам, ей откажут, придет к нам — тоже, — говорил Л.Н.

Говорил с Димой о хорошей английской книге. Отмечал с соболезнованием, что по статистике общее число преступлений всё возрастает. Дима рассказывал о дурной жизни крёкшинских крестьян.

— Ведь вот, — посреди разговора воскликнул Л.Н., — со Стаховичем мне неинтересно, а с вами у меня столько новостей, столько интересного!.. Что-то я хотел еще вам сказать, — говорил он, — да не припомню. Что это такое?.. Ну, да всего не переговоришь... Да, был у нас молодой человек, этот, как его, — кимвалист... Ах, вы знаете? — обратился он ко мне. — Ну как вам понравилось? По-моему, плохо. Музыкальность-то, конечно, у него есть... Я неловко тогда сделал, что после его музыки просил поставить пластинку Трояновского и говорил, что «вот!» и так далее...

— Я слышал, что вы чуть в пляс не пошли под гопак? — заметил Дима.

— Да, да... Да трудно удержаться! Вот надо его еще поставить...

И Л.Н. поднялся. Я пошел в «ремингтонную» кончать свои дела, а из зала тотчас послышалась залихватская игра Трояновского. Толстой пришел в «ремингтонную» через некоторое время. Зашел разговор о пьесе его для телятинского спектакля. А он уже перед этим говорил Диме, что в уме у него одна пьеса, драма, совсем готова: стоит только сесть и написать. Есть у него и другой сюжет, смешной.

— Да надо ведь внимательно писать, — говорил Диме Л.Н. — У вас-то публика невзыскательная, да ведь попадет в газеты, станет известным... А я бы хотел писать пьесы только для Ясенков, Телятинок и Ясной Поляны.

Александра Львовна тоже хочет участвовать в телятинском спектакле.

— Дай и мне роль какой-нибудь старухи, — обратилась она к отцу.

— А стражника не хочешь сыграть? — смеясь, предложил Л.Н.

— Нет! — ужасаясь, ответила Александра Львовна.

Прошли в зал, где царило общее оживление. Уселись за чайный стол. После чая Л.Н. прочел мои письма и всё советовал одно из них не посылать из-за того, что там говорилось о преступности службы в войске. Он боялся: вскроют письмо — и я должен буду «отвечать» за свои суждения. Внушал ему подозрения и корреспондент, которому я отвечал.

— Молитесь, чтобы я написал пьесу, — сказал нам Толстой на прощанье.

29 марта

Когда я приехал, Л.Н. уже уезжал верхом кататься.

В доме познакомился с приехавшим из Москвы философом Федором Алексеевичем Страховым, очень много мыслей которого Л.Н. включил в «Круг чтения» и о книге которого «Искание истины» он недавно так высоко отзывался. Кроме Стаховича с сестрой, гостит у Толстых и Масарик. К сожалению, он спал, пока я был в Ясной Поляне, и я видел только в Душановой комнате на кровати его фигуру: он лежал, с головой завернувшись в одеяло.

Л.Н. вернулся с прогулки, переменил сырые носки на чистые и, не надевая сапог, а неся их в руке, явился в зал, где пили чай. Расставив руки, он шутя сделал легкий поклон и присел за стол. Ему подали полученную на его имя телеграмму: студент Петербургского лесного института просит «поддержать его телеграфно», пока он найдет урок.

— Новый прием, — заметил Сухотин.

Стахович сосчитал, что студенту телеграмма стоила около полутора рублей. Он взял ее у Л.Н., чтобы навести в Петербурге справки о студенте и, может быть, помочь ему.

30 марта

В Телятинки приезжал Л.Н.

— А я стараюсь, — улыбнулся он, здороваясь и намекая на пьесу.

Сказал, что торопится домой, так как нужно проститься с Масариком, который уезжает сегодня. Однако сошел с лошади и поговорил о чем-то, видимо, касающемся пьесы, наедине с Машей Кузевич.

— Это секрет! — предупреждал он ее и нас.

Шел дождь, и Л.Н. вымочило и на пути к нам и на обратном пути.

Белинький привез мне два письма для ответа. Одно, очень интересное, от того самого ссыльного революционера из Сибири, который писал Л.Н. в таком непримиримом духе и которому писал недавно я (моего письма он не получил еще). Теперь он пишет, что стоит на распутье: письма Толстого, видимо, заставили его призадуматься; особенно же повлияла на него книжка Черткова «Наша революция», посланная ему Л.Н. «Как прочел ее, так и осекся», — пишет он. Он не может допустить только существования Бога, «какого-то чучела». На конверте стояла надпись Л.Н., чтобы я написал ему «о Боге».

Белинький передал, что Толстой снова решил возобновить сделанные мною заглавия отделов в книжках мыслей: ему понравилось распределение мыслей в книжке о ложной науке. Эта книжка была разбита мною на такие отделы: 1. В чем состоит суеверие ложной науки? 2. Ложная наука служит оправданием нынешнего устройства общественной жизни. 3. Вредные последствия обмана ложной науки. 4. Количество предметов для изучения бесчисленно, а познавательные способности человека ограничены. 5. Из бесчисленного множества знаний человек должен стремиться лишь к усвоению особенно нужных и важных для своей жизни. 6. В чем состоит сущность и назначение истинной науки? 7. О чтении книг. 8. О самостоятельном мышлении.

Привез также Белинький третью книжку «Русского богатства» за этот год, со статьей Короленко о смертных казнях. Лев Николаевич плакал, читая ее, и написал автору о своих впечатлениях. Здесь мы читали ее вслух.

АПРЕЛЬ

Отвез в Ясную свои ответы на письма, данные Л.Н. Он сделал по поводу их кое-какие замечания (например, одно нашел «слишком откровенным» и побоялся, как бы оно не обидело получателя), но все-таки просил оба послать. Подтвердил, что возобновляет в книжках мыслей заглавия, которые велит напечатать мелким шрифтом. Говорил, что сегодня письма, полученные им, очень интересны.

— Например, один солдат слышал, что если женщину приговаривают к смертной казни, то она может спастись тем, что выйдет замуж за солдата. Так вот он, как солдат, предлагает себя и хочет жениться на одной из таких женщин. Я ответил, что такой женщины не могу ему указать...

— Я слышал, что вы сейчас много работаете? — спросил я, имея в виду пьесу для Телятинок, которой он, как говорят, очень увлекается.

— Да, работаю, у меня есть кое-что в замысле, — отвечал Л.Н., — да сил нет!..

Душан говорил, что он чувствует себя «лучше, чем вчера». Но это «лучше, чем вчера» — понятие такое относительное. Вообще же говоря, по-моему, Л.Н. все время, все те два-три месяца, что я вижу его, находится далеко не в блестящем состоянии здоровья: почти все время недомогает, прихварывает и хотя обычно скоро поправляется, но часто бывает очень слаб. Некоторые, как, например, обитатели Телятинок, редко его видящие, обычно, встретив его, находят, что он еще больше постарел.

3 апреля

Л.Н. опять очень слаб, не гулял и не работал.

— Невыразимо слаб, не могу вам сказать, как слаб! — сказал он мне.

— Сейчас дело Владимира Григорьевича решается в Петербурге, — сказал я, — приехал из Крёкшина Федя Перевозников и сказал об этом.

— Ах, вот это приятно! — проговорил Л.Н. и добавил: — Уж очень это (ссылка, конечно) глупо!..

Он при мне оделся и не более чем на полчаса вышел погулять, так как день был прекрасный. Вернувшись, зашел в комнату Душана справиться о каком-то молодом человеке, бывшем у него сегодня утром и не принятом им по нездоровью.

— Он у меня на совести, — говорил Л.Н.

По словам Душана, это был обычный «проситель», и Душан удовлетворил его.

Л.Н. поднялся наверх. Просил принести, распределив содержание дней по новому плану, корректуру октябрьского выпуска «На каждый день». Только что полученную мною от Черткова корректуру февраля просил не присылать ему для нового просмотра, а прямо печатать (об этом справлялся Чертков). Сказал, что выбранные мною из Достоевского мысли не пригодятся ему для сборника «На каждый день», но что они ему интересны. Нужно принести.

Дал мне рубль — разменять и подать двугривенный одному нищему, вечному просителю, получающему больше всех и ужасно требовательному и сердитому.

— Ругать он меня будет, — произнес Л.Н.

— Это от самого графа? — спросил меня нищий, держа двугривенный на протянутой ладони.

— Да.

Начались сетования. От крыльца он долго не отходил. Когда я вышел через двадцать минут, его не было.

На полянке перед домом гуляла с няней Таня Сухотина. Обе они повели меня взглянуть на ужа, выползшего на солнышко. Потом я вышел через кусты на дорогу из усадьбы.

— А здесь под кустом еще два ужика были, — раздался за мной басистый голос.

Я оглянулся. Это был тот самый сердитый проситель.

— Не поможет ли ваша милость? — обратился он затем ко мне.

— Нет, у меня нету.

Он шел за мной, бормоча себе что-то под нос.

— А Чертков к Пасхе приедет? — слышу я опять вопрос.

— Право, не знаю, едва ли приедет.

Больше вопросов не было, но сдержанное ворчанье долго еще слышалось мне вдогонку.

5 апреля

Л.Н. выздоровел. Вчера еще ему стало лучше. Александра Львовна и Варвара Михайловна (Феокритова) рассказывали, что после завтрака он отправился на верховую прогулку, уехав потихоньку один, не от крыльца, а прямо со скотного двора. Между тем полил проливной дождь, который не переставал до вечера. Варвара Михайловна и Александра Львовна ездили в Тулу. На обратном пути, ближе к городу, они встречают Л.Н. на тульской дороге, он, одетый в тонкую летнюю поддевку и кожан сверху, был весь промочен дождем. Руки у него, по словам Александры Львовны, были «красные как у гуся».

Они еле упросили его слезть с лошади и усадили в пролетку, а его лошадь пустили бежать одну. Умный и ручной, как теленок, Дэлир послушно бежал за пролеткой почти до самого дома. Неподалеку от усадьбы Л.Н. пересел снова на верховую лошадь. Происшествие это на его здоровье нисколько не повлияло.

Удивительно меняется Толстой в зависимости от состояния здоровья: если он болен, он угрюм, неразговорчив и пишет в дневнике, что даже борется в такие минуты с «недобротой», хотя никогда я не видал у него ее проявлений; напротив, если он здоров, он очень оживлен, речь веселая, быстрая походка, большая работоспособность.

Таков был Л.Н. и сегодня. Уже по выражению лица, по тону голоса можно было видеть, что он поправился. Он дал мне для ответа два письма. Ответил я лишь на одно, а при другом не оказалось адреса.

Долго разбирались в корректуре октябрьского выпуска «На каждый день», где оказалось не вполне правильным распределение материала по дням. Пробовали переставлять дни, сравнивали с другими месяцами — ничего не выходило.

— Хорошо себя чувствовал, а теперь, — засмеялся Л.Н., — прямо обалдел!..

И извинялся, что задерживает меня, чем очень меня смущал. Наконец он поручил мне разобраться в корректуре, а сам отправился на прогулку верхом с Душаном. Перед этим он думал сам вечером смотреть корректуру, а я хотел проститься, но Л.Н. возразил:

— Да, как мало я вас вижу, так жалко! Оставайтесь у нас обедать.

Я и остался. А вечером засиделся, пошел дождь, и меня уговорили переночевать, так что этот вечер я провел у Толстых, и провел так хорошо.

Л.Н. пошел одеваться, чтобы ехать. Я спустился с ним вниз.

— Что, Лев Николаевич, как пьеса, подвигается вперед? — спросил я.

— Нет, не вышла! — ответил он. — Я всё хворал эти дни... Был близок к смерти, и такие были хорошие мысли... Хотя это и не мешало писать пьесу — дело доброе, — но я написал, да только не о том.

Расспрашивать дальше я не решился.

Рассмотрев корректуру, я нашел, что нужно было два дня соединить в один, а один из других дней разбить на два; но для этого требовалось подобрать дополнительные мысли, воспользовавшись хотя бы старым «Кругом чтения». Всё это я сделал, а Л.Н., исправив самый текст изречений, передал мне корректуру для перенесения поправок в другой ее экземпляр, который отсылается в типографию.

За обедом он прочел телеграмму финской газеты, сотрудник которой только на днях был в Ясной. Редакция благодарила «великого писателя земли русской» за радушный прием, оказанный представителю ее газеты.

— Интересно, — сказал Л.Н., — что они напечатают. Я говорил с ним откровенно, а ведь у них так развит патриотизм*.

Л.Н. помолчал.

— Ведь еще Исаия, кажется, я не ошибаюсь, говорил: едино стадо — един пастырь, — добавил он.

Кто-то упомянул о ситце, несколько кусков которого прислал купец Бурылин.

— Да, да, ведь теперь пасха, нужно его раздать к празднику, — вспомнил Л.Н.

Между прочим, вернувшаяся из поездки в Москву Софья Андреевна делилась своими впечатлениями о лекции М.А.Стаховича о Толстом. По этому поводу тут же прочли выдержку из письма Страхова об этой лекции. Страхов писал, что вся лекция составлена была применительно к «светлым», а не «темным». Л.Н. очень развеселило

* В интервью приводились критические суждения писателя о политике русского правительства в отношении Финляндии и упреки в адрес финского народа за его покорность требованиям правительства.

сообщение Страхова, и он раза два с лукавой усмешкой вспоминал об этой лекции для «светлых».

«Светлые» (первоначально — светские) и «темные» (первоначально — неизвестные) — определенные термины в Ясной Поляне для обозначения «толстовцев» и не «толстовцев». «Толстовцы» — «темные». Впервые эти термины употреблены были Софьей Андреевной, которая и в Москве, и в Ясной Поляне с неудовольствием наблюдала вторжение в дом, наряду с обычными, давно знакомыми посетителями из московского света, каких-то неизвестных личностей, оказывавшихся потом «толстовцами». Так про «толстовцев» и стали говорить в Ясной Поляне просто «темные».

Говорят, что, когда однажды одного из ближайших друзей Л.Н., старушку Шмидт, спросили, «темная» ли она, Мария Александровна ответила:

— Нет, душенька, я не темная — я дрему-уучая!.. Дремучая!

Перед чаем Софья Андреевна завела граммофон: романс Денца, избитый. Л.Н. уселся в зале за круглым столом и слушал. Граммофон приостановили.

— Я всегда, — сказал он, оглянувшись в мою сторону, — как слышу это пение или вижу эти ослиные хвосты, всегда думаю о том человеке с Марса... — И Л.Н. повторил мысль, которую я слышал от него и записал недавно.

— Хороши ли эти наука и искусство?! — задал он опять вопрос.

Кстати, что за «ослиные хвосты»? Сегодня Л.Н. показывали иллюстрацию из «Нового времени», изображавшую осла, которому группа французских художников навязала на хвост кисть. Осел, угощаемый печеньем, мажет ею по полотну и таким образом «живописует»; эта картина была с восторгом принята на художественную выставку, и многие восторгались «красотою» якобы изображенного на ней солнца.

— Что, получили вы вести из дома? — спросил меня Л.Н. между прочим.

— Да, получил письмо от матери.

— Ну и что же?

— Теперь более «милостивое» письмо.

— Ну, слава Богу!

Просматривал Толстой свою статью «Единая заповедь», очень урезанную при напечатании в юбилейном сборнике Литературного фонда. В одной из глав прочел эпиграф из Канта и сказал:

— Как замечательны у Канта отдельные изречения, небольшие отрывки. А в целом его сочинения так неясны, растянуты.

В том же сборнике помещены мысли Шестова. Я указал на них Л.Н., и он просил меня почитать их вслух. Прочли семь отрывков. Вот отдельные его замечания о них: «неясно, нет мысли, декадентская философия, пустословие».

Еще я прочел вслух письмо к Софье Андреевне от писателя Градовского о съезде литераторов в этом месяце и о желательности получить привет съезду от Л.Н.

Письмо, с точки зрения Толстого, очень наивное. Он часто усмехался, слушая его. По прочтении выяснилось, что как будто Л.Н. не намеревается «приветствовать» съезд и т.д.

— Что же мне ответить Градовскому? — заволновалась Софья Андреевна.

Л.Н. отослал ее к тут же находившемуся Сухотину со словами: «Он всё понимает!»

Сухотин высказался за «приветствие».

— Ведь они писатели, вы писатель, есть же между вами общее? — обратился он с вопросом к Л.Н.

— Конечно, да! — отвечал тот серьезно и с участием.

— Ну-с, так может же быть между вами единение?

— Единение может быть, — отвечал прежним тоном Толстой.

— Хотя бы на той почве, что их преследуют и вас преследуют? — продолжал Сухотин.

— Конечно, — согласился опять Л.Н. — Единения я не отрицаю.

Однако вопрос о посылке телеграммы съезду пока остался открытым.

Л.Н. уже уходил спать, но остановился, обратившись к Душану, слывущему языковедом:

— Душан Петрович, это еврейское Шолом-Алейхем (фамилия писателя, приславшего Льву Николаевичу свою книгу), откуда оно?.. Ведь это арабское салям-алейкум?

Душан отвечал, что оба языка имеют много общего как семитические.

— Я ведь немножко знал арабский язык, — прибавил Л.Н., — и интересовался им в университете больше других: это ведь классический язык Востока.

6 апреля

Рано утром я ушел из Ясной Поляны. Прекрасное утро. Весна здесь восхитительная. Она нынче и вообще хороша, но среди такого живописного уголка, как Ясная, прелести ее выигрывают стократ.

Вечером, однако, мне снова пришлось быть у Толстых с Левой Сергеенко и Димой. Отнес Л.Н. взятые по его просьбе в Телятинках книжки о пьянстве для посылки на один завод и распространения среди рабочих.

Был сегодня у Л.Н. екатеринославский крестьянин Ипатов, бывший старообрядец, который очень ему понравился. Приходил он по личному делу, но человек сам — религиозный.

— Эти староверы всегда такие твердые, — говорил про него Л.Н.

Сегодня он ответил и Градовскому, в том смысле, что объединению писателей он сочувствует, но в съезде сам, если бы даже был здоров, не стал бы принимать участия, так как для этого надо было бы вступать в сделки с правительством.

С полчаса он поговорил наедине с мальчиком Сергеенко. Потом в зале зашла речь о поэзии и поэтах. Кто-то высказал мнение, что увлечение декадентством скоро пройдет.

— Не думаю, — сказал Л.Н. — Тут, — продолжал он, — какой-то сатиризм, нежелание признавать какие бы то ни было старые формы.

Дима спросил его мнения о том, можно ли употреблять при работе животных: лошадей, например. Л.Н. высказался в положительном смысле.

— Если бы человек очутился на необитаемом острове, как Робинзон Крузо, — говорил он, — то тогда ему нужно было бы поймать дикую лошадь, приручить ее, а ведь теперь она есть.

И еще категоричнее заявил, что всякое правило, всякая буква мешает свободному развитию, что он — враг всякого доктринерства.

Читал потом вслух последнее письмо Молочникова. Мне дал три письма для ответа.

Курьез: сегодня через нашу станцию (Ясенки) пришло к Л.Н. письмо с таким адресом: «В Санктпетербург. Его В.А.Н. Господину Толстому, в Красной Поляне, Соб. Имение». Письмо прислали Л.Н., и, действительно, оно оказалось адресованным именно ему.

7 апреля

Вечером Л.Н. просмотрел написанные мною письма, причем к одному (Рубану, о перемене внешних условий жизни) сделал большую приписку, распространив мою мысль, выраженную в письме*. Это было в кабинете. Л.Н. склонился к столу и точно забыл о моем присутствии. Я стоял около, ни звуком не нарушая тишины. Невысокая, кургузенькая стеклянная керосиновая лампа под белым абажуром скромно стояла на выдвижной доске рабочего столика и светила Л.Н. Он, нахмурив брови, писал. Написал одну страницу и, не приложив промокательной бумаги, перевернув листок прямо свежими чернилами на стол, стал писать другую. Сидит и вдруг громко вскрикнет, не подымая глаз от письма: «Ах!» Что-нибудь не удалось — поправит, сделает вставку и опять пишет. Между прочим, вскрикивает так он часто за шахматами.

— Это пустяки, это не нужно копировать, так послать, — говорит он по окончании писанья.

Но не копировать жалко, и после возишься около пресса.

Л.Н. вынул блокнот и, как всегда, прочел записанное на память относительно той работы, какую он мог бы мне поручить.

— Да! — вспомнил он. — Возьмите у Тани мысли Лескова. Я хочу поручить вам выбрать из них особенно

---

* Приписка была сделана Толстым к ответу Булгакова на письмо из Персии крестьянина Дениса Гавриловича Рубана, в котором он сообщал о своем намерении вернуться на родину и снова заняться хлебопашеством.

яркие и новые мысли о неделании, чтобы дополнить свою книжку. И другие тоже выбрать, которых у нас не встречалось, и включить в другие книжки.

Мысли Лескова я взял у Татьяны Львовны.

За чаем Л.Н. спросил о Леве Сергеенко:

— Ковыряется в земле?

— Да.

Заговорили об этом мальчике. Родители хотят отправить его в Иркутск, к родственникам, и там отдать в гимназию, а он хочет остаться у нас, в Телятинках, как ему предлагал Чертков, и ни в какую школу не поступать. Софья Андреевна и Татьяна Львовна говорили, что теперь-де ему есть чем жить, но что будет потом, чем он будет заниматься? А я возражал, что человек всегда найдет себе работу, в крайнем случае какую бы то ни было, — стоит лишь сократить свои потребности.

Л.Н. слушал и, кивая головой, говорил:

— Да, конечно, конечно, как же не найти!..

И он рассказал об общежитии для старых литераторов, их жен и детей, устраиваемом в сельце, принадлежавшем Пушкину, в глуши, за несколько верст от железной дороги; туда нужен заведующий, интеллигентный человек; и вот кто-то из устроителей говорил Л.Н., что на это место пойдет разве тот, кому больше некуда идти.

Таким образом, вот уже одно место и есть для того, «кому идти некуда». Но, кроме того, ведь Сергеенко приучается к физическому труду.

И тотчас, кончив говорить о пушкинском приюте для литераторов, Л.Н. передал своими словами содержание рассказа Сергея Семенова «Хорошее житье» — о мужике, сделавшемся швейцаром в богатом доме, отучившемся от настоящего тяжелого крестьянского труда, потерявшем затем свое место и мало-помалу спившемся и погибшем. Л.Н. прекрасно передал всё это. Он говорит очень плавно, совершенно не путаясь в выражениях, не запинаясь, выделяя иногда характерные художественные подробности и даже артистически передавая речь отдельных лиц.

Затем, не знаю, по какому поводу, вспомнил он о посетившей его сегодня неизвестной барышне:

— Такая молодая, веселая. Хорошо одета. Цепочка на шее, и на руке тут какая-то цепочка, дорогая, видимо.

Говорит, что хочет помочь народу, открыть новую школу, совершенно новую, по новой программе, но что у нее не хватает только образования и денег. И вот она хочет получить образование, а денег, конечно, просит у меня. Я говорю ей: «Какая же у вас программа?» Она начинает рыться, вынимает какую-то тетрадь, и вот оттуда высыпается масса разных бумажек!.. Она собирает их, начинает читать. Я думал, долго будет читать. Ну, думаю, выслушаю. А она показывает — смотрю, на бумажке написано синим карандашом «Закон Божий, история, география» и так далее, и так далее. (Л.Н. засмеялся. — *В.Б.*) Я и говорю, что не могу ей помочь. Она не особенно смутилась и отвечает: «Тогда дайте ваш волосок!»

— Что?! Что такое? Волосок?! — перебили тут его все.

— Да, да!.. Волосок, мой волосок! — залился вместе со всеми смехом Л.Н. — Ну, я ей говорю, что волосок я ей давать не желаю...

Был еще сегодня у Л.Н. вице-президент петербургского отделения «Общества мира». Этот, как выразился Толстой, оказался «еще менее способным понять» его доводы, чем описанная выше барышня.

— Хороший сегодня вечерок был, — проговорил со своим невозможным словацким акцентом милый Душан Петрович, проходя мимо, уже после того как все разошлись.

9 апреля

Начав вчера просматривать «мысли Лескова», я пришел к результату довольно неожиданному: мысли эти, столь умилявшие Л.Н., оказались, по разным несомненным признакам, принадлежащими не Лескову, а самому Толстому. По-видимому, взяты они были из записной книжки Лескова, куда тот просто заносил нравившиеся ему мысли Толстого. По крайней мере я мог указать даже те отдельные сочинения Толстого, из которых эти мысли были взяты.

Я рассказал сегодня об этом Л.Н. Он принял мое сообщение вполне спокойно и просил все-таки, чтобы я включил в разные книжки «Мыслей о жизни» те мысли из лесковской тетради, каких в «Мыслях о жизни» еще не встречалось.

Только потом, перелистывая тетрадь, он заметил:

— Я радуюсь: я узнаю свои мысли.

Сегодня, несмотря на дождик, после завтрака Л.Н. ездил верхом. За обедом расспрашивал меня о Сибири, о том, «настоящий ли» в Томске университет (выяснилось, что не настоящий, так как в нем не хватает двух факультетов), какие в Сибири главные города, какой климат и т.д.

Сообщил, что получил письмо от литератора Ахшарумова, восьмидесятипятилетнего старика, который пишет, что высылает Л.Н. книжку своих стихов, некогда читанных им в квартире Дружинина в присутствии Тургенева, Некрасова и Толстого и одобренных ими.

— Когда придет книжка, — говорил Л.Н., — непременно прочту с уважением.

Софья Андреевна вспомнила, что завтра канун Вербного воскресенья.

Помню, — сказал Л.Н., — что в этот день у нас раньше всегда служили всенощную в доме; из стула вынимали сиденье и ставили в него вербы.

Уходил я довольно поздно. Простился с Л.Н. в кабинете.

— Вы домой? — спросил он меня.

Почему-то посмотрел мне в глаза, улыбаясь, и крепко пожал руку.

Всякая его добрая улыбка радует меня.

10 апреля

Принес и отдал Л.Н. выбранные мысли Достоевского, две дополненные новыми мыслями книжки о смерти, мысли в книжку о неделании и мысли, выбранные из тетради Лескова для включения в «Мысли о жизни» по отделам.

Л.Н. опять говорил:

— Хочу, чтобы был Достоевский.

Мысли Достоевского он просмотрел, но они не особенно понравились ему.

— Несильны, расплывчаты, — говорил он. — И потом какое-то мистическое отношение... Христос, Христос!..

После еще Л.Н. говорил:

— У Достоевского нападки на революционеров нехороши: он судит о них как-то по внешности, не входя в их настроение.

Тем не менее из шестидесяти четырех отданных ему мною мыслей Достоевского он отметил для включения в свои книжки тридцать четыре. Дал мне мысли, не вошедшие ни в какие отделы «Мыслей о жизни» при составлении их, и просил сделать распределение их по отдельным книжкам. Между прочим, просил делить их на три разряда: годные для какого-нибудь отдела, слабые и совсем лишние. Как ни щекотлива была моя обязанность, я постарался выполнить ее добросовестно и сегодня же эту работу сделал. Л.Н. даже не посмотрел ее, попросив взятые мысли разнести по книжкам.

В Ясной сегодня большое горе. У Александры Львовны открылся — правда, только-только открылся — туберкулез легких. Через два дня она едет вместе с Варварой Михайловной в Крым. Л.Н. ходит молчаливый. Говорят, что он несколько раз плакал. Александру Львовну ни о чем не расспрашивает и с ней не разговаривает.

— Мы еще ни разу друг другу в глаза не посмотрели, после того как определили мою болезнь, — говорила про отца Александра Львовна.

Сама она спокойна.

Вечером после чая Л.Н. говорил, что он читал рассказ Семенова «Бабы» и другие рассказы. О Семенове он говорит:

— Это не оцененный еще писатель, совсем не оцененный. Раньше я был к нему строг: в конце деятельности, из-за нужды в заработке, по-видимому, он ударился в приемы литераторства, писания его стали отличаться какой-то выдуманностью...

Между прочим, сегодня же случайно выяснилось, что заглавие своего «Круга чтения» и вообще мысль его Л.Н. заимствовал от какого-то еще существующего у нас православного «Круга чтения».

Ввиду предполагаемого отъезда ряда домашних в Крым я снова переселяюсь из Телятинок в Ясную Поляну. Сегодня я уже ночевал здесь.

Л.Н. утром вернулся с прогулки с расцветшей вербой в руках и в петлице пальто. Передал их внучке Танечке.

Утром я уезжал в Телятинки за своими вещами и вернулся лишь незадолго перед обедом. Случилось несчастье: потерялось письмо одного крестьянина к Л.Н. и ответ на это письмо, всё в одном конверте. Письмо было дано мне, а у меня... исчезло неизвестно куда. Я и ходил сегодня довольно-таки потерянный. Конечно, приятного в этом и для Л.Н. ничего не могло быть: письмо было для него интересное. Куда оно девалось, не приложу ума. Надо мной подтрунивали за обедом Татьяна Львовна и другие. Л.Н. тоже: сидит, сидит, посмотрит на меня и вдруг рассмеется.

— Что же, по крайней мере заботы с этим письмом меньше, — подсмеивался он, — потеряно и только. А я как раз сегодня большое письмо написал. Нужно вам его дать, чтобы вы его потеряли. Это упрощенный способ отвечать на письма.

Что было делать!..

Приехал Дима Чертков звать меня на репетицию спектакля в Телятинки. Я было стал отказываться, но Л.Н. просил меня поехать, и я отправился. В Телятинках я — режиссер и исполнитель главной роли, чертенка, в пьесе Толстого «Первый винокур». К вечернему чаю вернулся.

Л.Н. зашел в «ремингтонную» с письмом к Софье Александровне Стахович, написанном на складном листе-конверте.

— Я франт, — проговорил он, смеясь, намекая на щеголеватое письмо. — Мне вот все дарят роскошные вещи, и нельзя их отдать, чтобы не обидеть тех, кто дарит.

Здесь было несколько человек, в том числе Дима. Л.Н. вспомнил о своей новой недописанной пьесе.

— Это — как два мужика, — сказал он. — Один зовет другого купаться, а тот отвечает: «Да я уж откупался». Вот так же и я откупался. Всё снял, разделся, только в воду слезть — и не могу!..

Удивительное совпадение. Л.Н. вчера получил письмо от одного из близких по духу людей с Кавказа, Петражицкого. Тот писал, что чувствует приближение смерти, просил ответить ему. Л.Н. хотел отвечать, но сегодня получил письмо от знакомого Петражицкого Христо Досева о том, что Петражицкий умер. По этому поводу Толстой говорил:

— Ни в какие предчувствия я не верю, а в предчувствие смерти верю.

После завтрака я поехал с Л.Н. верхом, опять в новом направлении — по тульскому шоссе, а потом разными тропинками и дорожками обратно по лесу. Погода прекрасная.

Когда выехали на шоссе, догнали прохожего. Л.Н. поздоровался с ним. Я ехал значительно позади.

— Это чей же лес? — спросил прохожий, когда я поравнялся с ним.

— Не знаю, только не наш.

— Так, так. А я хотел себе палочку вырезать, так чтоб сумления не было. А вы из какой же экономии будете?

— Из Ясной Поляны.

— А впереди-то это кто же, их сиятельство?

— Да, граф Толстой.

— А!.. Ведь вот семь лет хожу, никогда не видывал, а теперь увидал. А тут разговор, значит, об ём был... Так, так!

Встретились извозчики из Тулы, с возами, городские, в сапогах и пиджаках. Все низко снимали шапки перед Л.Н. Я оглянулся, когда мы разъехались: все стояли кучкой на дороге и глядели нам вслед.

Дэлир сегодня пугается всякого куста. Л.Н. с трудом его сдерживает. Он думает, что это оттого, что у лошади ослабело зрение. Впрочем, Дэлир и всегда, по его словам, был пуглив.

— Да я его обучаю, — говорит он.

Обучаю! Это в восемьдесят два-то года!

Между прочим, по лесу часто ехали наугад. Л.Н. скажет: «Попробую» — и пустит лошадь по какой-нибудь тропинке. Глядишь — ров, через который нельзя перебраться, и мы едем обратно, или такая чаща, что еле продираемся сквозь кусты. Но в последнем случае Л.Н. не отступает: отстраняя ветки руками и беспрестанно нагибаясь, смело едет вперед. Он вообще, кажется, во время таких верховых прогулок любит брать маленькие препятствия: если тропинка изгибается, он непременно сократит дорогу, свернув и проехав напрямки между частыми деревьями и кустами; если есть пригорок, он проедет через него; ров, через который перекинут мостик, — он, минуя мостик, переезжает ров прямо по обрыву.

В лесу, как только дорожка прямее и деревья реже, Л.Н. пускал лошадь крупной рысью; я поспевал за ним галопом. Дорогой он показывал мне места прежней железнодорожной ветки к закрытому теперь чугунному заводу, груды оставшейся неиспользованной железной руды. («Здесь миллионы лежат».)

Когда подъезжали домой, обернулся:

— Рекомендую вам эту тропинку, когда высохнет.

И, должно быть, был в хорошем настроении, потому что поблагодарил за компанию, чего никогда раньше не делал.

Приехали сыновья Ильи Львовича, подростки Михаил и Илья. Позже приехал Михаил Васильевич Булыгин.

Софья Андреевна читала пропущенную в печатном издании «Детства» главу об охоте. В ней описывались прелести охоты.

— И хорошо, что ее пропустили, — заметил Л.Н.

Потом он говорил опять о том, какой переворот в общественном мнении совершился на его памяти. Это видно и на отношении к охоте: раньше считалось невозможным не увлекаться ею, теперь многие считают ее злом. То же в отношении крестьян к воровству: раньше никому из них в голову не могло прийти, что бедные обираются богатыми и потому часто вынуждены воровать, — теперь все это понимают.

По поводу «Детства» я вспомнил, что мне говорил Л.Н. в одно из прежних моих посещений Ясной Поляны о работе своей над этой повестью:

— Я никогда не отрицал искусства. Напротив, я выставлял его как неизбежное условие разумной человеческой жизни, но лишь поскольку оно содействует общению людей между собой... Вы сами также занимаетесь искусством? Что же вас привлекает, стихи или беллетристика? Беллетристика... Видите ли, нынче так много писателей — всякий хочет быть писателем!.. Вот я уверен, что среди почты, которую только что привезли, непременно есть несколько писем от начинающих писателей. Они просят их прочесть, напечатать... Но в литературе нужно соблюдать своего рода целомудрие и высказываться лишь тогда, когда это становится необходимым. По моему мнению, писатель должен брать то, что до него не было описано или представлено. А то что ж, это всякий может написать: «Солнце сияло! трава...» и так далее. Вот вы спрашивали, как начинал писать я. Что же... это было «Детство»... И вот когда я писал «Детство», то мне казалось, что до меня никто еще так не почувствовал и не изобразил всю прелесть и поэзию детства. Повторяю, и в литературе нужно целомудрие... Вот сейчас я работаю над сводом моих мыслей, так я по двенадцати раз переписываю одно и то же. Так осмотрительно, целомудренно должен относиться писатель к своей работе... Это будет, вероятно, уже моя последняя работа, — добавил тогда Л.Н.

13 апреля

Утром Л.Н. позвал меня в кабинет — помочь ему распечатывать и читать письма. Это случилось в первый раз.

— Это отвлекает очень, — пожаловался он, видимо, желая скорее приняться за свою работу.

Сегодня в Ясной гости: Гольденвейзер с женой, Горбунов-Посадов и Мария Александровна (Шмидт). Она за обедом рассказывала, как отзывался один знакомый ей крестьянин о прокучиваемых барами трудовых мужицких деньгах, «добывающихся потом и кровью», по выражению крестьянина.

Л.Н. ответил на это:

— Как в природе волшебство — была зима, и вот в каких-нибудь три дня весна, так и в народе такое же волшебство. Недавно не было ни одного мужика, который бы говорил такие речи, вот как вы рассказываете, а теперь все так думают.

Рассказывал, что прочел книжку стихов Ахшарумова.

116

— Я решил, что употреблю все усилия, чтобы найти такие стихотворения, которые мог бы похвалить. И нашел. В них нет ничего нового, но уж, конечно, они лучше декадентских.

Ахшарумову Л.Н. написал письмо о его стихах.

Говорили о журналах для широкой публики — «Жизнь для всех» и «Журнал для всех». Гольденвейзер заметил, что последний привлекает публику хорошим составом печатающейся в нем беллетристики.

— Неужели беллетристика может привлекать? — удивился Л.Н. — Я на старости лет никак этого понять не могу.

Сам заговорил о том, что старше его «на деревне» (Ясной) никого нет. Другие перевели разговор на то, что крестьяне стареют раньше, чем «мы».

Я видел, как Л.Н. насупился.

— Еще бы, — проговорил он тихо (думаю, вникая больше сам в свои слова, чем желая поделиться ими с другими), — у нас это от ухода за своим телом, а они все измучены...

Гольденвейзер играл очень хорошо, но, к сожалению, немного. Его стеснялись просить, но попросил первый Л.Н. На него музыка опять произвела сильное впечатление.

— Когда хорошее музыкальное произведение нравится, то кажется, что сам его написал, — заметил он после этюда Шопена *e-dur, opus 10*.

Гольденвейзер сообщил, что певучую мелодию этого этюда сам Шопен считал лучшей из всех своих мелодий.

— Прекрасно, прекрасно! — восклицал Л.Н. по окончании игры, вспоминая те вещи, которые ему больше нравились. — Если бы, — говорил он, — мартовский житель пришел и об этом тоже сказал бы, что никуда не годится, то я стал бы с ним спорить. Вот только одно, что это непонятно народу. А я в этом так испорчен, и больше ни в чем, как в этом. Люблю музыку больше всех других искусств, мне всего тяжелее было бы расстаться с ней, с теми чувствами, которые она во мне вызывает.

После говорил:

— Я совсем не слыхал декадентов в музыке. Декадентов в литературе я знаю. Это мое третье психологическое недоразумение (никто не решился спросить, какие два первые. — *В.Б.*). Что у них у всех в головах — у Бальмонтов, Брюсовых, Белых!..

Гольденвейзер обещал приехать на пасху и познакомить Л.Н. с декадентами в музыке. Толстой очень его звал.

Прощаясь со всеми в зале, он, между прочим, говорил:

— Силы для работы у меня обратно пропорциональны желанию. Иногда нет желания работать, а теперь приходится его сдерживать.

У меня в комнате он подписал письма и, прощаясь, спросил:

— Так письмо и пропало? Совсем, и восстановить нельзя? Это что-то таинственное, прямо что-то спиритическое!..

Он засмеялся.

— Ну, прощайте!

И — обычным жестом — быстро поднял руку и опустил ладонь на ладонь.

Сегодня написал Л.Н. одно письмо, я думаю — самое краткое из всех, когда-либо писанных. Вот его содержание: «Ростóвы. Л.Т.». Написано оно «ученику III класса Федорову» в ответ на его вопрос, как произносить встречающуюся в «Войне и мире» фамилию — Рóстовы или Ростóвы.

14 апреля

Утром приезжала некто Бодянская, муж которой за участие в движении 1905 года был осужден сначала на смертную казнь, а потом на шесть лет каторги — по ее словам, невинно. Она приехала к Л.Н. с письмом от его знакомого Юшко и просила устроить ей свидание с царицей или со Столыпиным. Л.Н. и Татьяна Львовна дали ей письма к графу Олсуфьеву и Софье Стахович.

Кроме Бодянской, приезжали фотографы от московской фирмы «Шерер и Набгольц», вызванные Софьей Андреевной, чтобы сделать новую фотографию Л.Н., специально для подготовляемого ею двенадцатого издания «Собраний сочинений Толстого». Снимали на террасе. Л.Н. позировал очень неохотно.

Пришло письмо от англичанина Истэма, секретаря какого-то «Общества мира», — одного из тех «обществ», которые как раз к делу мира имеют наиболее отдаленное отношение. Мистер Истэм просил Л.Н. принять участие в делах общества. Л.Н. позвал меня и продиктовал ответ, резко осудительный по отношению к обществам, именующим себя «мирными» и в то же время отрицательно относящимся к антимилитаризму.

После завтрака Л.Н. отправился на верховую прогулку; сопровождал его я. Выехав из усадьбы, встречаем молодого человека — «моряка», как он отрекомендовался, который, как оказалось, шел как раз к Толстому, чтобы попросить материальной помощи.

Л.Н. в мягких выражениях отказал.

— Пожалуйста, не имейте на меня недоброго чувства, — прибавил он.

— Простите! — сказал моряк. — Простите! — повторил он, галантно приподнимая над головой свою маленькую шапочку.

Мы проехали в Овсянниково. Л.Н. посидел некоторое время на террасе домика, занимаемого семьей Горбунова-Посадова. Иван Иванович, его жена, дети, Павел Александрович Буланже и Мария Александровна — все собрались на террасе посидеть и побеседовать с дорогим гостем.

Из того, что говорилось, отмечу слова Л.Н.:

— Христос был преждевременен. Учение его настолько противоречило установившимся взглядам, что нужно было извратить его, чтобы втиснуть в эти... (Л.Н. не кончил. — *В.Б.*). И только кое-где оно просвечивает.

Захватили в Овсянникове привезенные Иваном Ивановичем из Москвы корректуры нескольких книжек «Мыслей о жизни».

Вечером приходил С.Д.Николаев, поселившийся с семьей на лето в Ясной Поляне; следовательно, были разговоры о Генри Джордже... Николаев — усердный переводчик и пропагандист Генри Джорджа.

Л.Н. припомнил старину. Кто-то упомянул о «яснополянском Мафусаиле», крестьянине из дворовых, Василии Васильевиче Суворове. Л.Н. сказал:

— А вот никто не знает, почему его фамилия Суворов. Только я один знаю. У него дед был большой пьяница и, когда напивался, колотил себя в грудь и говорил: «Я — генерал Суворов!» Его прозвали Суворовым, и так эта фамилия и перешла к его детям и внукам.

И еще Л.Н. вспомнил:

— Мне памятна та дорожка, по которой мы ездили сегодня. (Боковая дорожка по лесу от Засеки на Ясную Поляну, вдоль оврага. — *В.Б.*) Тут в ров полетели однажды дрожечки Володьки, слуги отца, и разбились вдребезги.

Почему-то заговорили еще о теософии.

— В теософии всё хорошо, — заметил Толстой, — исключая только того, что теософы знают, что на том свете будет и что до этого света было.

Перед уходом Л.Н. обратился ко мне:

— Не знаю, как мне книжку назвать. «Грех излишества»... «Грех служения телу»... «Грех служения похотям тела»... Всё нехорошо!

Шла речь о заглавии для одной из книжек «Мыслей о жизни».

Я посоветовал «Грех угождения телу».

— Это лучше, — согласился Л.Н.

Привожу выписку из сегодняшнего письма Толстого к одному крестьянину единомышленнику: «Ты спрашиваешь, нравится ли мне та жизнь, в какой я нахожусь. Нет, не нравится. Не нравится потому, что я живу со своими родными в роскоши, а вокруг меня бедность и нужда, и я от роскоши не могу избавиться и бедноте и нужде не могу помочь. В этом мне жизнь моя не нравится. Нравится же она мне в том, что в моей власти и что могу делать и делаю по мере сил, а именно: по завету Христа любить Бога и ближнего. Любить Бога значит — любить совершенство добра и к нему, сколько можешь, приближаться. Любить ближнего значит — одинаково любить всех людей, как братьев и сестер своих. Вот к этому-то самому и к одному этому я стремлюсь. И так как, хотя плохо, но понемножку приближаюсь к этому, то и не скорблю, а только радуюсь.

Спрашиваешь еще, что если радуюсь, то чему радуюсь и какую ожидаю радость. Радуюсь тому, что могу исполнить, по мере своих сил, заданный мне от Хозяина урок: работать для установления того Царства божия, к которому мы все стремимся».

Л.Н. получил письмо от известного английского драматурга Бернарда Шоу. На конверте этого письма Толстой сделал пометку: «умное — глупое». В письме своем Шоу остроумничает на темы о Боге, о душе и т.п. Л.Н. не мог не отнестись отрицательно к этому легкому тону при обсуждении столь важных вопросов, о чем он резко и прямо и заявил в своем ответе английскому писателю, продиктованном мне утром же, на террасе.

Я просил у Л.Н. позволения написать от себя несколько слов в ответ на одно письмо, оставленное им без ответа, — наивное, но хорошее письмо, с просьбой о высылке денег для покупки фотографического аппарата.

— Сделаете доброе дело, — ответил Толстой. — Хорошее письмо, но как деньги, так это меня расхолаживает и руки опускаются.

Вечером за столом упомянули о ком-то, кажется об Иване Ивановиче Горбунове, что он судится по политическому делу.

— Ныне всякий порядочный человек судится, — сказал Л.Н. — Это как Хирьяков пишет: «Я не достоин этой чести, но принимаю это авансом».

Был сельский учитель Василий Петрович Мазурин, сочувствующий взглядам Толстого, и очень ему понравился.

— Всё те же нравственные вопросы, — говорил мне о нем Л.Н., — воспитание детей, целомудрие. Как возникнет один, так за ним поднимаются все другие, по таким расходящимся радиусам...

Сегодня Л.Н. нехорош здоровьем. Не завтракал и не хотел ехать верхом. Но потом позвал меня.

— Притворюсь, что будто бы хочу сделать вам удовольствие, — улыбнулся он, успев, видимо, заметить, что езжу я с ним охотно.

Перед этим предлагали ему разные лекарства, но, оказывается, болезнь его (печень, желудок) настолько застарелая, что обычные лекарства уже не производят своего действия.

— Ничего, ближе к смерти, — сказал Л.Н. и добавил: — Видишь, как недействительны все эти внешние средства.

Поехали в Телятинки. Проезжая Ясную, он остановился у одной избы на выезде.

— Где Курносенковы живут?

— Здесь, кормилец, — ответила баба.

— Это тебе Александра Львовна помогает?

— Так точно.

— Так вот на, она велела тебе передать! — И Л.Н. дал бабе денег.

Поклоны и благодарности.

— Ну что, муж-то все хворает?

— Хворает.

— Ну, прощай!

— Прощайте, ваше сиятельство! Покорнейше вас благодарим!

Подъезжаем к следующей избе. У порога сидит, пригорюнившись, баба. Поднимается, идет к лошади и тоже просит помощи.

— Ты чья?

— Курносенкова.

— Как Курносенкова! Я сейчас Курносенковой подал.

— Нет, та не Курносенкова, та такая-то, — и баба называет другую фамилию.

Толстой поворачивает лошадь к первой избе. Баба, получившая деньги, продолжает настаивать, что она тоже Курносенкова, но сознается, что Александра Львовна помогает не ей, а ее соседке. Л.Н. просит ее вынести назад деньги, что баба и исполняет охотно, весело улыбаясь, видимо на самое себя. Деньги передаются «настоящей» Курносенковой.

Л.Н. едет дальше, опечаленный всей историей и тем, что пришлось у бабы брать деньги обратно.

Позади идут две другие бабы и переговариваются о тех, с которыми мы имели дело.

— Что вы, бабы? — поворачивает к ним лошадь Толстой.

Те начинают ругать и настоящую Курносенкову, и выдавшую себя за нее. А идут обе в деревню Кочаки, где есть церковь, потому что говеют.

— Нехорошо, — говорит, отъехав немного, Л.Н., — вот уже и зависть, а та хотела обмануть. Это понятно. С одной стороны, нужда, с другой — вот это развращение, церковь.

И он показал рукой в сторону Кочаков, где находится приходская церковь. Я заметил, что все-таки в народе больше положительных черт, чем отрицательных. В доказательство привел те письма от простых людей, которые получает Л.Н. По письмам этим я впервые узнал ясно, что такое народ и, в частности, русский народ, что за люди в нем есть и какие могучие духовные силы в нем скрываются.

— Еще бы, еще бы! — согласился Л.Н. и вспомнил сегодняшнего учителя, человека из трудовой среды. — Ведь откуда берется!.. Вот вы говорите, — сказал он затем, — что есть люди, которые самостоятельно освобождаются от церковного обмана. Но среди них есть такие, которые всё отрицают, а основания у которых остаются все-таки церковные. Вот я сегодня имел письмо от одного такого материалиста... К ним принадлежит и Бернард Шоу. Отрицая Бога, он полемизирует с понятиями личного Бога, Бога-творца. Рассуждают так, что если Бог сотворил всё, то Он и зло сотворил и т.п. Постановка вопроса — церковная. Влияние церкви тут несомненно. Ведь в религии буддистов, конфуцианцев отсутствуют понятия Бога-творца, рая, загробного блаженства; для них эти вопросы не существуют. А у нас есть.

В Телятинках Толстой зашел в дом Чертковых и посидел некоторое время с друзьями. Поехав назад, мы хотели было пробраться в красивый еловый лесок за деревней, но не могли переехать через ров, Кочак и через канаву, которой окопана находящаяся здесь помещичья усадьба. Тогда отправились опять по дороге.

Сидя на лошади, я прочел полученное мною в Телятинках письмо от неоднократно уже упоминавшегося в дневнике студента Михаила Скипетрова, знакомого Л.Н. Письмо затрагивало интересовавший меня вопрос — о взаимоотношении духовного и телесного начала в человеке и о возможности гармонического объединения этих начал в его жизни и деятельности. Я ни разу не собрался предложить об этом прямо вопрос Л.Н., хотя мнение его мне, разумеется, было бы интересно узнать. Теперь представился повод и удобный случай к этому...

Я догнал Толстого на своей лошадке, сообщил о получении письма от Скипетрова и попросил позволения поделиться содержанием этого письма. «Они, — писал Скипетров о Сереже Булыгине и еще об одном из наших друзей, — живут только для Бога. Этому я не завидую и к этому не стремлюсь... Моя жизнь должна быть равнодействующей между животной и божеской... Человек должен быть одной прекрасной гармонией».

— Как я всегда это говорил, — сказал Л.Н., прослушав меня, — так и теперь скажу, что главная цель человеческой жизни, побуждение ее, есть стремление к благу. Жизнью для тела благо не достигается, жизнь для тела доставляет страдания. Благо достигается жизнью для духа.

Я указал, между прочим, на то, что в своем письме Скипетров стремится везде вместо слова «Бог» подставить слово «Разум».

— Это от учености, — ответил Л.Н. — Но те, кто еще не освободились от ее влияния, могут, освобождаясь, стать на нормальный путь. И он стоит на нормальном, как мне кажется.

— Где-то я читал, — продолжал Толстой, — что, отказавшись от личного Бога, трудно поверить в Бога безличного. И это правда. Тот Бог может наградить, Ему можно молиться, просить Его; а чтобы верить в Бога безличного, нужно себя сделать достойным вместилищем Его... Но хорошо то, что люди ищут. Жалки те, которые не ищут или которые думают, что они нашли.

Яблоневый сад. Л.Н. объясняет, как отличать на яблоне листовую почку от цветной.

— По какому поводу, Лев Николаевич, писал вам Шоу? — спрашиваю я.

— Он прислал мне пьесу.

— Хорошая пьеса?

— Плохая. Он пишет, что его вдохновило мое произведение, кажется, «Власть тьмы», где изображен какой-то мужик, пьяница, но который на самом деле лучше всех... Кажется, это во «Власти тьмы», я не помню... Я совсем свои прежние произведения перезабыл!.. И вот Шоу изображает крестьянина, который украл лошадь и которого за это судят. А взял он лошадь для того, чтобы съездить за доктором для больного. Но здесь недостаток тот, что очень неопределенно чувство, которое Шоу приписывает крестьянину. Он поехал за доктором, но доктор мог и не помочь. Другое дело, если бы он, например, бросился в огонь. Тут уже определенное чувство жертвы собой, чтобы спасти другого.

Вечером за общим столом Л.Н. говорил о начале всего по научным теориям, о невозможности Бога-творца, о пространственных и временных условиях восприятия, повторяя отчасти то, что говорил мне утром.

— Много же ты, Лев Николаевич, болтаешь! — засмеялся он, вставая из-за стола. — Нет, нет, шучу, — добавил он тотчас в ответ на чей-то протест, — мне самому приятно было с вами побеседовать.

— Вот поприще для воздержания, — говорил Л.Н. потом, — не судить о правительстве. Я не удерживался от этого, а теперь буду удерживаться.

Стали говорить о русском бюджете. Татьяна Львовна упомянула об имеющихся у нее известных диаграммах профессора Озерова, со статистическими сведениями о доходной и расходной статьях русского бюджета и пр.

— Принеси, принеси, я люблю эти цифры, — поддержал ее Л.Н., когда она поднялась было нерешительно со стула.

Стали рассматривать диаграммы.

— Первое, — говорил Л.Н., — что бросается в глаза при введении этих аэропланов и летательных снарядов, это то, что на народ накладываются новые налоги. Это как иллюстрация того, что при известном нравственном общественном состоянии никакое материальное улучшение не может быть в пользу, а — во вред.

Кончили смотреть. Толстой сидел задумчиво, откинувшись на спинку стула.

— Да, — произнес он, — как подумаешь, что есть люди, которые не понимают и не хотят понять того, что так ясно, так нужно, то и хочешь умереть.

Наступило молчание. Татьяна Львовна осторожно улыбнулась.

— Ну, я бы из-за этого не хотела умирать, — сказала она.

— Ты бы не хотела, да я-то хочу, — возразил Л.Н. — О последствиях не нужно думать. Когда живешь для внешней цели, то в жизни столько разочарований и горя, а когда живешь для внутренней работы совершенствования, то достигаешь блага. Но есть это поползновение думать о последствиях...

Между прочим, для *gens poetarum* придумана такая отписка, которая отпечатана посредством шапирографа на открытках и рассылается теперь в ответ на все стихи: «Лев Николаевич прочел ваши стихи и нашел их очень плохими. Вообще он не советует вам заниматься этим делом».

17 апреля

— Сегодня у меня мрачное состояние, — говорил Л.Н., — и большая слабость.

Из утренней почты было интересное письмо такого рода. Некто Селевин из Елисаветграда просил указать ему те места в Евангелии, которые было бы полезно напечатать на издаваемых им ученических тетрадях. По поручению Толстого я просмотрел все евангелия Синода и выписал всё то, что соответствует подлинно христианским убеждениям. Л.Н. просмотрел письмо, просил прочесть ему два места из отмеченных мною на пробу, одобрил, сделал приписку, указав в ней еще на первое послание Иоанна, и велел послать письмо. Между прочим, говорил, что ему более нравятся Евангелие Матфея (как более подробно излагающее Нагорную проповедь) и Иоанна.

С сегодняшней же почтой пришла книжка журнала прогрессивной группы молодежи, на английском языке. Л.Н. очень ею заинтересовался и говорил даже, что если б был молод, то поехал бы в Китай.

— Меня занимают китайцы, — говорил он, — четыреста миллионов людей, которым хотят привить европейскую цивилизацию!

Часа в два, то есть после завтрака Л.Н., в дом явился красивый юноша, поляк, одетый в гимназическую форму, который заявил мне, что он желает переговорить непосредственно с самим Толстым по важному вопросу. На мою просьбу, не может ли он сказать, по какому именно вопросу, молодой человек ответил отрицательно. В свою очередь, несколько неожиданно для меня, он обратился ко мне с просьбой ответить, как Л.Н. относится к революционерам. Я решил, что передо мною, видимо, один из таковых, и вкратце объяснил, стараясь не обидеть нечаянно молодого человека каким-нибудь резким выражением, что хотя Толстой совершенно отрицательно относится к правительственной деятельности, но тем не менее отрицательно он относится и к деятельности революционной. Молодой человек, казалось, вполне удовлетворился таким ответом и вновь заявил о желании видеть Толстого.

Я передал о нем Л.Н., и он спустился на террасу, где поджидал юноша. Что же оказалось? Вернувшись, Л.Н., с выражением ужаса на лице, сообщил, что юноша этот признался ему, что он — шпион, состоящий на службе у правительства и доносящий властям о действиях революционных кружков, с которыми он близок. Нелепее всего то, что молодой человек ожидал от Толстого одобрения своей деятельности, зачем и приезжал к нему. Л.Н. ответил этому необычному посетителю, что доносить на своих товарищей он считает ужасным, нехорошим делом.

Вечером на круглом столе в гостиной Л.Н. увидел игру, состоящую в раскладывании и подбирании снимков с картин классических живописцев. Он присел и стал рассматривать эти снимки. Ему нравились многие портреты стариков. Попался снимок с рафаэлевской мадонны.

— Не знаю, за что так любят «Сикстинскую мадонну»! — произнес он. — Ничего хорошего в ней нет. Я, помню, тоже когда-то восхищался ею, но только потому, что восхищались Тургенев, Боткин, а я им подражал и притворялся, что мне тоже нравится. Но я не умею хорошо притворяться.

Ему гораздо больше нравится «Madonna della Sedia» Рафаэля. Нравятся еще ему следующие картины: «Дочь Лавиния» Тициана («Это не красиво, но, видимо, так похоже»); его же «Кающаяся Мария Магдалина» («Превосходно! Я не про красоту говорю, а про правдивость, в противоположность рафаэлевской искусственности»); «Девушка, считающая деньги» Мурильо («Это восхитительно! Какое выражение, какая правдивость! Это не декадентская картина»); «Франсисканец» Рубенса («Характерно»); «Мона Лиза» Леонардо да Винчи.

Два слова о письмах к Л.Н. Почти все они начинаются одной определенной формулой: «Дорогой Лев Николаевич, так как вас беспокоит множество людей и вы получаете множество писем, то... и я вас обеспокою, и я пишу вам письмо». (Поначалу можно было бы ожидать совсем обратного: так как вас беспокоят многие, то я воздержусь от этого и не буду вас беспокоить.) Если верить письмам, то у Л.Н. много учеников: это слово часто присоединяется к подписи. Впрочем, иногда «ученик» ограничивается лишь просьбой выслать от десяти до ста и более рублей. Лучшие и более многочисленные письма — от крестьян и вообще от простых людей.

18 апреля

Пасха. Л.Н. провел день как всегда: занимался до двух часов, гулял и вечером опять занимался.

Утром я спросил его:

— В вас, Лев Николаевич, сегодняшний день никаких особенных чувств не возбуждает?

— Нет, никаких!.. Только жалко, что есть такое суеверие: приписывают этому дню особые значения, звонят в колокола...

Софья Андреевна и другие домашние праздник справляют: одеты нарядно, на столе цветы, пасха, кулич.

Был у Л.Н. довольно необыкновенный гость: старый офицер, в парадной форме, в орденах, со шпагой. Он долго сидел у Толстого в кабинете, спорил с ним о непротивлении и обвинял в непоследовательности. Он в отставке и живет тем, что читает какие-то лекции о грамотности. Очень наивный человек. К удивлению остальных домашних, он оказался Л.Н. не особенно в тягость. По окончании разговора старик выпил кофе, говорил наедине с Татьяной Львовной, растрогался и пешочком ушел обратно на станцию.

— Хорошо работал, — сказал Л.Н., выходя в два часа в столовую, где, кроме меня, никого не было. — Из «Веры», «Души», «Единения» (книжки «Мыслей») выкинул всё о Боге. Как я могу говорить о Боге, когда еще не определил Его (книжка «Бог» следует по порядку после упомянутых. — *В.Б.*). Это важно для таких людей, как ваш брат интеллигент, которые увидят вначале слово «Бог» и от этого всё им покажется таким скучным, неинтересным. Я представляю себе такое отношение по тому, как я относился к Сковороде, когда читал его в молодости: всё казалось так скучно*. Не знаю почему. Просто не интересовали эти вопросы. Это было во время увлечения художественной, эстетической деятельностью.

Я рассказал Л.Н., как в ранней юности, после потери наивной, детской веры, мучительно занимали меня вопросы о существовании Бога и о бессмертии души. Он с интересом выслушал меня и, в свою очередь, поделился следующими воспоминаниями о собственной духовной жизни в раннюю пору:

— В юности вопросы о Боге, о бессмертии души находили на меня порывами. Но особенно меня занимали вопрос о сознании и вопрос о пространстве и времени. Вот я стою, говорю с Булгаковым, всё это сознаю, а что́ то, что сознает? Это, что сознает, что оно сознает, что сознает, что сознает и т.д. — до бесконечности. И вот это столкновение с бесконечностью приводило — здесь особенно ясно, определенно — к Богу, к духовному началу. Вопрос же о пространстве и времени занимал меня тоже очень давно. Но я уже не верил тогда в православие. Смутно помню, что я читал Канта, Шопенгауэра и это им обязан взглядам на пространство и время как формы восприятия. Но, знаете, мысль становится близка только тогда, когда в душе уже сознаешь ее, когда при чтении кажется, что она уже была у тебя, что всё это ты знал, когда ты точно только вспоминаешь ее. Так это было со мной и при чтении Евангелия. В Евангелии я открыл Америку: я не предполагал, что в нем столько глубины мысли, и мне казалось странным, что всё это мирится с этими чудесами, церковью, с этой пасхой! И всё казалось так знакомо; казалось, что всё это я давно знал, но только забыл.

Выйдя на улицу, Л.Н. смотрел, как на устланной ковром террасе детишки и их бабушка Софья Андреевна и матери Ольга Константиновна и Татьяна Львовна катали яйца.

Вечером за чаем рассказывал о своей встрече с немецким императором Вильгельмом I.

---

* Толстой в разные годы изучал философские сочинения Григория Саввича Сковороды (1722—1794), сочувствовал его мечте о «царстве любви без вражды и раздора».

— Это было в Баден-Бадене. Я был молодой человек, франт. Однажды играл в рулетку, и необыкновенно счастливо. Вышел с целым мешком золота. Иду такой веселый, радостный, и встречаю графа Олсуфьева, деда нынешнего. Идем вместе, и все встречные ему низко кланяются. И мне это так приятно, что я с ним иду. Вдруг смотрю — идет какой-то господин в наглухо застегнутом сюртуке и мой Олсуфьев перед ним склоняется вот как!.. Поздоровались, сказали несколько слов и пошли дальше. Спрашиваю, кто такой. Оказывается, наследный принц.

Был разговор о любви. Слова Толстого:

— Если есть духовная жизнь, то любовь представляется падением. Любовь ко всем поглощает чувство исключительной любви. Начинается чувство исключительной любви бессознательно, но затем возможно разное отношение к нему. Всё дело в мыслях: можно или останавливать себя, или подхлестывать. И такое подхлестывание — описания всех Тургеневых, Тютчевых, которые изображают любовь как какое-то высокое, поэтическое чувство. Да когда старик Тютчев, у которого песок сыплется, влюбляется и описывает это в стихах, то это только отвратительно!.. Это как сегодня был у меня посетитель: говорит о религии, о Боге, а я вижу, что ему водки выпить хочется!

Софья Андреевна возражала Л.Н. После она говорила, что она знает, что Толстой не испытал настоящей любви.

Уже поздно вечером он пошел к себе, потом вернулся и позвал всех на балкон — посмотреть на теплую звездную ночь. Темные деревья, уже в листве, благоухание и — звезды, звезды...

Мы слишком долго любовались, так что Л.Н., которому хотелось спать, шутливо раскланялся.

— Я вас не задерживаю, господа!

Все ушли, еще раз попрощавшись с ним.

19 апреля

— Здравствуйте, мой милый! — весело сказал Л.Н., протянув мне руку, когда я утром вошел к нему в кабинет. — Ну, как вы поживаете?

— Очень хорошо.

— Будто хорошо? — усмехнулся он.

В «ремингтонной», в присутствии моем, Ольги Константиновны и Марии Александровны, Софья Андреевна, выйдя из своей комнаты, говорила:

— Лев Николаевич стал теперь гораздо красивее. Раньше у него нос был башмаком, а теперь опустился так, стал прямой. Лицо у него было страстное, беспокойное и задорное, а теперь доброе, милое, кроткое... Он меня никогда не любил так, как я его любила. Я, когда встречаю его или когда он входит ко мне, чувствую: «Ах, как радостно!..» Лев Николаевич говорит, что любовь — падение. Для него любовь и была всегда такими падениями. Но он не чувствовал поэзии любви! Он говорит, что не нужно исключительной любви, но он сам ревновал меня, когда мне было пятьдесят лет!.. А если б я этой исключительной-то любовью полюбила кого-нибудь другого, что бы он сделал? Я думаю, застрелился бы! В дневнике у него два раза записано, что если бы я ему отказала, то он застрелился бы... Впрочем, конечно, этого не было бы: утешился бы с какой-нибудь другой...

Часов в одиннадцать утра приехали из Москвы с письмами ко мне и к Л.Н. от общего нашего знакомого японца Кониси двое его земляков: Хорада, директор высшей школы в Киото, и Ходжи Мидзутаки, чиновник министерства путей сообщения, командированный в Россию для изучения русского языка.

Л.Н. принял их немедленно и долго разговаривал с ними. И вообще отдал им значительную часть сегодняшнего дня. Уехали японцы поздним вечером.

Из них Хорада старше, солиднее и самоувереннее. Мидзутаки — совсем молоденький, смеющийся и наивный. Хорада — христианин, Мидзутаки — буддист, но тоже близкий к христианству. Но только христиане-то они особенные: рационалисты и вместе с тем государственники.

С Л.Н. разговаривал больше Хорада, на английском языке. Мидзутаки, недурно говорящий по-русски, больше почтительно слушал. Толстой много расспрашивал о Японии, высказал свой отрицательный взгляд на стремление Японии к воплощению у себя форм европейской цивилизации и на увлечение японцев милитаризмом, говорил о непротивлении и пассивном сопротивлении.

Когда за завтраком Горбунов высказал сожаление, что японцы охвачены стремлением подражать европейским государствам, Хорада с достоинством возразил, что их микадо заимствует у разных государств то, что у них есть лучшего.

Были еще посетители: инженер и студент с женами из Петербурга — посмотреть на Толстого и получить его автографы; студент духовной академии и революционер: первый приезжал, чтобы укорить Л.Н. за то, что он передал родным право собственности на свои сочинения до 1881 года, второй — чтобы увещевать его «проповедовать истину револьвером» (как мне сам Л.Н. после говорил). Этих двух Л.Н. поблагодарил за их наставления, «без которых он жил так долго до сих пор», инженеру со студентом и их дамам дал автографы.

После завтрака Иван Иванович, Ольга Константиновна и я пошли показывать японцам парк. На одной из скамеек, вижу, сидят студент академии и революционер. Я подсел к ним, они охотно подвинулись, и мы долго говорили. В результате они ушли примиренные с Толстым и почти друзьями со мной. Взяли они и книги Л.Н. Для меня этот день наполнился такой радостью! «Помирись с врагом, и ты выиграешь вдвойне: потеряешь врага и приобретешь друга», вспомнил я изречение.

Обед. Л.Н. выходит на террасу, где накрыто в первый раз.

— Что, хорошо? — обращается к нему Софья Андреевна.

— Да нет, нехорошо. Что же на позор выставлять? Ходит народ, всё это видит.

Я видел, как огорчилась Софья Андреевна.

— А я думала, что ты скажешь: ах, как хорошо! — тихо говорила она ему за обедом. — Такая природа...

Перед тем как садиться за стол, я рассказал Л.Н. о своем разговоре с двумя его посетителями. Он сказал, что жалеет, что иронически благодарил их за советы, и рад, что мне удалось хорошо поговорить с ними, но что только он сомневается, чтобы на них могло это оказать влияние. «Да дай Бог», — присовокупил он.

— Истинный прогресс идет очень медленно, — говорил мне по этому же поводу Л.Н. чуть позже, — потому что зависит от изменения миросозерцания людей. Он идет поколениями. Теперешнее поколение состоит, во-первых, из бар, из таких, с которыми совестно вот здесь обедать, и из революционеров, которые ненавидят их и хотят уничтожить их насилием. Нужно, чтобы оба эти поколения вымерли и заменились новым. Поэтому всё — в детях, всё зависит от того, как воспитывать детей.

После обеда все пошли на деревню — показывать крестьянам граммофон, как давно задумал Л.Н. Я нес ящик, Иван Иванович — трубу, а Толстой и Хорада — по свертку с пластинками. Затем установили граммофон на площадке у избы, где помещается библиотека, созвали обитателей деревни Ясная Поляна — и завели машину.

Ставили и оркестр, и пение, и балалайку. Балалайка особенно понравилась. Под гопак устроили пляску, которую Л.Н. наблюдал все время с живым интересом. Он вообще был очень подвижен и общителен. Ходил среди публики, разговаривал с крестьянами, знакомил их с японцами, рассказывал тем и другим друг о друге, объяснял мужикам устройство граммофона, читал им либретто песен, поощрял плясунов.

Между прочим, его стали расспрашивать о комете Галлея.

— Правда ли, что Землю заденет?

— Чепуха, ничего не будет! — отвечал он. — Есть такие люди, которым нечего делать, вот они и вычисляют, когда она пройдет и сколько лет ходит. Да если бы и было что, так ничего тут страшного нет, мы все под Богом ходим.

— Да это точно так, точно так, — соглашались не только старые, но и молодые.

Возвращался домой Л.Н. с одним из своих прежних учеников, Тарасом Фокановым, с которым вел беседу о его житье-бытье и о крестьянских нуждах. Мидзутаки всё удивлялся, что Толстой так близок с простым народом, и говорил, что он никак этого не ожидал.

Между прочим, по поводу Пасхи Л.Н. получает много поздравительных писем и открыток.

20 апреля

Л.Н. еще гулял, как явился опять бывший у него на Пасхе офицер. Стал упорно дожидаться Толстого, но тот сказал, что он занимается и освободится только к трем часам. Офицер остался ждать до трех часов.

— Нельзя ли как-нибудь этого офицера удалить? — говорил мне после завтрака Л.Н. — Трудно? Главное, вы выведайте у него, есть ли у него какое-нибудь определенное дело ко мне, какие-нибудь вопросы. Если есть, то я выйду и поговорю с ним, а если нет, то скажите, что я очень занят, что мне нельзя выйти.

Никаких определенных вопросов у офицера не оказалось, но он упорно повторял всё одно: что граф обещал принять его в три часа. Л.Н. вышел и опять долго с ним говорил. Разговор, как он и сам передавал и как можно было догадаться, был неинтересный, нудный и никудышный. Посетитель опять всё обличал Толстого и старался доказать полезность и нужность своих занятий. Л.Н. говорил:

— Это совсем как вчера Таня рассказывала. Хочет оправдать себя и утверждает, что «честное слово, верю».

Татьяна Львовна рассказывала это о художнике Викторе Васнецове; он написал изображение Богородицы и, глядя на него, всё восклицал: «Честное слово, я в нее верю!»

— Ясно, что он вовсе в нее не верил, — смеялся вчера Л.Н.

Поехать верхом он решил сегодня на шоссе. Почему? Потому что там на сегодня назначены были автомобильные гонки между Москвой и Орлом. Утром домашние сообщили об этом Л.Н. и просили его не ездить на шоссе. Он же заинтересовался и решил отправиться посмотреть на автомобилистов.

К счастью, по пути нам сказали, что гонки отменены и перенесены на 1 мая.

— Куда бы нам получше поехать? — задумался тогда Толстой.

Поехали в лес — прямо в сторону полотна железной дороги. По словам Л.Н., он в лесу этом или совсем не бывал, или бывал очень давно.

— Попробуем, — произнес он свое обычное в таких случаях словцо.

Ехали по чудной тропинке.

— Куда эта дорога ведет? — всё спрашивал Л.Н. — А, знаю, — и он назвал какую-то деревню.

Но мы выехали совсем не на деревню, а к полотну железной дороги, вдоль которого по высокому обрыву и направились. Мимо быстро прокатился товарный поезд. Мы заблаговременно подались немного от полотна к кустам, чтобы Дэлир не испугался поезда. Всё обошлось благополучно.

Наконец дорогу нам преградила куча старых рельсов, наваленная близ полотна, между лесом и склоном обрыва, и мы свернули в лес. Подъезжаем к глубокому рву. Спуск очень крутой, и на дне — ручей. Л.Н. пробует спуститься, но Дэлир не идет, и мы возвращаемся обратно. Опять едем вдоль полотна. Толстому хочется переехать на другую сторону, где красивые холмы и среди них вьется хорошая дорожка. Но ров, по дну которого идет железнодорожная насыпь, слишком глубок. В одном месте, у будки путевого сторожа, шла вниз лестница и имелся мостик через канаву и насыпь. Но перила лестницы загораживали въезд на мостик сбоку. К тому же женщина, сидевшая у окна будки, объявила, что мостик не выдержит лошадей. Если б не перила, Л.Н. все-таки поехал бы. Мы уже спустились вниз, но пришлось вернуться. Лошади прыжками вынесли нас вверх по крутому склону. Нечего делать, поехали по той же дороге назад. Л.Н. посмотрел на часы.

— Теперь как раз время и домой ворочаться: приедем через полчаса, и будет половина пятого. А я завел привычку в это время спать ложиться.

Свернули опять в тот лес, через который выехали к полотну. Ехали довольно долго и вдруг оказались у того же полотна. Повернули обратно. Как будто выехали на настоящую дорогу.

— Вот и наши следы видно, — показывает Л.Н.

Но вот опять следов не видать. Все-таки едем. По мнению Толстого, мы с минуты на минуту должны выехать на дорогу к Засеке. Едем томительно долго. Дорога начинает расширяться, видимо, лес должен кончиться.

— Вот тут будет дорога на Засеку, — говорит Л.Н.

Но я обращаю его внимание на глубокий ров, который тянется влево от дороги и, как мне кажется, должен впереди пересечь нам дорогу.

— А ну, поезжайте посмотрите, что там такое, — говорит мне Л.Н.

Я только этого и ждал и пустился галопом вперед. Я понимал, что он уже должен был быть утомлен длинной дорогой, и мне самому хотелось сделать сначала разведку, чтобы не заставлять его даром ехать вперед.

Подъезжаю. Действительно, тропинка спускается в огромный овраг. Начинаю спускаться, чтобы посмотреть, можно ли переехать внизу, — лошадь пятится, не идет: спуск слишком отвесный. С досадной мыслью, что ехали так долго и попали в тупик, лечу назад к Л.Н., который уже едет мне навстречу, и сообщаю о своем открытии. Он все-таки едет ко рву. Посмотрел и говорит:

— Ну, это что же! Это хорошо!

И начинает спускаться. Я за ним. Переехали благополучно. Думали, что теперь пойдет ровная дорога, но не проехали и десяти сажен, как наехали на новый ров, такой же глубокий, как первый.

Я в душе приходил в отчаяние; мне казалось, что Л.Н. дорого стоил переезд и через первый ров, а теперь впереди еще такой же, если не хуже. Если бы захотели вернуться назад, то надо было бы опять переезжать первый ров. И очутились мы между двух рвов, как между двух огней: ни вперед, ни назад. И неизвестно куда приедем.

Подъехав ко рву, Л.Н. на минуту приостановился, чем я воспользовался и поехал вперед. Он стал спускаться за мной. Внизу Дэлир заартачился, так что Толстой должен был слезть, а я перевел его лошадь через русло оврага в поводу. Л.Н. опять сел на нее, и мы выехали наверх.

Тропинка вьется дальше. Едем быстро. Проезжаем саженей пятьдесят — опять ров, не менее глубокий и крутосклонный, чем первые два. Л.Н. прямо едет вниз. Я предупреждаю его, что деревья по бокам дорожки в одном месте так часты, что трудно проехать при таком неудобном и крутом спуске, не зашибив о них ног. Он сворачивает в сторону на почти отвесный скат. Я видел, как Дэлир, приседая на спуске, заскользил задними ногами, шурша по листьям, однако выбрался и отсюда.

Встретили внезапно каких-то дам, кавалеров. Оказались засековскими дачниками. Тут же нашли проезд на дорогу к Засеке. Только находились мы не вблизи Ясной Поляны, а еще версты за две с половиной от нее.

На дороге встретили толпу нарядных людей. Как объявили они сами, шли они в Ясную посмотреть на Толстого.

— Специально для того шли, чтобы посмотреть на вас, Лев Николаевич! — говорили они, отвешивая Толстому низкие поклоны, точно желая этими словами сказать ему величайший комплимент. Попросили позволения снять его, живо расставили треножник фотографического аппарата, щелкнули и рассыпались в благодарностях.

Л.Н. пришпорил лошадь и вихрем понесся вперед. Поехали тише уже около шоссе, когда толпа любопытствующей публики совсем скрылась из виду.

— Как вы, Лев Николаевич, относитесь к таким людям? — спросил я.

— Да что же, если они есть, так нужно их терпеть! Конечно, было бы лучше, если бы их не было...

— Но все-таки мне кажется, что они приходят к вам с хорошими чувствами.

— Да нет, идут только потому, что обо мне говорят, сделали меня знаменитостью. Им дела нет до того, что во мне. Я записал сегодня, что такие люди в животной жизни отдаются исключительно телесным потребностям: похоти, аппетита. И в этом их вся цель. В человеческих же отношениях они руководствуются тем, что говорят все. У них совсем нет способности самостоятельного мышления.

Мы немного проехали молча.

— Таких людей нельзя обвинять, — заговорил опять Л.Н., — они не понимают и не могут понять, где истинная жизнь и в чем истинное благо. Я хотел написать под заглавием «Нет в мире виноватых» описание всех этих людей, начиная от палачей и кончая революционерами... Описать и эту революцию... Тема эта очень меня интересует, и она заслуживает того, чтобы ее разработать.

— Художественное произведение?

— Да, художественное.

Л.Н. помолчал.

— И тема художественная, — добавил он.

— Вы не начинали еще разрабатывать ее?

— Нет еще, не начинал.

Вечером вспоминали о сегодняшней, полной приключений, поездке.

— Нет, меня особенно поразило, — смеялся Л.Н., — что когда заехали в такую глушь, что, казалось, и выхода из нее никакого не было, — вдруг эти дамы в шляпках, и как много!.. Вся цивилизация!..

Софья Андреевна играла Бетховена. Л.Н., выйдя к чаю, сказал, что слушал ее игру с удовольствием. Она вся даже вспыхнула.

— Да ты шутишь, — недоверчиво проговорила она.

— Нет, нисколько. Да это *Adagio* в «Quasi una fantasia» так легко...

Как была рада Софья Андреевна!

— Никогда я так не жалею, что я плохо играю, как когда меня слушает Лев Николаевич, — говорила она потом.

Утром Л.Н. говорил мне про свое здоровье, что оно слабо. Я высказал предположение, что его утомил вчерашний шумный день (с японцами и граммофоном), но он возразил:

— Нет, ничего, день был шумный, но приятный!

Ему прислал свои книги Н.А.Морозов, шлиссельбуржец*.

— Удивительная ученость у него! — говорил Л.Н.

Меня уговаривал не раздавать прохожим его запрещенных книг.

— А то смотрите, чтобы не было так же, как с Гусевым. Я боюсь.

21 апреля

Утром рано приехал Михаил Львович, младший сын Толстого. А часа в два приехал еще гость.

Я спускался зачем-то вниз. Вверх поднимается по лестнице Ольга Константиновна и сообщает:

— Андреев приехал!

— Какой?! Леонид, писатель?

— Да.

Давно жданное свидание Толстого с Андреевым, визит Андреева в Ясную, который долго не мог состояться. Я бросился вниз, к входной двери. Андреев только что слез с извозчичьей пролетки: красивое смуглое лицо,

---

* Николай Александрович Морозов (1854—1946), революционер-народник, содержался в Петропавловской и Шлиссельбургской крепостях с 1882 по 1905 год.

немного неспокойное, белая шляпа, модная черная накидка — вот что мне бросилось в глаза. Кажется, Л.Н. уже был там, не помню хорошо. Произошла какая-то маленькая суматоха, и когда я осмотрелся, то увидел уже, как Л.Н. представлял всех гостю:

— Это моя жена, это мой сын, это Черткова сын...

Рука Андреева, державшая шляпу, немного дрожала.

Все прошли на террасу. От завтрака Андреев отказался. Приказано было подать ему чай.

Начался пустячный разговор. Леонид Николаевич рассказывал, откуда он приехал, куда едет. Едет он, оказывается, с юга домой, в Финляндию, где у него дача. Рассказывал о Максиме Горьком, которого он видел на Капри.

— Он страшно любит Россию, и ему хочется вернуться в нее, но он притворяется, что ему все равно.

Говорил о своих занятиях живописью, цветной фотографией. Софья Андреевна рассказывала ему о своих работах: мемуарах, издании сочинений Л.Н. Андреев был очень робок, мягок. С Толстым и Софьей Андреевной во всем соглашался.

Пришла еще одна дама с двумя дочерьми, еще ранее обращавшаяся к Л.Н. с просьбою разрешить поговорить с ним. Девочки, дочери ее, отличались дурными характерами, и она надеялась, что Толстой сможет воздействовать на них. Л.Н. гулял с ними по саду, говорил и подарил свои книжки. Затем вошел на террасу в шляпе и с тростью.

Андреев разговаривал с Софьей Андреевной.

— Вы не поедете верхом, Лев Николаевич? — спросил я.

— Нет. Не поеду, — ответил каким-то особенно решительным тоном Л.Н. — Я вообще больше не буду ездить верхом, — прибавил он.

Я вспомнил вчерашнюю поездку, и у меня сжалось сердце: верно, он чувствует, что стал слишком стар и верховая езда тяжела ему. Но Л.Н. промолвил:

— Это возбуждает недобрые чувства в людях. Мне говорят это. Вот у крестьян нет лошадей, а я на хорошей лошади езжу. И офицер вчерашний то же мне говорил.

Затем он предложил Андрееву погулять с ним. Тот поспешно собрался, отказавшись и от поданного чая.

Л.Н. зачем-то еще вошел в переднюю. Я подошел к нему.

— Лев Николаевич, я хотел сказать по поводу вашего отказа от лошади: ведь можно представить себе так, что ваши друзья могли бы собрать средства и подарить вам эту лошадь. Нужно ли было бы тогда отказываться от нее?

— Да так оно и есть, — возразил Толстой, — но все-таки не буду ездить.

А вечером по этому же поводу я передал ему совет Димы Черткова: ездить на плохой лошади.

— Да ведь и эта плохая, — ответил Л.Н., — ноги слабые, и глаза... У ней только вид хороший.

Прогулка Л.Н. с Андреевым была не особенно удачна: их захватил в поле сильный дождь и даже град, хотя утро было прекрасное, а перед этим стояли теплые, солнечные дни. Я шутил, что Леонид Андреев, такой пессимист, теперь уверует в фатум: как он приехал, так и погода изменилась и его с Толстым вымочило до нитки. За обоими писателями хотели послать тележку с непромокаемыми плащами, но они вернулись раньше, чем успели запрячь лошадь.

Леонид Николаевич пошел переодеться, а Л.Н. — спать. Я же отправился в Телятинки, на репетицию спектакля, и домой вернулся только вечером, уже после обеда. Андреев сидел с дамами в зале. На нем была вязаная фуфайка цвета «крем», очень шедшая к его смуглому лицу с черными как смоль кудрями и к его плотной фигуре; что он, видимо, великолепно сознавал.

— Это можно здесь? Я дома всегда так хожу, — еще давеча с невинным видом говорил он.

Заговорили о его произведениях. Ему самому из них нравятся больше «Елеазар», «Жизнь человека», начинает нравиться «Иуда Искариот». По поводу рассказов «Бездна», «В тумане» он заявил, что «таких» он больше и не пишет. Рассказывал, как в начале своей писательской деятельности «изучал стили» разных писателей — Чехова, Гаршина, Толстого, разбирал их сочинения и старался подделываться «под Чехова», «под Гаршина», «под Толстого». Ему это удавалось со всеми, кроме Толстого.

— Сначала шло, — говорил он, — а потом вдруг что-то такое случалось, захватывало, и нельзя было ничего понять, отчего это.

Вошел Л.Н. и предложил Андрееву писать для дешевых копеечных изданий «Посредника». Но Леонид Николаевич заявил, что, к сожалению, не может этого, так как он «сделал, как Чехов»: запродал какой-то фирме раз и навсегда не только то, что написал, но и то, что когда-нибудь в будущем напишет.

За чаем он рассказывал Л.Н. о критике Чуковского, который поднял вопрос о специальной драматической литературе для кинематографа. Сам Андреев этим вопросом очень увлечен. Л.Н. слушал сначала довольно скептически, но потом, видимо, мало-помалу заинтересовался.

— Непременно буду писать для кинематографа! — заявил он в конце беседы.

В общем, особенно значительных разговоров за столом не было.

Когда Л.Н. зашел ко мне просмотреть и подписать письма, я спросил, какое впечатление произвел на него Андреев.

— Хорошее впечатление. Умный, у него такие добрые мысли, очень деликатный человек. Но я чувствую, что я должен сказать ему прямо всю правду: что много пишет.

— Он очень молодой, пользуется такой популярностью. Интересно, придает ли он значение своей личной жизни или довольствуется только своей писательской славой.

— О нет! — возразил Л.Н. — Мы говорили с ним... Напротив, он говорит, что сейчас ничего не пишет, что думает о нравственных вопросах.

Л.Н. ушел спать, а я проводил Леонида Андреева в приготовленную ему комнату — «под сводами», бывший кабинет Л.Н., изображенный на картине Репина.

22 апреля

Утром я вышел на террасу одновременно с Толстым и Андреевым. Л.Н. отправился гулять, Андреев хотел пойти с ним, но Л.Н. не сделал и для него исключения и пошел сначала гулять один, как всегда.

— Он и не может делать никаких исключений, — горячился Леонид Николаевич, как будто оправдывая

Толстого. — У него тогда нарушился бы обычный день, потому что сколько же бы ему пришлось делать таких исключений? Я вполне его понимаю...

Как раз подошел молодой человек, единомышленник Л.Н., приехавший повидаться с ним из Архангельской губернии. Он встретил Толстого на дороге, и тот ему сказал, что поговорит с ним после, так как сейчас он идет молиться.

На террасе, залитой солнцем, Леонид Николаевич, красиво раскинувшись в плетеном кресле, говорил об «изменениях в философской области», которые должен произвести усовершенствованный кинематограф. Об этой мысли Андреева я читал еще раньше, у посетившего его литературного критика Измайлова. «Изменения» должны быть потому, что благодаря кинематографу сознание человека, видящего себя на экране, раздвояется: одно «я» он чувствует в себе, а другое свое «я» — на экране.

Я пожалел, что по причине раннего отъезда Андреева, в десять часов утра, Софья Андреевна, встающая поздно, не сумеет его снять с Л.Н., как она вчера намеревалась. Но у Андреева оказался в багаже заряженный фотографический аппарат, которым я и снял его: сначала одного, а потом с Л.Н. Кроме того, все домашние, подъехавшие со станции Гольденвейзеры и подошедшие некоторые телятинские друзья снялись с Андреевым группой под «деревом бедных». Раз снял я, другой раз — Дима Чертков.

Л.Н., вернувшись с уединенной прогулки, еще долго гулял с Андреевым. Потом он ушел заниматься, а Леонид Николаевич еще посидел с нами на террасе, поджидая своего извозчика.

Когда тот подъехал, писатель попрощался со всеми, а затем отправился вместе со мной наверх проститься с Толстым.

Я пошел в кабинет вперед.

— А! — услыхал я голос Л.Н. — Это, верно, Леонид Николаевич уезжает?

И тотчас послышались его шаги. В дверях из кабинета в гостиную Л.Н. встретился с Андреевым. Последний взволнованно благодарил его, а Толстой просил его приезжать еще.

— Будем ближе, — произнес он и затем добавил: — Позвольте вас поцеловать! — И сам первый потянулся к молодому собрату.

Остановившись в гостиной, я был невольным свидетелем этой сцены. Когда мы с Андреевым вышли, я видел, как сильно прощание взволновало его.

— Скажите Льву Николаевичу, — прерывающимся голосом говорил он, повертывая ко мне свое взволнованное лицо и едва глядя на ступеньки, — скажите, что я... был счастлив, что он... такой добрый...

Сел в пролетку, захватил небольшой чемодан и фотографический аппарат и, провожаемый нашими напутствиями, уехал.

Андреев на всех в Ясной произвел хорошее впечатление. Все время он держался в высшей степени скромно, был даже робок. О Л.Н. говорил с благоговением. Речь его — простая, иногда даже грубоватая, в противоположность всем понятному, но красивому и изысканно точному языку Л.Н. Он немножко рисовался, как мне показалось, или, по меткому выражению Ольги Константиновны, «милашничал». И одет был, как говорят, «просто, но изящно»: живописная накидка, на рубашке повязанный бантом черный галстук; домашний костюм — придающая ему большую эффектность фуфайка. Вероятно, он находит, что во всех этих аксессуарах нуждается его красивая наружность.

По-видимому, он придает значение общественному мнению. Даже о своем знакомстве с Горьким («как же, я с ним хорошо знаком») говорил с заметным удовольствием или с некоторым оттенком гордости. Увлечения его кинематографом, цветной фотографией, живописью что-то мне не совсем понравились: напомнили знакомый тип богатых и праздных людей, не знающих, к чему приложить свои силы и чем занять свое время.

Со всем тем я вполне находился под обаянием Леонида Андреева как писателя. «Жизнь человека», «Иуда Искариот» принадлежат к любимым моим произведениям. Но таково уж свойство Ясной Поляны: здесь, ставя невольно каждого посетителя рядом с Толстым, по большей части приходишь к выводам слишком строгим по отношению к наблюдаемому человеку и делаешься, вероятно, несправедливо придирчивым.

По отъезде гостя Л.Н. работал, как всегда. После завтрака верхом не поехал, а пошел гулять пешком с Гольденвейзерами и Софьей Андреевной.

Из дальней деревни приходили мужики с жалобой на своего помещика, отнимающего у них выгон. Л.Н. дал им записку к тульскому адвокату.

Я уходил в Телятинки на репетицию спектакля и, вернувшись вечером, застал в столовой большое собрание. Были Горбуновы, Николаевы, Буланже, Гольденвейзеры и свои — Л.Н., Софья Андреевна и Ольга Константиновна. Стали меня расспрашивать о спектакле. Толстому не удастся у нас быть, так как завтра, только на один вечер, приезжает в Ясную московский скрипач Борис Сибор. Но ему так хотелось побывать на спектакле, что он даже старался выгадать время, чтобы приехать до или после игры Сибора. Но это оказалось невозможным. Мы же не можем отложить спектакль, так как некоторые из его участников сразу после него, в этот же день, уезжают.

Между прочим, Л.Н. досадливо махнул рукой и промолвил:

— Эх, мое авторское самолюбие задето! Нужно было вам дать новую пьесу!..

Говорил за столом, что всю ночь думал о том, что нужно писать для кинематографа.

— Ведь это понятно огромным массам, притом всех народов. И ведь тут можно написать не четыре, не пять, а десять, пятнадцать картин.

Я передал Л.Н. слова Андреева, что ему удобнее всех начинать писать для кинематографа: он сделает почин, а за ним пойдут и другие писатели, которые первые не решаются «снизойти» до писания для кинематографа. Андреев говорил также, что если Л.Н. напишет, то он скажет Дранкову, владельцу кинематографической фирмы, и тот привезет в Ясную труппу актеров и хорошего режиссера, чтобы тут же разыграть и снять пьесу.

Играл Гольденвейзер.

— Прекрасно, прекрасно! — говорил Л.Н. после сыгранной сонаты Бетховена «Quasi una fantasia».

Затем Гольденвейзер играл преимущественно Шопена. Говорили о музыке.

— Мне нравится Гайдн в своем роде, — говорил Л.Н., — какая простота и ясность! Всё так просто и ясно, и уж никакой искусственности.

Расспрашивал Гольденвейзера о Шумане, Шуберте.

— Кажется, он кутила был? — полюбопытствовал о последнем.

Ольга Константиновна заметила по поводу полученного сегодня от Поссе письма с его впечатлениями от поездки по югу России с лекциями о Толстом:

— Какие вы интересные письма получаете, папа́!

— Я этого не стою, — ответил Л.Н. — Живешь в деревне и получаешь со всех концов, как по сходящимся радиусам, сведения о самом дорогом для тебя, то есть о движении — и положительные, и отрицательные.

Поздно вечером Л.Н. принес ко мне в комнату письмо для дочери и просил надписать адрес.

— Я потому вчера сам запечатал письмо, — говорил он, — что писал там лестное о вас, а вам это не нужно знать... То есть не лестное, а приятное. Писал, что мне с вами хорошо работать.

23 апреля

Утром Л.Н. вернулся с прогулки с распустившейся веткой дуба в руках. Он показывал нам это новое свидетельство необыкновенно ранней весны.

Я с утра ушел в Телятинки, где и провел целый день. Вечером в большом амбаре у Чертковых состоялся спектакль — «Первый винокур» Толстого. Я играл мужицкого чертенка, Дима Чертков — бабу, Егор Кузевич — мужика, один рабочий из Тулы, уроженец Телятинок, — сатану и т.д. Спектакль сошел, по-видимому, удачно. Крестьянская публика, которой собралось человек двести, осталась очень довольна. Из Толстых никого не было: в Ясной играл Сибор. Зато присутствовал местный урядник, который, переодевшись в штатское платье, потихоньку пробрался в публику посреди действия, чтобы понаблюдать, не станут ли «толстовцы» смущать крестьянство какими-нибудь «недозволенными» речами. Однако на этот раз поживы ему не было.

145

За поздним временем, вчера по окончании спектакля я заночевал в Телятинках и сегодня утром вернулся в Ясную Поляну вместе с Белиньким, который шел на свою обычную работу. У террасы мы встретили Л.Н. Он только что вышел на прогулку, с некоторым запозданием, так как было уже более девяти часов.

— Ну что, как прошел спектакль? — обратился он к нам, поздоровавшись.

Мы ответили, что вполне удачно. Л.Н. порадовался и еще раз выразил сожаление, что не мог быть на спектакле.

— А у нас был Сибор, — добавил он, — и прекрасно играл.

Недаром встал Л.Н. так поздно. На самом деле, он сегодня очень плох. С ним даже повторилась несколько раз случавшаяся с ним и ранее забывчивость. Так, я упомянул по одному поводу о Митрофане Семеновиче Дудченко, прекрасно известном Л.Н., находившемуся с ним в переписке.

— Какой это Дудченко? — внезапно спросил он.

— Митрофан Семенович.

— Да где он?!

— В Полтавской губернии.

— Ага!

Сегодня Л.Н. прислали сборник, посвященный памяти В.А.Гольцева*.

— Меня эта книга приятно поразила. Здесь два моих незначительных письма; а кроме них, мысли о любви, да самые лучшие. Посмотрите, откуда они, не новые ли это версии? А то можно ими воспользоваться.

Но мысли оказались взятыми из прежних произведений и в «На каждый день» уже включены.

Вечером позвал с письмами к себе. Ему стало еще хуже. Он полулежал в кресле, протянув ноги на стуле. Голос слабый, почерк тоже сбивчивый и тяжелый. Подписал свои письма и прочел написанные мною. Между прочим,

---

* Речь о сборнике «Памяти В.А.Гольцева», под редакцией Кизеветтера, посвященный Виктору Александровичу Гольцеву (1850—1906), журналисту, издателю и общественному деятелю.

сегодня я узнал, что третьего дня он велел расковать Дэлира и пустить его в табун.

Один поэт писал сегодня Л.Н.: «Я, как вам известно, в настоящее время пишу, собственно говоря, разные стихотворения, преимущественно классические, есть и юмористические». Я, грешным делом, думаю, что у этого поэта и классические стихотворения все юмористические.

25 апреля

Гулял Л.Н. очень мало. Ходит тихо-тихо, видно, слаб. Позвонил мне. Пришло письмо с просьбой указать список книг, полезных для чтения·

— Нам обоим работа, — сказал он. — Вы возьмите каталог «Посредника» и другие каталоги и составьте по ним список, а я просмотрю и исправлю. Хорошенько займитесь этим. При случае будем посылать другим.

Список этот я составил по каталогам «Посредника» и Костромского земства для народных библиотек, по главным отраслям знания, с преобладанием книг по религиозным и философским вопросам. Л.Н. выпустил некоторые сочинения, а остальные в каждом отделе распределил соответственно их важности на три разряда.

В «Русском богатстве» он читал продолжение статьи Короленко о смертной казни. В этой же книжке журнала он нашел воспоминания о Чернышевском, а в них — некоторые интересные ему письма Чернышевского.

— Я не большой его сторонник, — сказал Л.Н., — но вот его прекрасные мысли о науке.

И он дал мне их прочесть и попросил выписать, чтобы потом воспользоваться ими при случае. Мысли отрицательного характера о школьной, в частности университетской, науке. Я тоже порадовался им, и мы перекинулись с Л.Н. несколькими фразами по этому поводу.

— А для Софьи Андреевны, — засмеялся он, — окончивший университет уже не обыкновенный человек и получает доступ в «сферы»... то есть в «самые плохие люди».

За обедом заговорили о вегетарианстве и о трудности ведения молочного хозяйства для вегетарианцев, так как возникает необходимость убивать бычков.

— И здесь один ответ, — сказал Л.Н. — Я иду, давлю муравьев, я не могу предотвратить этого. Но не нужно умышленно убивать, а если неумышленно, то ничего не сделаешь. Главное, помнить, что жизнь в стремлении к идеалу, а воплотить его нельзя.

Говорили о «мясной» выставке в Москве, о речи городского головы Гучкова о «процветании московских городских боен» и о молебствии при открытии выставки.

— Никакая гадость без молебствия не обходится, — заметил Л.Н.

Вечером я дал ему подписать книжку для записи получаемой им корреспонденции, присланную начальником почтовой станции. Он забыл, что есть такая книжка.

— Отчего же я раньше-то никогда не подписывал?

— Нет, подписывали, Лев Николаевич.

— Никогда!

Уходя, он пожал мою руку, поглядел и опять потряс ее.

— У вас «Русское богатство»?

— Да.

— Вы почитайте обязательно, это очень интересно: и Короленко, и статью Панкратова.

Статья Панкратова — «Яма», о религиозных собраниях в Москве, в трактире «Яма».

26 апреля

Сегодня Л.Н. встал очень рано: в семь часов утра. И это совершенно верный признак его поправляющегося здоровья: ему гораздо лучше.

Обедали на террасе. Л.Н. восхищался вместе с другими необыкновенно прелестной погодой и природой.

Куковала кукушка.

— Не люблю кукушку, — внезапно произнес Толстой, — скучно! Других птиц не замечаешь, а ее замечаешь. Как замечаешь, когда собака лает... Лягушек тоже не замечаешь.

Подали какое-то эффектного вида блюдо. Один из присутствующих сказал, что повару тяжело работать: все время в жару. Другой — что повар Семен любит свое дело.

— Да как же не любить! — иронически заметил Л.Н. — Только тогда и можно работать, когда любишь свое дело. Я думаю, что и те, которые чистят... любят свое дело... При работе всегда присутствует сознание цели, к которой стремишься. И у них есть цель — вычистить.

Л.Н. насупился: господа оправдывали свое положение.

Вечером говорили, что на съезде писателей в Петербурге огласили письмо Толстого в произвольно сокращенном виде. Л.Н. согласился с тем, что этого нельзя было делать, но потом добродушно махнул рукой, промолвив:

— Ну, да пускай их, на здоровье!

Алексей Сергеенко, приехавший только что из Крёкшина от Черткова, заметил, что тот хочет опубликовать в газетах письмо Толстого полностью. Л.Н. улыбнулся и, помолчав, произнес:

— Если б я стал обдумывать, какого мне нужно друга, то другого, как Чертков, не мог бы придумать.

Вечером он продиктовал мне письмо к Короленко, по поводу второй части его статьи, а когда я через некоторое время зашел к нему с письмами, он, передавая мне сегодняшнее письмо Черткова для обратной отсылки ему, как это у них принято, сказал:

— Он умоляет меня начать ездить верхом... Смешно!

— Почему смешно?

— Да уж очень он милый человек.

Я попрощался. Л.Н. встал, чтобы идти в спальню.

— А вы что поделываете? — спросил он.

— Запечатываю некоторые письма.

— И всё у вас хорошо?

— Хорошо, очень хорошо!

— Вот и слава Богу... Слава Богу, — прибавил он опять. — У меня вот все болезни — и так хорошо! Всё приближаешься к смерти.

— И не страшно, Лев Николаевич?

— Ох, нет! Стараешься только одно: удержаться, чтобы не желать ее. Главное, надо помнить, что ты должен делать дело, порученное тебе. И как работник смотрит за лопатой, чтобы она была остра, так и ты должен смотреть за собой. И это всегда можно. Хотя бы и маразм был, можно и в маразме так жить.

Л.Н. выздоровел. Работал над предисловием к «На каждый день». Читал Гриффита «Crime and criminals»* и еще рассказ Семенова, маленький, «Обида», о котором хорошо отзывался, как всегда о произведениях Семенова.

---

* Гриффит Дженкинс Гриффит (1850—1919), «Преступление и преступники» (с посвящением Толстому).

— Какой у него язык! Отчего его не ценят? — восклицал он.

По поручению Л.Н., я сделал сегодня две верховые поездки: во-первых, в Телятинки — передать Белинькому поскорее переписать на «ремингтоне» предисловие к «На каждый день»; во-вторых, на Засеку — взять обратно для исправления отосланное вчера письмо Л.Н. к Бернарду Шоу; Л.Н. боялся, что Моод, переводчик на английский язык, узнав почерк Черткова, переводившего и переписывавшего письмо к Шоу, «будет иметь к нему недобрые чувства», так как письмо-то Шоу именно он, Моод, прислал Л.Н. Нужно было взять письмо и дать переписать Татьяне Львовне.

До станции, однако, я не доехал. Я уже побывал в Телятинках, а в это время Л.Н. с двумя своими посетителями — Сережей Поповым и приехавшим из Сибири Збайковым — пешком отправились на Засеку. Я нагнал их всех троих уже неподалеку от станции. Предложил было Л.Н. свою лошадь, чтобы на ней он вернулся домой, но он отказался. Попрощался со спутниками и один пошел дальше, а мы все втроем вернулись назад. Между прочим, Сережа Попов передавал мне слова Л.Н., что ему очень трудно было отказаться от верховой езды, труднее, например, чем от мясоедения.

Из Ясной за Л.Н. ездил работник в тележке.

— Чья это студенческая фуражка? — спросил Толстой, вернувшись и увидав мою фуражку с синим околышем на окне в передней. — Ваша? Даже приятно видеть: вспоминаешь молодость.

За обедом стали говорить о стихах. Л.Н. высказался против стихосочинительства.

— Я сегодня видел ландыш, совсем готовый бутон, должен вот-вот распуститься. Почему ландыш называют серебристым? Ничего нет похожего на серебро. Вот серебро (Он указал на серебряный прибор. — *В.Б.*). Это сказано только для рифмы, для рифмы к «душистый». Эпитет должен рисовать предмет, давать образ, а это совершенно фальшивое представление. И так у всех поэтов, и у Пушкина тоже.

Вечером Л.Н. делился впечатлениями, вынесенными им из разговора с посетившим его сибиряком.

— Удивительно, — говорил он, — люди живут так далеко, что к ним нужно ехать шестнадцать дней, и — точно такие же, как и здесь, точно такие же глупости делают: такие же у них генерал-губернаторы, такие же городовые, такая же проституция, такое же пьянство, такие же оборвыши, как он говорил. Вот китайцы живут хорошо. Только, как он рассказывал, медленно работают, не так, как русские. Это хорошо. Перерабатывать не нужно. Есть человеческое достоинство тела, есть духовное достоинство, а это телесное, и его не нужно нарушать.

Потом еще говорил:

— Я смотрю все-таки на наших мужиков, встающих в четыре часа утра на работу. Теперь такие прекрасные утра, и что может заменить их? Никакие шампанские, никакие трюфели не заменят их людям, просиживающим в кабаке до трех часов и потом просыпающим до двенадцати часов.

Поздно вечером он принес ко мне письмо для Александры Львовны.

Выглянул в раскрытое окно:

— Ах, как хорошо! Праздник!

28 апреля

Пришли мужики по судебному делу. Один бросается в ноги.

— Ах, оставь, оставь! — останавливает его Л.Н. — Это я и сам умею.

Дал им записку к адвокату.

Сегодня пришли три посылки: сгнившая уже просфора и три протухших разбитых крашеных яйца; портреты старинные, изданные великим князем Николаем Михайловичем, в роскошной папке; и собрание автографов знаменитых людей, роскошное немецкое издание. При просфоре и яйцах оказалось письмо протоиерея Руданского, из Малороссии. За завтраком Л.Н. читал его вслух. Письмо — доброе.

Перед этим ему показали самую посылку.

— И святыня, а испортилась, — усмехнулся он, глядя на позеленевшую просфору.

Из Москвы писал один лавочник, который жаловался, что его подозревают в том, что он был палачом и что виноват в этом будто бы Л.Н., который в «Не могу молчать» упоминал о разорившемся московском лавочнике из Хамовнического переулка, поправившем свои дела палачеством. Я видел, что Л.Н. очень обеспокоило письмо. Но достали «Не могу молчать» и увидали, что о Хамовническом переулке там не сказано ни слова. В этом смысле и ответили автору письма, послав из статьи соответствующую выписку.

После завтрака Л.Н. отправился пешком в Овсянниково, то есть за шесть верст. Остановить его никто не решился, тем более что Софья Андреевна сама уехала вчера на три дня в Москву. Через час после ухода Л.Н. полил дождь. Я верхом с другой лошадью в поводу и с запасным кожаном поскакал вслед за ним, ушедшим в одной рубашке. Нашел его на Засеке. Он сидел на террасе мелочной лавочки. Немного его помочило.

Переждав дождь, мы вернулись в Ясную. С полдороги опять пошел дождь и не переставал, пока мы доехали. Л.Н. все-таки ехал шагом.

Сегодня прочел он брошюру Пешехонова «Старый и новый порядок владения надельной землей», присланную Чертковым. Отзыв его о ней был: «Прекрасно!»

29 апреля

На одном просительном письме Л.Н. сегодня написал: «Гадкое». Письмо в духе капитана Лебядкина из «Идиота» Достоевского и его обращений к князю Мышкину.

Одна девушка прислала длинное описание своей жизни, заключавшееся просьбой о восьмидесяти рублях для доплаты за швейную машину. Л.Н. описание показалось настолько характерным и трогательным, что он решил послать его куда-нибудь для опубликования со своим предисловием, гонорар же употребить на выручку швейной машины девушки. Он продиктовал мне предисловие, а я уже написал письмо Короленко в «Русское богатство», но Л.Н. потом передумал и не послал его.

— Авось кто-нибудь из литераторов наедет.

Обедал у нас один из единомышленников Л.Н., некто Плюснин, сибиряк, молодой человек, бывавший раньше в Ясной Поляне. Толстой относился к нему с большим уважением. Когда-то его тронуло, что Плюснин, сын богатейшего купца, добровольно отказался от доставшегося ему после смерти отца наследства. Плюснин — бывалый человек. Между прочим, он совершил путешествие вокруг света. Сегодня он много рассказывал о быте и нравах китайцев, которых ему приходилось наблюдать в Благовещенске.

Л.Н., по обыкновению, живо всем интересовался. Во время разговора вошел Николаев и на вопрос Л.Н.: «Всё ли хорошо в семье?» — отвечал, что у них в семье неустойчивое равновесие; всегда может что-нибудь случиться, кто-нибудь из детей заболеть и т.д.

— Да это-то неустойчивое равновесие и есть нормальное положение, — отвечал Л.Н., — есть что устраивать, а в этом жизнь.

Заговорили о Генри Джордже. Толстой говорил:

— Слабая сторона Генри Джорджа в том, что он политикоэконом. Главный, настоящий его предмет — это борьба с рабством земельным, как была борьба с рабством экономическим. В области же политической экономии всегда можно сказать что-нибудь постороннее. А это опасно в том отношении, что дает повод противникам для опровержения. Ведь это один из обычных приемов борьбы с истиной: опровергнуть это постороннее и думать, что и всё главное опровергнуто. Все равно как думать, что если обрубил сук, то всё дерево погибло.

Отмечу еще очень интересные мысли Л.Н. из разговора о религии:

— Если искренно верующий человек настолько неразвит, что вера в чудесное не представляется ему неразумной, то перед его верой можно только преклониться.

И еще:

— Разум не есть основа веры, но неразумной веры не может быть.

Вспомнил об одном письме, где автор просил помочь ему в распространении его мировоззрения.

— Моя некоторая известность... Пусть Толстой скажет, и тогда все поверят. Если я каждую глупость буду подтверждать своим словом, то мне скоро перестанут верить.

Заговорили по поводу полученной от индуса книги о науке в Индии.

— Что же, наука в Индии развивается? — спросил кто-то.

— Слава Богу, не развивается, — засмеялся Л.Н. — А у нас так вот развивается: профессоров много.

Вечером за чаем говорили о цензуре печати. Л.Н. сказал:

— Цензура временно удерживает слово и людей в известных границах, а потом накопившаяся сила прорывает ее. Но правительство достигает своей цели: для него — *après nous le deluge**. В сущности, запрещение писателя увеличивает его значение. Так это видно на Герцене. Если б он жил в России, то, весьма вероятно, сделался бы просто писакой, вроде Андреева. Писал бы с утра до ночи.

Вечером Л.Н. читал написанные мною письма.

— Что, Лев Николаевич, у меня язык ясный, понятный? Мне Лева Сергеенко говорил, что он вычурный в моих письмах и может быть непонятен простым людям.

— Точный, — отвечал Л.Н., — что я одобряю. Но все-таки литературный. Ну, да мы все так!.. Вот у Семенова язык совсем простой, народный. Иногда такие меткие слова встречаются! Я всегда их подчеркиваю.

И Л.Н. принес книжку Семенова и показал некоторые выдержки из нее.

30 апреля

Приезжал на тройке с колокольчиками молодой человек, бывший военный, подагрик, Дурново, по-видимому, родственник бывшего министра. Развивал свою теорию понимания Евангелия, которая сводится к тому, что будто бы, согласно евангельскому учению, люди должны каждый жить по своим понятиям. Л.Н. возражал, что у людей понятия разные. Но Дурново усиленно спорил. Его поддерживала бывшая с ним жена, видно, как говорил Л.Н., считающая мужа необыкновенным и святым человеком.

Толстой тоже разгорячился в споре и, конечно, отказал Дурново в том, чтобы своим авторитетом подтвердить правильность его понимания Евангелия, о чем тот и приехал просить.

---

* После меня хоть потоп (*франц.*).

Разговор Л.Н. с Дурново происходил на террасе. Слышу из «ремингтонной»: колокольчики опять зазвенели; гости уехали. Входит Л.Н. и рассказывает всю историю...

Привезли почту. Слышу звонок Л.Н. Иду.

— А я получил письмо от Тани, — говорит он с радостным лицом, — зовет в Кочеты.

Кочеты — имение мужа Татьяны Львовны Михаила Сергеевича Сухотина, в Новосильском уезде Тульской губернии. Поездка Л.Н. туда давно уже предполагалась, и он ждал только окончательного письма от Татьяны Львовны.

— Когда же вы думаете поехать?

— Да чем скорее, тем лучше. Вот завтра вернется Соня из Москвы, а послезавтра можно ехать. Мне так хочется отсюда убраться! — рассмеялся он. — Иногда хоть на тот свет...

Передал мне тут же письма для ответа. Одна открытка с цветной картинкой осталась на столе.

— А это? — спросил я и хотел было взять ее.

— Нет, это оставьте. Я раздаю их ребятам на деревне.

Он открыл бумажник и положил туда открытку. В бумажнике лежали еще другие.

Приехал С.П.Спиро, корреспондент «Русского слова», — расспросить Л.Н. о фельдмаршале Милютине. Милютин хворает, и, вероятно, газета готовит материалы к его смерти*. Интересно, что сбылось вчерашнее ожидание Л.Н.: «Авось кто-нибудь из литераторов понаедет». Он передал корреспонденту письмо крестьянской девушки для напечатания в газете, со своим предисловием. Гонорар — восемьдесят рублей — газета должна выслать девушке на покупку швейной машины.

Во время обеда пришел пожилой мужчина серьезного вида, который заявил, что ему нужно поговорить с Л.Н. Пообедав, Толстой сошел к нему на террасу. Я сидел у себя. Прошло с четверть часа, вдруг я слышу — Л.Н. кричит мне снизу. Я побежал к нему. Он стоит внизу лестницы, смеющийся и возбужденный.

---

* «Дневники» Дмитрия Алексеевича Милютина вышли в «Захарове» в 2016 году.

155

— Давайте сюда фонограф... надо записать. Он говорит Бог знает что!.. И что он спасет всех людей, и апокалипсис, и закон инерции, и электричество... Надо записать!

Оказывается, у Л.Н. есть фонограф, подарок Эдисона. Белинький, который был в это время в Ясной Поляне, снес его вниз и настроил. Посетитель оказался совершенно ненормальным человеком и необыкновенным оратором. В фонограф он очень охотно согласился говорить и говорил не менее чем полчаса, безостановочно, без малейшей запинки. Как раз подошли из Телятинок Плюснин, Збайков, Сережа Попов и другие, которые тоже слушали эту речь.

Боже, чего-чего в ней только не было! И Америка, и Англия, и апокалипсис, и куры и петухи, и закон инерции, и испанская корона, и Толстой, и Чертков, и «я — Кочетыгов», и все ученые и т.п.

Л.Н. сначала смеялся, а потом стал останавливать оратора. Но это оказалось не так-то легко: окончив говорить в фонограф, посетитель остался на террасе и никому не давал слова сказать. Наконец Душану удалось выдумать прекрасный способ удалить его: он предложил оратору поесть, и тот охотно отправился за ним на кухню. Потом Душан проводил его и из усадьбы.

— А знаете, Лев Николаевич, — заметил Плюснин, когда оратор ушел с террасы, — вот мы все смеялись над ним, а ведь Сережа Попов не смеялся.

— Как же, я заметил это, — отвечал Л.Н.

Сережа Попов продолжал сидеть молча.

Я ничего не говорил до сих пор об этом юноше, единомышленнике Толстого, стремящемся воплотить его взгляды в жизнь до самой последней крайности. Сереже года двадцать три. Он — бывший петербургский гимназист, ушедший из седьмого класса, чтобы сделаться странником. С тех пор он бродит по всей России, останавливаясь подольше главным образом в различных «толстовских» общинах и колониях. Это тихое, кроткое существо, со всеми ласковое. Сережа всех зовет братьями и на «ты». Он даже собаку Соловья в Телятинках зовет братом. И наружность у него подходящая к его внутреннему облику — белокурые волосы, кроткие голубые глаза. Он никогда и ни от кого не берет денег за свою работу. Сережа очень любит Л.Н. и всегда радуется возможности лишний раз повидать его.

По уходе «оратора» Л.Н. говорил о нем:

— Его мысли разбрасываются. Когда мысль сильная, то она может сосредоточиться, а когда слабая, то распыляется, разбрасывается. Это и на себе бывает видно.

На террасе проговорили до позднего вечера.

Плюснин спросил у Л.Н., какая существенная разница между буддизмом и христианством.

— Настоящим христианством?

— Да.

— Никакой. Как там, так и тут проповедь Бога любви, отрицание личного Бога.

Плюснин напомнил, что в статье «Религия и нравственность» Л.Н. называет буддизм отрицательным язычеством. Но эти слова относились Толстым к официальному буддизму.

— Я особенно люблю, — говорил он, — первое послание Иоанна, которое никогда не приводит духовенство, и в нем изречение: «Не любящий брата своего, которого видит, как может любить Бога, которого не видит?» В этих словах, как мне кажется, уже заключается отрицание личного Бога. И здесь же прямо говорится, что «Бог есть любовь».

Пошли все наверх пить чай. Столовая наполнилась довольно необычными для Ясной Поляны гостями: босой, с грязными ногами Сережа Попов, босой прохожий Петр Никитич Лепехин, молодой человек лет двадцати пяти. В конце апреля 1910 года он явился к Л.Н. с просьбой доставить ему какое-нибудь занятие. Между прочим, он подал Толстому тетрадку со своими «афоризмами», многие из которых обратили на себя внимание серьезностью и содержательностью. Толстой направил юношу в Телятинки, где тот и остался в качестве рабочего.

Кто-то напомнил Л.Н., что он говорил, что любит пьяниц.

— Люблю! — согласился Толстой. — Да как их не любить? Вот ведь приходят ко мне, и я смотрю — тип пьяницы гораздо лучше, чем ростовщика, например. И кто их ругает? Грабители, богатые...

Май

Утром вернулась из Москвы Софья Андреевна.

После завтрака Л.Н. ходил один смотреть автомобильную гонку Москва — Орел. Автомобилисты узнали его и приветствовали, махали руками и шляпами. Один автомобиль остановился около Л.Н. Он осмотрел автомобиль, пожелал гонщику успеха, и тот отправился дальше.

Вечером был молодой англичанин, знакомый фотографа Чертковых, и еще пятнадцать-двадцать учеников Тульского реального училища. Л.Н. поговорил с ними, показал Пифагорову теорему «по-брамински» и роздал свои книжки на память. Мальчики ушли в очень приподнятом настроении. Я проводил их до въезда в усадьбу. Были они вечером. Просили позволения прийти еще, по окончании экзаменов, чтобы вместе почитать книжки Толстого.

Душан, я и Л.Н. сегодня готовились к отъезду в Кочеты, который Л.Н. окончательно назначил на завтра. Он сам собирал и укладывал свои бумаги.

Утром выехали в половине восьмого. День прекрасный. На Засеке с четверть часа ожидали поезда. К отходу пришли проводить Л.Н. Буланже, Горбунова с детьми, Петр Никитич из Телятинок, а кроме того, явились оттуда же мистер Тапсель, фотограф, и его друг, вчерашний англичанин. Мистер Тапсель всё ходил вокруг и пощелкивал аппаратом.

Л.Н. рассказал о своей вчерашней встрече с автомобилистами. Оказывается, он видел автомобили в первый раз.

— Вот аэропланов я, должно быть, уже не увижу, — говорил он. — А вот они будут летать, — указал он на горбуновских ребятишек, — но я бы желал, чтобы лучше они пахали и стирали.

Вместе с подошедшим поездом приехал из Москвы Горбунов-Посадов, с которым Л.Н. радостно расцеловался. Публика, высыпавшая из вагонов, куча гимназистов — все столпились вокруг вагона, в который садился Л.Н.

— Толстой! Толстой! — пробегало по толпе.

Наконец поезд тронулся. Л.Н. с площадки послал Ивану Ивановичу и другим провожавшим воздушный поцелуй и вошел в вагон.

С билетами третьего класса мы ехали во втором, так как в третьем мест не было.

— Это незаконно! — говорил Л.Н.

Он подозревал, что здесь есть «интрига» — если не со стороны Софьи Андреевны и нашей, то со стороны железнодорожного начальства. Но «интриги» на самом деле не было: третий класс действительно был заполнен.

Впрочем, кажется, на четвертой остановке места очистились, и нас, по настоянию Толстого, перевели в соседний вагон третьего класса. Перейдя туда, Л.Н. велел поставить на лавку около окна багажную корзину и взобрался на нее. Ему хотелось, чтобы вид, открывающийся из окна, был шире, и он радовался, что ему далеко видно с корзины и «весело».

Сидя на скамье против него, я, как только Л.Н. заглядится в окно, внимательно всматривался в его лицо. И в эти моменты я чувствовал, что наблюдаю и испытываю что-то необыкновенное. Голова, выражения лица, глаз и губ Л.Н. были так необычны и прекрасны! Вся глубина его души отражалась в них. С ним не гармонировали багажная корзина и обстановка вагона третьего класса, но гармонировало светлое и широкое голубое небо, в которое устремлен был взор этого гениального человека.

Выражения, пробегавшие по его лицу в эти минуты, нельзя описать словами.

Еще во втором классе Л.Н. разобрал сегодняшнюю корреспонденцию, которую мы захватили в Засеке. Потом принялся за газеты. Прочел последние номера «Новой Руси» и «Русского слова».

— Вот это очень хорошо, прочтите, — протянул он мне номер «Новой Руси», указывая на одно изречение из сборника «На каждый день», печатавшегося там. «Мучения, страдания испытывает только тот, кто, отделив себя от жизни мира, не видя тех своих грехов, которыми он вносил страдания в мир, считает себя не виноватым и потому возмущается против страданий, которые несет за грехи мира и для своего духовного блага».

— Это я так живо чувствую по отношению к самому себе, — произнес Л.Н. — Это особенно верно о длинной жизни, как моя.

В «Русском слове» читал статью Александра Измайлова «Две исповеди по седьмой заповеди (Новые дневники Добролюбова и Чернышевского)». Статья очень понравилась Л.Н., но, кажется, только ее начало — рассуждения о хороших и плохих книгах; конец же, самые «исповеди» Добролюбова и Чернышевского и рассуждения Измайлова по этому поводу, Л.Н. едва ли прочел полностью, а если бы и прочел, то, я думаю, едва ли похвалил. Очень не понравилась ему напечатанная в том же номере статья «Военная энциклопедия», с восхвалением патриотических заслуг господина Сытина*.

Почти на каждой остановке Л.Н. выходил гулять. Один раз говорил с какой-то дамой-вегетарианкой. На другой остановке подошел ко мне и говорит:

— Посмотрите, какая у жандарма характерная физиономия!

— А что?

— Да вот посмотрите.

Я прошелся. Жандарм как жандарм: толстый, откормленный, довольно добродушного вида.

Я остановился неподалеку от входа в вокзал. Тут же собралась кучка народа.

— Это он? — переспрашивали друг друга.

— Он, как же, он, — отвечал, подходя, жандарм. — Он в прошлом году, — лицо жандарма расплылось в улыбку, — прислал телеграмму, говорит: вышлите за мной телегу!

Жандарм беззвучно засмеялся, и туловище его заколыхалось.

— Телегу вышлите!

Публика вообще очень занималась Л.Н. На каждой остановке кондукторы тотчас же сообщали, что в поезде едет Толстой, и вот начальник станции, телеграфисты пробирались потихоньку вдоль поезда и заглядывали в окно нашего отделения вагона. Если Л.Н. гулял, все следили за ним. Здоровались далеко не все, но те,

---

* «Патриотические заслуги» издателя Сытина превозносились по случаю предпринятого им издания «Военной энциклопедии».

Ясная Поляна, 1909

Фото В.Г. Черткова

С дочерью Александрой в «ремингтонной»

С секретарем Николаем Николаевичем Гусевым.
Ясная Поляна, 1909

Фото В. Г. Черткова

Фото В.Г. Черткова

Л.Н., Илья Ильич Мечников
и Александр Борисович Гольденвейзер. Телятинки, 1909

Фото В.Г. Черткова

Слева направо: Александра Львовна, Л.Н., доктор Маковицкий
в гостях у В.Г. Черткова

Л.Н. среди крестьян. Крёкшино, 1909

Л.Н. с внучкой Соней на платформе ст. Крёкшино, 1909

**Л.Н. рассказывает внукам Илье и Соне сказку об огурце.
Крёкшино, 1909**

Л.Н. с дочерью Александрой Львовной. Затишье, 1910

Фото В.Г. Черткова

Татьяна Львовна с мужем Сергеем Михайловичем Сухотиным

Фото В.Г. Черткова

Л.Н. за разбором утренней почты. Мещерское, 1910

Николай Николаевич Ге — младший

Мария Александровна Шмидт

Павел Иванович Бирюков

Павел Александрович Буланже

Софья Андреевна

*Л.Н., А.Л. Толстая, П.Д. Долгоруков и П.И. Бирюков идут
в деревню Ясная Поляна на открытие народной библиотеки, 1910*

*Л.Н. на открытии народной библиотеки
в Ясной Поляне, 1910*

Паоло Трубецкой

Бюст Толстого работы
Трубецкого

Л.Н. и Паоло Трубецкой на конной прогулке

В Кочетах, 1910

Л.Н с Владимиром Григорьевичем Чертковым, 1910

Стоят: Душан Петрович Маковицкий, Владимир Григорьевич Чертков. Сидят: Мария Николаевна Толстая, Александра Львовна, Анна Константиновна Черткова, 1910

Софья Андреевна и Лев Николаевич. Ясная Поляна, 1910

Дом в Ясной Поляне

Дом начальника станции Астапово, в котором умер Толстой

которые здоровались, делали это как будто с особенным удовольствием; они поджидали его и при проходе радостно, громко, хором провозглашали: «Здравствуйте, Лев Николаевич!»

Толстой в ответ снимал фуражку.

Однажды, когда наш поезд уже отходил, мы услыхали за окном разговор:

— Толстой!

— Да неужели?!

— Да неужели, — повторил Л.Н.

Поезд ушел, и тот, кто вскрикнул это изумленно-восторженное «да неужели!», так и не увидел Толстого.

Кондукторы обходительны в высшей степени. В наше отделение вагона никого не пускают, стараются перевести на другое место, если кто успеет к нам сесть. Но так как Л.Н. не имел ничего против других пассажиров, то они у нас не переводились.

На одной станции он захотел выпить чаю и задержался в буфете после второго звонка. Я пошел поторопить его. Л.Н. вышел, а стакан с чаем Душан взял в вагон. Заметив нашу торопливость, обер-кондуктор любезно произнес: «Ничего-с, я подожду» (давать свисток. — *В.Б.*).

— Все-таки большинство к вам хорошо относится, Лев Николаевич, — сказал я в вагоне.

— Да это повальное! — ответил он, и одним этим словом прекрасно определил сущность преувеличенного любопытства, которое проявляло к нему большинство современников. Словечко это поразило меня сначала, и не далее как сегодня я успел убедиться в том, насколько оно справедливо.

— Приедет ли Чертков к Сухотиным? — спрашивал Л.Н. — Мне это будет очень приятно.

Об отъезде Толстого Черткову была дана телеграмма. Сам же он хлопочет о разрешении если не вернуться в Телятинки, то хоть приехать в Кочеты на время пребывания там Л.Н.

Интересно, что в прошлый его приезд в Кочеты Чертков, желавший повидаться с ним, жил не в Кочетах, находящихся в пределах Тульской губернии, а за четыре версты от них, в деревне Суворово, которая относится к Орловской губернии. Л.Н. говорил, что это напоминает изгнание Вольтера, который построил свой Фернейский замок так, что гостиная в нем была во Франции, а спальня — в Швейцарии.

— Я сегодня утром выхожу на балкон, — рассказывал Л.Н., — вижу, голубь. Я подхожу к нему, он сидит, не боится. Подхожу еще — не улетает. Что такое? Смотрю, другой голубь бьется о стекла и не может вылететь, а это дружка его сидит и ждет. Хочу того выпустить, а он боится, бьется. Насилу я его высвободил.

Но вот и Орел. Нужно пересаживаться на другой поезд, которого ждать около часа. Вещи вынесли в вокзал. В отдельной комнатке при буфете первого и второго классов Душан стал разогревать овсянку. Из вегетарианских блюд в буфете нашлась только спаржа. Ее поздно приготовили, и Л.Н. ел ее уже в вагоне, причем буфетчик предоставил в его распоряжение всю посуду, позволив ее увезти, с тем чтобы доставить ему обратно с какими-нибудь попутчиками. Но Л.Н. успел поесть до отхода поезда.

С Орла отношение публики к Толстому круто изменилось. Определились две главные черты: назойливость и невежливость. Не знаю, отчего это. Возможно, что от большей «цивилизованности» публики.

Пока Л.Н. ел в буфете, у окна и у двери толпились любопытные, разглядывавшие его очень бесцеремонно. Когда по длинной платформе мы пошли с вещами к поезду, за нами двигалась вереница тихих, безмолвных, пристально рассматривающих Толстого людей. При встрече никто не кланялся (видимо, потому, что люди эти считали, что они «незнакомы» с Толстым: ведь они не были друг другу представлены!). Когда мы с грехом пополам поместились в вагоне, где и без того уже было тесно, толпа эта набилась туда, наполнила и наше и соседние отделения и так же безмолвно, неподвижно наблюдала Л.Н. У окна вагона, где ему освободили местечко, на платформе тоже собралась кучка любопытствующих. Так как платформа в Орле очень приподнята, то с нее можно видеть всю внутренность вагона, и любопытствующие глядели поэтому на Толстого в упор. Это полное отсутствие всякой деликатности производило крайне тягостное впечатление.

Скоро в вагоне стало нестерпимо душно. Поезд всё не трогался.

Я радовался только одному: что Л.Н. относится к зевакам как должно, а именно с величайшей невозмутимостью, продолжая делать свое дело под этими устремленными на него со всех сторон взорами. Он ел спаржу (едва можно было из-за тесноты поднять от стенки вагона доску столика), грыз потом какие-то сухарики, угощал ими бывших тут же ребятишек, читал газету.

Через вагон стали проходить целые группы любопытствующих: дамы, барышни, чиновники. Подходит к Л.Н. господин, представляется директором реального училища, благодарит его за когда-то присланный для учеников этого училища портрет и уходит.

С площадки вагона я слышал, как какой-то господин на платформе говорил жандарму, ядовито усмехаясь:

— Надо, надо графу спаржей побаловаться!..

Потом, когда поезд тронулся, этот господин подсел к Л.Н. и все время заговаривал с ним. Это был не то сыщик, не то обычный на железных дорогах тип всезнающего коммивояжера. Во всяком случае, общего с Толстым он, конечно, ничего не имел.

Собрались вокруг них и другие охотники поговорить. Завязался незначительный разговор.

Скоро духота и разговор, должно быть, утомили Л.Н. Он вышел на площадку. Я решил выйти с ним вместе, просто посмотреть, как ему там будет. Выглядел он уже очень усталым.

На площадке оказалось не лучше. Было так же тесно, как в вагоне, и, кроме того, накурено. Из публики, состоявшей из нескольких полицейских и каких-то штатских неопределенного вида, никто не подумал уйти, когда вошел Л.Н., и уступить ему место, только немного посторонились.

Один полицейский, желая быть любезным, подставил ему открытый портсигар.

— Вы курите?

— Нет, — возразил Толстой с добродушным видом, — я раньше курил, а потом бросил и совершенно не понимаю, как могут люди брать в рот эту гадость.

Слушатели согласились с ним. Кто-то стал развивать его мысль.

Чтобы не увеличивать духоты, я ушел опять в вагон. Через некоторое время Л.Н. тоже вернулся. Кое-как удалось освободить для него скамейку, чтобы полежать, так как очевидно было, что он очень утомился.

По пути на всех остановках в наш вагон пробирались любопытствующие: обычно всё начальство каждой станции и пассажиры из других вагонов.

Конечно, это было чисто внешнее любопытство. И прав Л.Н., что не придает никакого значения такому вниманию к нему. Я уверен, что половина, если не больше, из этих людей не прочла ничего из писаний Толстого. Это вроде одной бабы в вагоне, которая ехала вместе с нами, в соседнем отделении. Она видела, что все смотрят на Толстого, и, решив, вероятно, что так всем нужно делать и что это признак хорошего тона, поднялась на скамью позади Л.Н., оперлась руками о перегородку, положила на них голову и мутными, сонными глазами меланхолически смотрела на лысину его всю дорогу. О чем она думала?

Но вот наконец и станция Благодатное, откуда мы должны ехать на лошадях пятнадцать верст в Кочеты. Поезд с шумом подлетает к платформе. Мы с Душаном высовываемся из окон. Ах, как хорошо! Татьяна Львовна стоит у дверей станционного здания и радостно машет нам зонтиком. Слава богу, приехали!..

Мы прошли сначала в комнату первого и второго классов. Публика, узнавшая Толстого, не отходила от двери этой комнаты, ожидая, когда Толстой выйдет. Набралось много народу, в том числе крестьян.

Я спросил у одного парня, молча и сосредоточенно глядевшего на дверь, за которой был Л.Н.:

— Вы читали что-нибудь из его сочинений?

— Нет.

— Значит, вам только говорили о нем?

— Кто говорил? Нет, ничего не говорили.

— А вы знаете, кто это?

— Не знаю.

Я уже не стал спрашивать, зачем же он стоит.

Так кончилось наше путешествие. Дорогу до Кочетов проехали быстро в четырехместной пролетке, на четверке лошадей. Л.Н. оживился, восхищался видом свежих зеленых полей, красивыми старинными одеждами женщин в деревнях, встречающихся по дороге. По случаю воскресенья народ весь был на улицах и разодет по-праздничному. Все время по лицу Л.Н. скользила радостная улыбка. По приезде он говорил, что теперь уже не скоро уедет, и шутя пугал этим хозяев. Те отвечали радушными приглашениями погостить подольше.

— Не будет теперь ни приходящих за пятачками, ни судящихся, ни матерей, которых ты должен примирить с дочерьми, — говорил Л.Н. — И хороших гостей много, но все-таки это утомляет.

Приехали мы в шесть с половиной часов вечера. Нас ждали с обедом. Потом Л.Н. пошел отдохнуть.

Говорили немного. Но за кофе после обеда, который подали на открытую веранду, благодаря, кажется, остроумному Михаилу Сергеевичу, завязался интересный разговор о женской разговорчивости.

— Так как тут только одна дама (Татьяна Львовна. — *В.Б.*), — произнес Л.Н., — то я скажу свое мнение, что если бы дамы были менее разговорчивы, то на свете было бы гораздо лучше. Вот Михаил Сергеевич говорит, что они оказывают большую услугу, освобождая от обязанности занимать гостей. Это хорошо, и пусть они здесь будут разговорчивы, но в серьезных делах — беда! Это какой-то наивный эгоизм, желание выставить только себя.

Не мудрено, что Л.Н. составил себе такой взгляд о великосветских дамах. Вспомнили, как в прошлом году одна местная дама, жена предводителя дворянства, знакомясь с ним, протяжным голосом пропела:

— Лев Николаевич, постарайтесь понравиться моему сыну. Он вас терпеть не может! Говорите с ним о лошадях, и он вам за это всё простит!..

Пребывание Л.Н. в Кочетах началось с того, что вечером, когда было уже совсем темно, он, никому не сказав об этом, один пошел гулять в парк и заблудился там. А нужно сказать, что в Кочетах парк огромный: три версты вокруг, а длина всех дорожек, очень запутанных, двенадцать верст. Татьяна Львовна не без основания опасалась и раньше, что Л.Н., гуляя один по парку, может почувствовать себя дурно, упасть на какой-нибудь дорожке, и тогда его не найти.

Несколько человек побежали его разыскивать, стали звонить в колокол, трубить в какой-то охотничий рожок. Из деревни прибежали крестьяне, которые вообразили, что на Сухотиных напали экспроприаторы.

Наконец Душан встретил Л.Н. на одной из дорожек. Оказывается, он прошел весь парк, вышел в поле и вернулся назад, но попал не на ту дорожку и заблудился, а потом услыхал звон и пошел на него.

— Не буду, не буду больше! — повторял он на упреки Татьяны Львовны.

Та просила его не ходить вечером одному.

— Хорошо, хорошо, — отвечал Л.Н., — и постараюсь ходить на ногах, а не на голове.

— Да ты не шути, — только и могла сказать обескураженная Татьяна Львовна.

Напились чаю, и вскоре все разошлись по своим комнатам.

Маленькое отступление.

Кочеты — старинное имение, пожалованное роду Сухотиных еще Петром I и Иоанном. Кажется, около двух тысяч десятин земли. Кроме прекрасного парка и прудов, замечателен в нем барский дом: тоже старинный, одноэтажный, но очень поместительный, с прекрасным убранством. Обстановка не так роскошна, как бывает в богатых купеческих домах, но и не безвкусна, как там, не кидается в глаза, не внушает отвращения бессмысленностью и ненужностью массы дико дорогих вещей и очень комфортабельна. Много старины: по стенам портреты предков, оружие, шкафы с фамильным серебром и дарованными табакерками и т.п.

На обстановке и на всем в доме лежит отпечаток красивой и приятной барственности, солидности, простоты и чистоты. Обитатели дома радушны, милы и любезны. Откуда всё это берется и на чем Кочеты в совокупности основаны, я уж умалчиваю. Мне приятно было только видеть, что Татьяна Львовна, показывавшая дом, сама чувствовала стесняющую, нехорошую изнанку всей этой столь привлекательной с внешней стороны роскоши.

Как только мы приехали и чуть осмотрелись, Татьяна Львовна позвала меня на террасу дома, с которой открывался прелестный вид на сад, весь в кустах цветущей сирени, и на красивую даль поля за ним. Ни она, ни я не могли удержать своего восхищения.

— Знаете, Булгаша, здесь так хорошо, что иногда забываешь, откуда это всё берется! И, каюсь, я по большей части забываю.

Очевидно, что совестливой и чуткой старшей дочери Л.Н. только и можно жить в подобной обстановке, забывая или, вернее, сознательно отстраняя те беспокоящие мысли о беспросветной нужде и духовной задавленности, свивших себе гнездо тут же, рядом — рукой подать — в деревне, за четверть версты от этого особняка с его роскошью и изобилием.

3 мая

Днем Л.Н. читал в парке. Потом, после обеда, повел смотреть, как цветет каштан.

По дороге говорил:

— Как хорошо! Всё это для меня как-то ново. Точно это видишь в первый или в последний раз. А птиц сколько: горлинки, соловьи. Ах, как хорошо соловьи поют! А давеча высоко летят два коршуна и орлы.

— А дуб видели? — спрашивал он нас с Душаном.

Здесь в парке растет дуб, не менее чем трехсотлетний, вокруг ствола которого могут сесть двадцать четыре человека. Душан видел, а я еще не видал его. Татьяна Львовна с дочкой пошли показывать мне его, а Л.Н. вернулся домой.

Вечером слушали пластинки с Варей Паниной — Л.Н. понравилось, а одна вещь, исполненная Вяльцевой, ему ужасно не понравилась.

Вернулся из поездки в уездный город Новосиль хозяин, Михаил Сергеевич Сухотин. Он состоит почетным мировым судьей и ездил судить. Рассказывал комические подробности суда и художественно передразнивал председателя. Он сам, участвуя в этой комедии суда, очень уморился.

— А плюнуть вам на всё это нельзя? — спросил Л.Н.

— Нет уж, доживать надо, — отвечал Сухотин.

— Я знаю, — продолжал Толстой, — что вы для дела полезны, один вносите в него разумное, но для вашей души-то оно ничего не дает.

Просил у Татьяны Львовны что-нибудь почитать. Она предложила «Записки врача» Вересаева. Л.Н. отказался. Ему особенно хотелось Семенова.

Говорили о каком-то мыле. Л.Н. спросил, вегетарианское ли у него мыло.

— Нет, — ответила Татьяна Львовна.

— Да ты не думай, что я такой педант, — возразил он.

4 мая

Утром Л.Н. заглянул в комнату Татьяны Львовны, где я на «ремингтоне» переписывал предисловие к «Мыслям о жизни», уже давно начатое Л.Н., но всё еще не обработанное окончательно.

— Бог помочь! — сказал он, просунув голову в дверь. — Всё пощелкиваете?

О предисловии этом Л.Н. говорил:

— Должно быть, правда, как Белинький говорил, что буду до смерти писать и не кончу.

Белинький, переписывавший это предисловие уже много раз, как-то сказал, в ответ на сетования Л.Н., что он затрудняет его перепиской:

— Хоть до самой смерти можете писать, Лев Николаевич, и исправлять, — я всё буду переписывать.

— Как спали? — спросил Л.Н. кто-то за завтраком.

— Хорошо. Сколько снов! Все хорошие, удивительные. Я даже хотел записать целые мысли. Сны интересны тем, что в них отражается психология людей, характеры людей в них представляются психологически верными.

За обедом был один из соседних помещиков. Л.Н. рассказывал впечатления своей прогулки и сказал, между прочим:

— Если бы Наполеон воевал в Новосильском уезде, то он непременно остановился бы в Кочетах: самое высокое место и открывается вид во все стороны.

Вспомнили недавно полученную пьесу Бернарда Шоу о Наполеоне. Л.Н. находит, что она написана плохо, искусственна.

— Нет конца остроумного и никакого смысла, содержания. Описываемые лица говорят не то, что могли бы говорить, а то, что хочет говорить через них Шоу.

Вечером Л.Н. читал вслух отрывок из рассказа Семенова «У пропасти». Потом он начал, а кончила Татьяна Львовна рассказ тоже Семенова «Алексей заводчик». И то и другое восхищало Л.Н.

— Так вся крестьянская жизнь встает, — говорил он, — и, знаете, так — снизу. Мы все видим ее сверху, а здесь она встает снизу.

Говорил, что видел в шкафу сына Сухотина стереотипное парижское издание французских классиков: Ла Боэти, Руссо и др. и соблазнился ими, начав читать.

— Интересно, что будут читать мои правнуки? — говорил Л.Н. — В наше время был определенный круг классиков и было известно, что нужно прочесть, чтобы быть образованным человеком. А теперь выпускается такая масса книг! У меня один посетитель требовал сказать, кто такой Кнут Гамсун. Таких Кнутов Гамсунов в художественной области — легион, а в политико-экономической области, то есть в области общественных вопросов, — море!..

Почты, то есть писем для Л.Н., еще не было: не успели переслать из Засеки. Газет тоже не было, кроме выписываемых здесь, чему Толстой был «очень рад». Вообще эти первые два дня в Кочетах прошли в высшей степени спокойно. У Л.Н. нет обычной мучающей его изжоги, что даже странно.

— Я даже чай пью у вас с удовольствием, — говорил он Татьяне Львовне.

5 мая

Сегодня я узнал, что Л.Н. по утрам сам выносит из своей комнаты ведро с грязной водой и нечистотами и выливает в помойную яму. В пальто, в шляпе, прямой, с задумчиво устремленным вниз взглядом, он быстро шел мимо окон нашей с Душаном комнаты, неся наполненное большое ведро... Л.Н., как сказал Душан, делает это и летом и зимой.

Одна из черт его характера: он очень любит знакомиться с новыми людьми. Просил Сухотина познакомить его с соседним помещиком, богатым, странным стариком, князем Голицыным, одиноко и замкнуто живущим в своем огромном доме. Сказал, что будет знакомиться с крестьянами в Кочетах.

Утром Л.Н. читал Ла Боэти «Добровольное рабство» в подлиннике.

— Писатель шестнадцатого века, а такой анархист, — произнес Л.Н. и прочел из предисловия страницы о покорении Киром Лидии, а затем мысль, которую он выписал себе в книжку, о том, что история (то есть наука истории) скрывает правду.

— Как это верно! — воскликнул Л.Н.

На мое замечание, что существует мнение, будто произведения Ла Боэти неискренни и представляют только упражнения в красноречии, он заметил:

— Какой вздор! Это именно был юноша, еще не одуренный наукой и не уверовавший в правительство.

Привезли почту. Мне пришлось во второй раз зайти к Л.Н.

— А вы, как и полагается молодому человеку, здоровы и бодры? — спросил он.

— Да.

— Это хорошо. Помогай Бог.

Вечером читал вслух мысли Ларошфуко.

— Прекрасные мысли! — говорил он. — «Можно встретить женщину, не имевшую любовников, но трудно встретить женщину, имевшую только одного любовника». Это очень верно.

— Я упиваюсь одиночеством, — говорил он затем Татьяне Львовне. — Выйдешь, и нет — ни за пятачком, ни баб, ни бестолковых, ни тех, которым помочь не можешь. Хоть это и нехорошо — жаловаться, но я все-таки имею право отдохнуть. У людей есть воскресенье, вот пусть и у меня будет воскресенье длинное.

Говорил еще:

— Леонид Семенов писал, что когда он читал крестьянам художественные произведения, то они спрашивали: «А что, это правда?» И если он отвечал им, что это вымысел, то на них это не производило уже никакого впечатления. И это совершенно понятно. Рассказ должен быть правдивым описанием или притчей, но для притчи нужно глубокое содержание.

Перед уходом спать говорил мне, Душану и Михаилу Сергеевичу, у нас в комнате, о полученной им сегодня книге Иванова-Разумника «О смысле жизни (Ф.Сологуб, Л.Андреев, Л.Шестов)».

— Как можно искать смысла жизни у Сологуба, Чехова, о котором он, конечно, тоже упоминает! О смысле жизни учили несколько тысяч лет величайшие, гениальнейшие люди, начиная от браминов и Конфуция до Канта и Шопенгауэра — и вот всё это надо похерить, а искать смысл жизни у Сологубов, Шестовых... И нельзя назвать эту книгу глупой. Но те мыслители учили о смысле жизни преимущественно, а у этих он должен с трудом выискивать что-нибудь об этом. Описывается, как влюбилась какая-нибудь девушка, но тут кое-что есть и об этом, и вот надо это разыскать.

6 мая

Пришла телеграмма и письмо от Владимира Григорьевича Черткова о том, что ему разрешено приехать в Кочеты. Кроме того, в письме Чертков уговаривает Л.Н. начать снова ездить верхом и предостерегает его от согласия с говорящими, что не нужно писать обличительных статей. Л.Н. надписал на этом письме: «Милый человек и драгоценный друг».

Отдавая мне письма для ответа, он просил одно передать Татьяне Львовне.

— Это интересное письмо, о школе футуристов в живописи, преимущественно в Италии, и в поэзии. Это... это полный дом сумасшествия!

Вечером письмо, очень забавное, читали вслух.

Татьяна Львовна указала Л.Н. на изданную «Посредником» книжку Штиль «Обязанности матери» (о половой педагогике) и Чуйко «К нашим детям. (Беседа о происхождении человека)». Л.Н. был возмущен содержанием брошюры, в которой излагались образцы бесед с детьми о половой жизни человека, очень неумело составленные и чересчур откровенные.

— Это такие важные вопросы, — говорил он, — что я по ним ничего не могу сказать, а потому и не буду говорить что-нибудь. Откуда произошел человек? Да этого не знали величайшие мудрецы!.. И я тоже этого не знаю.

Говорили, что у крестьян распространены курные избы. Рассказывали, что в одной из местных деревень во время эпидемии тифа в курной избе лежало шесть человек больных, тут же находились ягнята, теленок; двое из больных вследствие тесноты лежали у входной двери и не перенесли болезни, умерли.

171

Л.Н. сказал:

— Уже ничему нельзя удивляться. Надо удивляться тому, что ничему нельзя удивляться... Я читал описание жизни Чернышевского в ссылке. Там с ужасом сообщается, что Чернышевский жил в курной избе. А здесь что делается!..

Вечером читали вслух; сначала Л.Н., потом я рассказ Семенова «У пропасти». Потом он читал по-французски мысли Ларошфуко.

7 мая

Приехал Чертков. Л.Н. просил домашних утром не входить к нему в комнату. Но я все-таки постучался и сказал ему о приезде гостя. Л.Н. быстро поднялся и пошел навстречу Владимиру Григорьевичу. Тот был еще в передней. Крепко поцеловались. Произошло опять, как бывает при проводах или встречах, когда люди растроганы и этим немного выбиты из колеи, какое-то внезапное маленькое замешательство... Владимир Григорьевич расплачивался с ямщиком. Л.Н. пошел назад. Вынул платок, стал сморкаться, и я увидел его совершенно заплаканное лицо.

Владимир Григорьевич прошел в свою комнату, и Л.Н. остался у него. Он сегодня слаб. Много работал. Дал опять переписать предисловие к «Мыслям о жизни».

Вечером читали вслух привезенный Владимиром Григорьевичем рассказ Василия Авсеенко «Микроб» (о самоубийствах) в журнале «Огонек».

— Да, правдиво, — заметил Л.Н. по прочтении, — но вот эта беллетристическая форма мне неприятна.

8 мая

О рассказе Авсеенко:

— Нехорошо, что неизвестны чувства девушки, покончившей самоубийством. Если уж он взялся за рассказ, то нужно было их описать. Не знал? Надо угадать.

О Масарике:

— Его рассуждения о религии — научная болтовня. Говорит о какой-то новой религии, которая выработается, может быть, из христианских сект. Но как обед нам нужен не через два поколения, а мы теперь хотим

172

есть, так и религия нужна теперь. Всё это — научная привычка смотреть на предметы объективно.

Говорил:

— Это не парадокс, это совершенная правда, что только то дело хорошо, о последствиях которого не думаешь. Потому что если не думать о последствиях, то это — дело общее, а если думать, то непременно личное.

Вечером за чаем шла оживленная беседа о наших друзьях, о старых знакомых, о новых изданиях статей и пр. Л.Н. высказался, что, по его мнению, верховая езда не сравнима ни с каким другим способом передвижения.

Дал мне переписать свою новую статью о самоубийствах. Говорил о ней:

— Мне хочется показать всё безумие современной жизни, представить ярко всю картину того невозможного состояния, в котором находятся люди и из которого уже нет никакого выхода. Но для этого нужно особое настроение.

9 мая

Одна почитательница Л.Н. в Швеции, узнав, что он намерен будто бы приехать на конгресс мира в Стокгольм, предлагает ему гостеприимство: предоставляет роскошные комнаты и ему, и «госпоже графине, и господину секретарю, и господину доктору». Л.Н. благодарил и сообщил, что на конгресс он не поедет. Чертков верно определил этот конгресс как пикник.

Говорили о секте иеговистов*, один из последователей которой подвергся правительственным преследованиям. В связи с тем, что в этой секте много мистического и суеверного, Л.Н. говорил:

— Я думал и записал, что метафизика — вопросы о душе, о Боге, — составляющая необходимую часть религиозного учения, настолько отвлечена, непонятна, что чем меньше говорить о ней словами, тем лучше. Она познается какой-то более высокой духовной способностью, чем разум.

И еще:

---

* Иеговисты — члены религиозной секты, возникшей в 1872 году в США.

— Есть два пути разрешения этой отвлеченности, трудности понимания метафизических вопросов. Во-первых, уверовать в то, что есть личный Бог, Троица и т.д.; во-вторых, сказать, что нет никакого Бога, что не нужно никакой религии. И как тот, так и другой способ не могут удовлетворить.

Из окна я увидал мальчика, пришедшего за книжками. Я сказал, что даю им теперь «На каждый день» и другие серьезные книжки, потому что все детские они уже перечитали; когда же я говорил ребятам, что такие книжки, как «На каждый день», будут им непонятны, они возражали: «Ну, что ж, прочитаем в другой, в третий раз».

Л.Н. усмехнулся удивленно и радостно.

— Только это и утешает, — произнес он, — что, как это было с реалистами (учениками реального училища. — *В.Б.*), которые, двадцать человек, приходили ко мне, кто-нибудь из них да окажется понимающим. Я их и видел по глазам, человека два, у которых есть эти пищеварительные органы и которые переварят.

Приехали Софья Андреевна и Андрей Львович. За обедом было шумно, за вечерним столом — тоже. Л.Н. поднялся из-за стола довольно рано.

— Как, папá, так рано спать? — спросил Андрей Львович.

— Да мне надо еще много дела сделать, пасьянс разложить...

— Пойдем ко мне, Владимир Григорьевич, — добавил в коридоре Л.Н.

Я пошел к нему с письмами.

В одном письме я советовал, по его поручению, одному молодому человеку, приславшему очень высокопарное и льстивое письмо, «быть проще и искреннее в общениях с людьми».

— А может быть, письмо этого молодого человека было искреннее? — заметил Владимир Григорьевич.

— Нет, — возразил Л.Н., — я знаю, что здесь я не нагрешил. А вот с Андреем нагрешил.

— Как? Кажется, всё было благополучно? — спросил Чертков.

— Нет, нагрешил! Он стал говорить о Молочникове, что все в Петербурге говорят, что он сидит не за мои книги, а за какую-то пропаганду. А я сказал, что те, кто так говорят, не стоят доли того уважения, как Молочников. Одним словом, нехорошо... Вот с Софьей Андреевной лучше. Сегодня в первый раз высказал ей ясно, как для меня тяжелы эти условия жизни, прямо физически тяжелы! Горячо говорил, хотя спокойно... И, кажется, она поняла... Впрочем, не знаю, надолго ли.

Перед этим Владимир Григорьевич приглашал Л.Н. из Кочетов к себе в Столбовую (ближе к Туле, не доезжая Москвы; сюда Чертковы переехали из Крёкшина). Л.Н. охотно соглашался. Разговаривая о предполагаемой поездке, Чертков употребил фразу: «Если вам не доставит неудовольствия так долго не быть в Ясной Поляне». Толстой при этих словах горько усмехнулся.

В третий раз здесь я переписал предисловие к «Мыслям о жизни», вновь исправленное Л.Н. Это краткое, сжатое выражение всего мировоззрения Толстого. Оттого он так заинтересован им и так много над ним трудится.

Утром зашел по делу к Л.Н. Он говорит:

— А у меня сегодня телесное состояние чрезвычайно плохо, а духовное — удивительно хорошо, так хорошо на душе, столько записал!

— Значит, это может быть? — спросил я.

— Да как же, именно так и должно быть! А вы как поживаете?

— Хорошо, и телесно, и духовно.

— У вас так и должно быть. Нужно только всегда стараться, чтобы дух властвовал над телом, держал бы его... под собой.

В первый раз сегодня после столь длинного промежутка Л.Н. ездил верхом; видимо, в решении возобновить верховые прогулки на него повлиял Чертков.

После завтрака я зашел к нему в кабинет за письмами вместе с Чертковым. Л.Н. сам первый заговорил о напечатанном в газетах письме Стаховича и Градовского, в котором они нападают на Черткова, недавно выступившего в печати против произвольного сокращения прочитанного на съезде писателей письма Толстого к съезду. Л.Н. признавал справедливым упрек Черткова президиуму съезда и жалел, что теперь Владимир Григорьевич подвергается напрасным нападкам.

— С вашей стороны, — говорил он Черткову, — нужно большое самоотвержение в вашей работе. Вот уж она не дает никакой славы! Главное, люди эти не понимают, что вы не при Толстом, а что вы самостоятельны, сами по себе...

11 мая

Когда утром я принес Л.Н. письмо, он читал брошюру Аракеляна «Бабизм»* и очень хвалил ее.

Я спросил, начинал ли он читать драму Андреева «Анатэма», присланную автором и лежащую у него на столе.

— Нет еще, скучно! — отвечал он.

Снова Л.Н. ездил верхом.

Приехали отец и сын Абрикосовы. Отец — представитель известной московской кондитерской фирмы, сын — единомышленник Л.Н., теперь женатый на дальней родственнице его, княжне Оболенской, и владелец небольшого имения в пятнадцати верстах от Сухотиных. Л.Н. был им, особенно сыну, очень рад. Устроили чай по поводу приезда гостей.

Через некоторое время Толстой заглянул в мою комнату и вошел, увидя меня.

— Вы знаете, кто такие Абрикосовы? — спросил он и вкратце рассказал о своих гостях.

— Кажется, молодой Абрикосов раньше был большим вашим почитателем?

— Да он и теперь... Он умеренно, спокойно подвигается вперед. Конечно, сколько можно женатому человеку.

Я вспомнил рассказ Татьяны Львовны о том, как Хрисанф Абрикосов до женитьбы жил у Маргариты Александровны Шмидт в Овсянниках, помогал ей в работах по хозяйству и, между прочим, в крестьянской одежде продавал молоко тульским дачникам на станции Засека. В семье Толстых молодой Абрикосов, видимо, пользуется всеобщей любовью.

Л.Н. присел в кресло.

---

* Посвящена возглавляемому Баб Али Мухаммадом (1819—1850) антифеодальному движению середины XIX века, бабизму.

— Хочу пойти отдохнуть. Думаю, что следует только тогда работать, когда угодно Богу. Всё стараешься перестать думать, что надо что-то сказать, что это кому-то будет нужно. Нужно жить по воле Божьей, не думать о последствиях... Вы помните, я говорил, что если думаешь о последствиях, то наверное занят личным делом, а если не думаешь, то общим. Вот так надо жить, делая общее дело. Так птичка живет, травка... Их дело, несомненно, общее.

За вечерним чаем говорили о Художественном театре и о новых постановках его. Л.Н. выразился о «Месяце в деревне» Тургенева, что это «ничтожная вещь». О комедии Островского «На всякого мудреца довольно простоты» говорил:

— Да ведь это не характерно для Островского! У него есть из первых произведений прелестные. Из того быта, который он и знал, и любил, и осуждал. И любил, что надо для художника.

О Борисе Чичерине:

— Это был профессор и юрист... Что теперь называется — кадет. Я всегда удивлялся его привязанности ко мне. Чувствовал себя обязанным по отношению к нему и в то же время чуждым.

О своем брате Сергее:

— Должно быть, все-таки между братьями бывает много общего. Сергей был совсем другой человек, чем я, и все-таки я его прекрасно понимал. Мне кажется, никакие люди не могут понимать друг друга так ясно, как братья.

12 мая

Л.Н. читал данную ему Чертковым книгу Пфлейдера «О религии и религиях» в русском переводе. Принес и просил меня сделать выписки отчеркнутых им мест из цитируемых в книге учений Лао-Цзы и Конфуция.

— Не боюсь вас утруждать, потому что вы сами увидите, как это интересно, — говорил Л.Н.

Книжку Аракеляна о бабизме дочитал и просил меня передать ее Буланже, чтобы тот составил популярную брошюру об этой интересной секте.

Ездили вместе верхом за семь верст, в парк князя Голицына. Караульный не хотел пускать нас, но, получив на свой вопрос, кто такой Толстой, ответ: «Тесть Михаила Сергеевича Сухотина», — перестал возражать и улыбнулся конфузливо:

— Сначала-то я не узнал...

Старик Голицын живет один, совершенно замкнуто. Очень странный. Боится женщин. Никаких наследников у него нет, кроме, как говорят, какого-то побочного сына. Л.Н. велел подошедшему управляющему передать поклон князю и сказать, что он заехал бы к нему, да некогда теперь.

Огромный парк. Назад Л.Н. нарочно поехал не через усадьбу, а в объезд. Пошел дождь, сначала небольшой, а потом всё сильнее и сильнее. Спрятались в каком-то сарае, потом в мелочной деревенской лавочке. Застали там, кроме лавочника с сыном, тоже спрятавшихся от дождя, урядника и еще юношу лет восемнадцати с нехорошим лицом, в темной куртке и чистенькой фуражке. Перед этим он встретился нам по дороге, тоже верхом, на хорошей лошади.

— Вы откуда? — спросил его Л.Н., присев у прилавка на табурет.

— Из имения князя Голицына.

— А вы кем там?

Молодой человек замялся.

— Побочный сын, — любезно сообщил лавочник тут же вслух.

Завязался разговор о земле, о крестьянской нужде, о многосемейности и о целомудрии.

— Я встретил бабу, — говорил Л.Н., — она жалуется, что трудно жить: шесть человек детей. Я и говорю: откуда они у тебя взялись-то? Из лесу, что ли, пришли? В самом деле, отчего бы так не делать, чтобы родить двоих, троих детей — и будет. А после жить как брат с сестрой. А то много детей, так ведь это отчего? От плотской похоти.

— Да оно точно так, — подтвердил лавочник.

Между тем «побочный сын» громко фыркнул, думая, вероятно, что «старик-то шутник какой!».

За обедом рассмешил всех, в том числе и Л.Н., хозяин дома. Узнав, что в парк Голицына пустили Толстого только после того, как он назвался тестем Сухотина, Михаил Сергеевич восхищался:

— Вот, значит, есть же на земном шаре такая точка, где слова «тесть Михаила Сергеевича Сухотина» производят такое впечатление! А «граф Лев Николаевич Толстой» действия не оказывает. Ведь подумать только! Всемирная известность, там все эти — Парагвай, Уругвай... А вот здесь это ничего не значит, а «тесть Михаила Сергеевича» — значит...

Вспомнили, как в прошлом году какой-то мужик сказал о старости Л.Н., что «на том свете его с фонарями ищут». Л.Н. отозвался:

— Я люблю народную иронию, незлобивую.

Вечером Душан познакомил его с только что полученными листами (в виде газеты) дешевого французского издания для народа классических произведений всемирной литературы. Л.Н. очень заинтересовался им и сочувственно к нему отнесся, выразив мнение, что то же следовало бы издавать и в России. Прочел оттуда же вслух рассказ Мюссе «Белый дрозд» и очень смеялся.

Передал Владимиру Григорьевичу свою пьесу*, а также предисловие к «Мыслям о жизни», от которого просил его «избавить», то есть сделать, если понадобится, еще какие-нибудь исправления и затем считать вещь оконченной.

13 мая

Л.Н. опять неважно себя чувствует. Верхом не катался. Утром присутствовал на приеме доктора в больнице. Решил, что медицина — суеверие. Признал только необходимость помощи бабе, которой надо было забинтовать обожженную руку.

Были местный учитель с товарищем, первые незнакомые посетители в Кочетах. Л.Н. довольно долго разговаривал с ними — разговор для него был, кажется, не особенно интересным. Велел дать книжек. За обедом говорил о них:

— Мы шли, было грязно. Я и говорю: «А вы по-старинному — разуйтесь да босиком. Или стыдно?» И вот

---
* Комедия «Долг платежом красен».

тот, не учитель, младший, говорит: «Нет, ничего, я бы пробежал». А учитель говорит: «Раньше я бы пробежал, а теперь, правда, как-то стыдно...» Так вот это для их характеристики.

Пришли мальчики за книжками. Л.Н. вышел на крыльцо. Один только что до этого хорошо передал содержание рассказа «Большая Медведица». Сам — с бойкими глазами, маленький, ноги босые, черные от грязи.

— Как зовут? — спрашивает Л.Н.

— Василий.

— Величают?

— Яковлевич.

— Значит, так и будем тебя величать: Василий Яковлевич... А у тебя сапоги хорошие. Знаешь, чем хорошие? Наши сапоги износятся, а у твоих, чем дольше носить, подошва всё толще, грубее становится.

Говорил:

— Я прочел пролог к «Анатэме» Леонида Андреева. Это сумасшедше, совершенно сумасшедше!.. Полная бессмыслица! Какой-то хранитель, какие-то врата... И удивительно, что публике эта непонятность нравится. Она именно этого требует и ищет в этом какого-то особенного значения.

Сухотин удивлялся, почему в сегодняшнем письме один революционер называет Л.Н. «великий брат».

— Мое положение такое, — ответил тот, — что не хотят обращаться просто «милостивый государь» или «любезный Лев Николаевич», а обязательно хотят придумать что-нибудь необыкновенное, и выходит всякая чепуха.

Между прочим, говорил о себе:

— Почему «великий писатель земли русской»? Почему не воды? Я никогда этого не мог понять.

Перед обедом. Сумерки. Мы с Душаном вдвоем в нашей комнате.

— От чего зависит стремление к совершенству? — говорит Душан.

Обменялись мыслями. Пришли к такому заключению, что стремление это дает удовлетворение.

Как раз вошел Л.Н. Я рассказал ему о вопросе Душана, и он высказался приблизительно в том же смысле: что стремление к совершенству дает человеку благо, которого он ищет. Благо это не может быть отнято у человека и ничем не нарушимо.

— В этой области проявляется полное могущество человека, — говорил Л.Н., — ничто не может помешать ему в стремлении к совершенству. Страх смерти — это суеверие. Спросите меня, восьмидесятилетнего старика. Нужно удерживать себя, чтобы не желать смерти. Смерть не зло, а одно из необходимых условий жизни. И вообще зла нет. Говорят, что туберкулез — зло; но туберкулез не зло, а туберкулез. Всё зависит от отношения к вещам. Злые поступки? Ну, предположим, что я скажу недоброе. А завтра раскаюсь и уже этого не сделаю — зло опять переходит в добро.

Вечером Л.Н. слушал пластинки с вальсами Штрауса. Один, «Frühlingsstimmen», в исполнении пианиста Грюнфельда, очень понравился ему, другой — нет.

14 мая

Л.Н. ходил с Чертковым в деревню за пять верст знакомиться с тамошними крестьянами и прогулкой остался очень доволен. Назад оба приехали с Татьяной Львовной, случайно встретившей их на дороге. Во время прогулки Владимир Григорьевич сделал несколько фотографических снимков.

Из всех фотографов Чертков — единственный не неприятный Л.Н. И это прежде всего хотя бы потому, что он обычно совсем не просит Толстого позировать, а снимает его со стороны, часто даже совершенно для него незаметно. Кроме того, Владимир Григорьевич и лично приятен Л.Н. и, наконец, как мне передавали, Толстой считает, что он хоть чем-нибудь должен отплатить Черткову за всё, что тот для него делает: распространение сочинений и пр. Чертков, со своей стороны, убежден и даже пытался доказывать это самому Л.Н., что он, Чертков, должен фотографировать Толстого, так как впоследствии потомству будет приятно видеть его облик.

Говорят, однажды Л.Н. возразил на это своему другу:

— Вот, Владимир Григорьевич, мы с вами во всем согласны, но в этом я с вами никогда не соглашусь!..

Приезжали к Л.Н. хорошие знакомые Сухотиных: сосед — помещик Горбов, из купцов, учредитель народных школ разных типов, и его сын, элегантно одетый молодой человек.

Под вечер Л.Н. зашел ко мне, как всегда, и стал просматривать написанные мною письма. Вошла Татьяна Львовна. Он заявил ей, что с Горбовым ему было трудно разговаривать, так как тот говорит тихо и скоро, а между тем надо быть любезным.

— Да, кроме того, еще... Ну, да этого не буду говорить.

— Ну, скажи, что такое? — спросила Татьяна Львовна.

— Нет, не буду говорить.

Однако Татьяна Львовна все-таки продолжала спрашивать.

— То, — произнес Л.Н., — что я имею отвращение к либеральным купцам. Они до тонкости усваивают весь этот либерализм... Все эти Гучковы, даже Абрикосов-отец...

Позже вечером Л.Н. зашел ко мне. Сидевший у меня Владимир Григорьевич спросил, не мешал ли он ему на прогулке:

— Нет, нисколько! Только удивительно, я записал это недавно в дневнике: я как-то чувствую людей, физически чувствую. И если бы, например, вы присутствовали при моем разговоре с мужиками, то я говорил бы не только с ними, но и с вами. Это странное чувство. Я не знаю, есть ли оно у других, но мне оно свойственно.

Владимир Григорьевич рассказывал, что когда Л.Н. начал беседу с мужиками, то он нарочно отошел в сторону, чтобы не мешать.

15 мая

Приходили мужики за книжками. Они уже говорили утром с Л.Н.

— Старичок-то ваш выйдет али нет еще? — спрашивали они.

Л.Н. узнал о том, как титуловали его мужики, и был страшно доволен. Его считали просто за старичка. Как это хорошо и какая разница с яснополянским «ваше сиятельство»!

Затем был учитель одной из окрестных школ. Л.Н. дал ему книжку «О вере».

— Ничего не знает! — говорил он о нем, разумея невежество учителя в вопросах истинной веры и истинного просвещения, как их понимает сам.

Затем приехал сосед — помещик Матвеев, бывший драгоман посольства в Персии. Вел за обедом уморительный дипломатический, то есть политический, разговор. Остался на весь день. По его отъезде кто-то предложил изобразить «нумидийскую конницу» — то есть бегать вокруг стола, потряхивая кистью высоко поднятой правой руки и склонив голову, — чтобы развеять скуку. В прошлом году, после одного такого же скучного гостя, Л.Н., оказывается, бежал вокруг стола первый, за ним — все.

Чертков всё побуждает Л.Н. закончить пьесу. Татьяна Львовна хочет поставить ее здесь.

Л.Н. спрашивал, какие ему материалы взять, чтобы изобразить в статье о самоубийстве безумие современной жизни. Мы ему назвали: газеты, декадентскую литературу, мясную выставку, «Шантеклера» и пр.

16 мая

Л.Н. болен. Не пил кофе, не завтракал и не обедал. Я зашел за письмами после обеда. Писем много. Он все просмотрел.

— Вы, кажется, не особенно хорошо себя чувствуете, Лев Николаевич?

— Совсем нехорошо. И изжога, и слабость... Да это так надо! Пора уж...

И зачем я спрашивал его!

17 мая

Л.Н. слаб, днем не выходил из комнаты. Разговаривали с ним в его комнате двое крестьян, которым я дал книжки, и старик скопец. О разговоре со скопцом Л.Н. рассказывал:

— Он меня даже огорошил сначала. Говорит: если нужно соблюдать целомудрие, то для чего же нам этот предмет? Но я как всегда говорил, так и теперь скажу, что жизнь не в достижении идеала, а в стремлении к нему и в борьбе с препятствиями, которые ставит тело. Истинные благо и добродетель — в воздержании. Они же подобны тому пьянице, который не пил бы потому, что у него не было бы денег или кабака. Здесь еще не было бы нравственного поступка... Я не знаю, как для других, но для меня по крайней мере эта мысль имеет решительное значение. Но он — человек духовный. И ведь какую все-таки нужно иметь силу, чтобы решиться на это! Не говоря уже о том, что он лишен семьи, он подвергается и преследованию. Ведь он провел тридцать шесть лет в ссылке в Сибири.

Приехали сегодня фотограф Тапсель и сопровождавший его Белинький, который сегодня же и уехал.

18 мая

Л.Н. лучше. Получил хорошее письмо из Москвы, от своей единомышленницы, молодой девушки, и отвечал на него большим письмом. Поправил пьесу. Владимир Григорьевич дал ее мне переписать, и я впервые познакомился с ней. Л.Н. будет еще поправлять ее. Вечером он говорил, что написал ее только для «телятинковского театра». Говорил о характеристике одного из действующих лиц, прохожего:

— Это тип спившегося пролетария, рабочего. В нем смешано благородное с распутством. Одет в рваный пиджак...

Кончать пьесу побуждает Толстого Владимир Григорьевич. Последний рассказывал мне о первых шагах основанного им издательства «Посредник».

— Вот так же Лев Николаевич торопился к моему отъезду, как теперь, кончать свои рассказы.

После завтрака Владимир Григорьевич снимал Л.Н. кинематографическим аппаратом Эдисона, приславшего этот аппарат. Вечером Татьяна Львовна принесла в зал массу старых фотографий. Все смотрели. Пришел Л.Н. и тоже стал рассматривать их. Он говорил:

— Как интересно рассматривать старые фотографические карточки! Выясняешь себе характеры людей. Вот Урусов. Про него очень глупые люди говорили, что он очень глуп, а он был умнее очень умных людей в некоторых отношениях. Он был женат на Мальцевой, конечно, ему было трудно выйти из условий жизни высшего света, но это был настоящий человек.

В сегодняшнем номере газеты Л.Н. читал о том, как в Государственной Думе Пуришкевич запустил стаканом в Милюкова. Это дало ему повод провести параллель между африканскими дикарями, изложение религии которых он читает сейчас в книге Пфлейдерера, и «образованными» европейцами.

— Полное сходство! — говорил Л.Н. — Дикари даже выше, потому что они еще «не дошли», как о них выражаются европейцы, до понятия о собственности или о государстве и насилии... Эти фракции, партии! — продолжал Л.Н. — Ведь это ясно, что люди хотят заменить всей этой деятельностью то, что действительно нужно человеку, всю настоящую работу.

Я написал по поручению Л.Н. два письма, которые он очень похвалил. Переписал начисто пьесу в пятый раз. Она всё лучше и лучше. Удивительно приятно, переписывая, следить за изменениями, которые делает в ней Толстой. Он сам всё недоволен ею. Говорит: «фальшиво». По поводу моих писем говорил, что хотел сказать мне «в связи с ними что-то серьезное и приятное», но... забыл.

Сегодня после завтрака мы выехали из Кочетов — домой. За завтраком Л.Н. рассказывал, как он был у деревенской бабки-знахарки.

— Меня поразили в ней глупость и самоуверенность. Свидание с ней было для меня подтверждением той истины, что успех достигается глупостью и наглостью. Это не парадокс. Еще раз я убедился в этом.

— А как же вы объясняете ваш успех? — при общем смехе спросил сидевший рядом Чертков.

Л.Н. засмеялся.

— У меня нет успеха, — сказал он, — это недоразумение!.. Вот меня в письме жена благочинного так распекала: она думала, что я — то и то, а я — то и то!..

И Л.Н. снова залился добродушным смехом.

Выехали в пяти экипажах: Л.Н. и провожающая его Татьяна Львовна, Чертков, Тапсель с фотографическими аппаратами, я, Душан и, наконец, вещи. Совершенно какой-то царский поезд. Поехали не на станцию Благодатное, а новой дорогой: на Мценск, за тридцать верст, с остановкой на пути у Абрикосовых.

День прекрасный, только немного жаркий. У нас с Душаном старичок ямщик, мценский мещанин, который, как оказалось, знал Ивана Сергеевича Тургенева: он, по его словам, возил Тургенева из Мценска в Спасское-Лутовиново.

— Старичок, давал книжки, — только и мог, к сожалению, рассказать о Тургеневе ямщик.

Да, мы проезжали «тургеневские» места: Мценский уезд Орловской губернии — тургеневский уезд. Здесь он жил, здесь копил материалы для «Записок охотника». И с радостным волнением смотрел я на расстилавшиеся передо мною леса и поля. «А впереди, — думал я, — едет Толстой». Русская литература! — никогда я не в силах быть равнодушным к тому, что имеет к ней отношение.

Абрикосовы. Миленькая, чистенькая усадьба. Миниатюрные комнаты небольшого одноэтажного домика. Терраса, живописный берег речки.

Пробыли здесь часа полтора. Л.Н. отдохнул. Татьяна Львовна осталась здесь. Дальше поехал в экипаже с Толстым Хрисанф Николаевич Абрикосов.

— Устали от дороги? — спросил я Л.Н.

— Нет, где же устать! Напротив, отдыхал. Такая красота, такая красота!

Имение князя Енгалычева. Едем через усадьбу. Князь, лет сорока пяти, рыжеватый, в белом кителе с погонами, «непременный член» чего-то, выбежал поспешно навстречу с фотографическим аппаратом. Снял Л.Н. в группе со своей женой, с детьми. Наш Тапсель тоже работал.

Поехали. Енгалычев дал Л.Н. поцеловать своего ребенка, вскочил на подножку его экипажа, проехал с ним, потом расцеловался. Мы ехали в гору, шагом. Я шел пешком около своего экипажа. Попрощался с Енгалычевым. Тот выглядел очень взволнованным и растроганным. Взяв под руку, прошел со мной несколько шагов.

— Знаете, — говорил он, — многое хорошее в душе поднимается!..

Жалел, что не было дома двух его молодых сыновей, которые в прошлом году, оказывается, верхами провожали Л.Н. вплоть до Мценска.

Мценск. Паром через Зушу. Проезжаем через весь город. Вокзал. Л.Н. тоже везде узнают, но назойливости нет.

Смешной эпизод. Кассир в Мценске не хотел разменять мне денег. Я осмелился сослаться на Толстого (деньги действительно были нужны для него) — разменял!

Поехали во втором классе. Это «интрига» Черткова. У нас-то с Душаном билеты третьего класса, но все равно мы все время толклись около Л.Н., который ехал в отдельном купе второго класса.

Было очень хорошо. Ничего похожего на нашу дорогу в Кочеты. Из вагона Л.Н. почти не выходил. Только вечером, уже незадолго до приезда, говорил с молодой женщиной и с полицейским.

— В полицейской форме? — спросил он о последнем, когда я сказал, что он хочет поговорить. — Тем более интересно. Давайте его сюда!

Однако разочаровался в нем.

— Совсем пустой! Спрашивает, есть ли Бог... Ничего не читал, ничего не знает. Я указал ему на его нехорошее дело. Говорит: нужно зарабатывать хлеб... Женщина, та серьезнее. Ей нужно было, а этому не нужно было.

О женщине потом Л.Н. говорил мне, что она замужняя и полюбила другого. Он сказал ей, что за другим может последовать третий и т.д.

Перед Щёкином, где Л.Н. решил слезть, чтоб не ехать лишнего по железной дороге до Засеки, начали укладываться.

— Что же это я лодырничаю-то? — спохватился он, стоявший уже в шляпе и в пальто у окна в коридоре. — Дайте мне что-нибудь.

— Вот донесите это, Лев Николаевич, до соседнего отделения и положите там, — сказал я, подав ему узел.

— Вот прекрасно!

Взял и понес, согнувшись.

Чертков, сидя с Л.Н. в купе, рассказал ему, как женщина, желавшая его повидать, и ее подруги никак не хотели признать меня за секретаря Толстого.

— Он хорошо письма пишет! — сказал, показывая на меня, выходивший из купе Л.Н.

Передал мне это Владимир Григорьевич. Сам я видел только, что Л.Н. говорит про меня, но что именно, не расслышал.

На станции нас встретили Федя Перевозников и другие телятинские друзья, которые рады были повидать и Владимира Григорьевича, еще не бывавшего здесь после высылки и не имевшего права и теперь заехать домой. Л.Н. обещал им постараться кончить пьесу.

— Прощайте, братцы! Буду стараться изо всех сил! — крикнул он, когда экипаж уже тронулся.

На этот раз с ним поехал я, а Душан сел на тележку с вещами. Чудная ночь. Звезды. Белое тульское шоссе. Совсем как три года назад, когда, после первого моего свидания с Л.Н. и вечера, проведенного у Чертковых, я возвращался пешком на станцию, без надежды увидеть Толстого когда-нибудь еще. Теперь же я ехал вместе с ним, и не на станцию, а к нему же, в Ясную Поляну. Хорошо говорили. О чем — трудно и не хочется описывать. Пусть уж этот разговор останется без описания.

Было приключение. Кучер чуть не опрокинул экипаж. Свалился с козел, едва не попал под колеса при крутом спуске. Потом завязил вожжу в колесе.

— Он неловкий! — шепчет, наклоняясь ко мне, Л.Н.

В Ясной нас радостно встретила Софья Андреевна.

21 мая

В Ясной гостят Екатерина Васильевна Толстая, вторая жена Андрея Львовича, с маленькой дочкой, и внук Л.Н., сын Сергея Львовича, гимназист Сережа, с французом-гувернером. Сегодня приезжали и вечером снова уехали Сергей и Андрей Львовичи.

Душан Петрович получил письмо от Гусева, из ссылки. Он прочел это письмо Л.Н. Гусев писал, между прочим, что по прочтении статьи Короленко «Бытовое явление» (о смертных казнях) он почувствовал, что не стоит жить, когда творятся такие ужасы.

— Вы напишите ему, — сказал Л.Н., — что я не понимаю этого, что, по-моему, напротив, если узнаешь об этих ужасах, то захочется жить, потому что увидишь, что есть то, во имя чего можно жить.

Я получил извещение от Битнера, редактора «Вестника знания», что при более подробном ознакомлении с моей «Христианской этикой» он пришел к заключению о полной невозможности издания ее при существующих цензурных условиях (четыре главы являются особенно «страшными»: «Церковь», «Государство», «Труд и собственность» и «Непротивление злу насилием»). Придется помириться с мыслью запрятать рукопись подальше: я не вижу возможности придать своей работе «приемлемый» для цензуры вид.

Я сообщил о письме Битнера Л.Н. Он только руками развел.

Вот Толстой входит ко мне в комнату.

— Я рад, Лев Николаевич, — говорю я ему.

— Вы рады, и я рад, — улыбается он доброй улыбкой.

Я рассказал о причине своей радости: счастливо кончилось недоразумение с двумя неверно посланными письмами, так как случайно оказались известными оба адреса и тексты обоих писем и ошибку можно было исправить.

— Что вы пишете, милый Лев Николаевич? — спросила «старушка Шмидт», как зовут ее дочери Льва Николаевича.

— Представьте, ничего, Мария Александровна! И очень доволен, — отвечал Л.Н. — Что у меня есть для Ивана Ивановича (Горбунова. — *В.Б.*) и Сытина? «На каждый день» и «Мысли о жизни». Это у меня обязательная работа, льщу себя надеждой, что эта работа может быть полезна людям.

Мария Александровна спросила, как он провел время у Сухотиных.

— Хорошо. Барская жизнь, распробарская, красивая. Но это барство незаметно, потому что сами хозяева — милые, добрые. Там конституция. Знаете, как у нас деспотия, так у них конституция. Хорошие отношения и близость с прислугой... Поэтому там легче жить.

Был посетитель. Про него Л.Н. говорил:

— Какой-то странный. Рассказывал про свои видения. Я, грешным делом, слушал и запоминал слова для моей пьесы: «по волнам жизни носило», «галлюциенации».

22 мая

Сегодня недоразумение с Софьей Андреевной из-за черкеса-караульного, не пускавшего крестьян пройти на работу через усадьбу. Всё уладилось к общему согласию.

Л.Н. много работал. Настроение у него хорошее. Дал клеенчатую тетрадь своего дневника, чтобы я переписал туда из его записной книжки записанные им сегодня мысли.

Исправлял корректуры «Мыслей о жизни».

Иван Иванович просит Л.Н. не стесняться внесением поправок в корректуры «Мыслей о жизни», которым придает огромное значение.

— Ведь это вечное! — говорит он.

Работал также Л.Н. над пьесой. Говорит, что она была «ужас что такое, а теперь начинает на что-то походить».

Получена уже вторая телеграмма от скульптора князя Паоло Трубецкого, с вопросом, дома ли Л.Н. Вероятно, он скоро приедет. Говорят, он большой оригинал. Вегетарианец. Л.Н. особенно нравится то, что Трубецкой, как он сам признается, «ничего не читает». Во время одного из его прошлых приездов в Ясную Поляну у него спросили, читал ли он «Войну и мир».

— Я ничего не читаю! — ответил Трубецкой, не постеснявшись присутствием самого Толстого и точно обидевшись, что его не хотят понять и запомнить о нем такой простой вещи, как то, что он «ничего не читает».

Он говорит, что он таким образом охраняет свободный рост и развитие своей творческой индивидуальности.

Посетители. Совсем не интересный старик старообрядец почтенной наружности с просьбой о деньгах. Более интересный: студент-медик Московского университета, юноша Юрий Жилинский, путешествующий пешком на Кавказ, с маленькой черненькой собачонкой-замухрышкой. Зашел якобы за книжками, но, конечно, главным образом, чтобы повидать Л.Н. Зашел и... кажется, зацепился, то есть заинтересовался его взглядами. Наконец, посетитель особенно интересный: крестьянин Тульской губернии Фокин, отказавшийся от военной службы и просидевший за это в тюрьме в общей совокупности восемь лет и четыре месяца (он три раза бежал). Теперь его выпустили, причем на четыре года отдали под надзор полиции. И вот, по нелепому распоряжению администрации, он должен еженедельно «являться по начальству» в город, отстоящий от его деревни за восемьдесят пять верст. А он человек рабочий. Пробовал не являться — доставили по этапу. Л.Н. дал Фокину письмо к Гольденблату и несколько рублей, так как в довершение всех бед Фокин недавно погорел. Конечно, он не просил о деньгах. Вообще он произвел впечатление в высшей степени порядочного и очень милого, скромного человека. По совету Л.Н., я подробно записал со слов Фокина, который неграмотен, историю его отказа от военной службы.

Днем я ездил с Л.Н. верхом. И он, и я любовались природой. Небо голубое, всё цветет — леса, трава; всё свежее и такое чистое: еще не вянет и не запылилось.

23 мая

Л.Н. работал над корректурами книжек «Мысли о жизни». Кое в чем я ему помогал: расположил по отделам вновь добавленные мысли о науке, распределил по разным книжкам вновь собранные и оставшиеся не включенными раньше мысли, в том числе Достоевского, Чернышевского, Лао-Цзы, Конфуция.

Много народу, шумно, бестолково, Л.Н., думаю, тяготится. Были: Андрей Львович, Скипетров, которого Толстой любит, Давид Максимчук, молодой человек, украинец, который осенью думает отказываться от воинской повинности, Михаил Булыгин, князь Оболенский, Гольденвейзер, Дима Чертков, Сергеенко.

Пришел Николаев — заговорил о Генри Джордже. Разговаривали на террасе, вечером, в темноте.

— А вот Андрюша заботится о том, — начал Л.Н., — чтобы укреплять землю...

— И всю жизнь буду заботиться, — перебивает Андрей Львович.

— ... За собственниками, чтобы крестьяне стали такими же грабителями, как помещики, — кончает, не повышая голоса, Л.Н.

В столовой за чаем Софья Андреевна заметила, что, по газетам, больной фельдмаршал Милютин ничем не интересуется, весь ушел в себя, — словом, жизнь умирает.

— Напротив, только начинается настоящая-то жизнь, — тихо произнес Л.Н.

Утром, узнав, что в «Русском слове» напечатано мое письмо о вегетарианстве, писанное по его поручению частному лицу, Л.Н. сказал:

— Вы хорошо пишете, они и печатают.

Говорил как о благодарной теме для художника о типе современного молодого священника, который хочет служить Богу на деле и сталкивается с препятствием в лице церкви. О простых религиозных людях, исполняющих церковные обряды, Скипетров, приехавший снова, сказал, что они не осуществляют в жизни своих добрых намерений.

— Нет, нельзя сказать, — возразил Л.Н. — Осуществляют, но в очень ограниченной степени. Те силы, которые должно бы тратить на это, уходят именно на другое. Главное то, что они искренно верят в Бога, в *живого* Бога. А в этом всё!.. А вот у профессора этого нет.

Говорил, что ему нравится обычное у крестьян ироническое настроение, а потом прибавил, что у них бывает три рода настроений:

— Веселое, ироническое, деловитое или очень серьезное.

Как это замечательно верно!

Ездил с Л.Н. в двухместном шарабанчике к Горбунову. Он сам правил, и, конечно, очень умело.

Восхищался природой:

— Какая синева везде! Сейчас всё в самом расцвете: человек в тридцать два, тридцать три года. Пройдет немного времени, и уже всё начнет вянуть. Я нынешней весной особенно любуюсь, не могу налюбоваться. Весна необыкновенная!.. Сколько цветов! Я каждый раз, как гуляю, набираю букет. Не хочешь рвать, а невольно сорвешь один цветочек, другой и смотришь — приносишь букет.

Говорил о полученной сегодня немецкой книге с отрицанием ортодоксального христианства и с выводом о необходимости установления нового религиозного миросозерцания. В связь с этой книгой Л.Н. поставил полученное им сегодня же письмо от революционера, которого сама жизнь привела к христианским убеждениям.

— Такие люди теперь живо чувствуют потребность в разумном религиозном миросозерцании, свободном от суеверий, — говорил он. — Их именно такое миросозерцание способно совершенно удовлетворить.

Потом разговор перешел на оценку одного из распространеннейших правил обыденной морали: «как все»; отсюда — на политическое движение и на теорию о том, что «когда-нибудь мы осуществим всё это, а пока...». Я упомянул о Государственной Думе. Лев Николаевич убежденно высказался в том смысле, что она приносит огромный вред, служа для отвода глаз народу. Но вместе с тем он признает, что Дума содействовала и пробуждению в народе сознания несправедливости своего положения.

Переехав шоссе, Л.Н. слез с экипажа и пошел к Засеке пешком по тропинке в лесу, влево от дороги.

— Уж очень меня эта тенистая дорожка соблазняет, — говорил он.

Я поехал вперед один. Под Засекой остановился. Толстой скоро подошел, и мы опять поехали вместе дальше. Он рассказал о бывшем у него сегодня утром народном учителе, который хочет жениться, но не имеет денег для этого; просил их в прошении на высочайшее имя, получил отказ и пришел о том же просить Л.Н.

Я замечаю, — говорил Л.Н., — что теперь вырабатывается особый тип народного учителя, и нехороший тип: это все люди, вышедшие из крестьян. Новое положение у них неопределенное, жалованье небольшое, от крестьянской работы они уже отстали. На этой почве создается недовольство всем.

В Овсянникове он поговорил с Иваном Ивановичем о печатании «Мыслей о жизни», разобрал всю текущую работу над ними и относящиеся к ней бумаги, привезенные нами. Между прочим, просил Горбунова «серьезно» не присылать ему для вторичного просмотра исправленных им и уже сброшюрованных первых двух-трех книжек «Мыслей».

Мы уже отъехали, как Л.Н. остановил лошадь и, смеясь, проговорил, обращаясь к подбежавшему Ивану Ивановичу:

— Я хотел только сказать, что как когда у меня бывает понос, я прошу не ставить на стол простокваши, а то я не утерплю и непременно возьму, так и вас прошу не высылать книжек до выхода их, а то непременно буду исправлять, захочется еще улучшить...

Кроме Шмидт, Буланже и Горбуновых, мы неожиданно встретили в Овсянникове милого Сережу Булыгина, оказавшегося там по случайному делу.

— Какой красивый малый этот Булыгин, — говорил по дороге назад Л.Н. — Как-то он справится с отказом. (Сереже нынче осенью предстоит отказ от военной службы. — *В.Б.*) Ну, да какое же сравнение: сидеть в арестантских ротах или вести барскую распутную жизнь?

— То есть вы хотите сказать, что первое лучше?

— Да еще бы, как же не лучше!

Видя крестьян на поле, Л.Н. произнес:

— Как это хорошо — физическая работа! Я всегда завидовал и завидую тем, кто занимается ею.

Вечером говорил, что читал книгу Торо «Вальден» и что она как раньше ему не нравилась, так и теперь не нравится.

— Умышленно оригинально, задорно, неспокойно, — говорил Л.Н. о Торо*.

27 мая

Вернулись из Крыма Александра Львовна и Варвара Михайловна. Кроме того, приехал из Швейцарии, где он постоянно живет, Николай Николаевич Ге, сын знаменитого художника.

Утром Л.Н. продиктовал мне большое письмо Молочникову о том, что не нужно думать о последствиях жизни по воле Бога. Два раза он заходил потом ко мне, чтобы дополнить и исправить это письмо.

За завтраком — разговор с Ге. Судя по первому впечатлению, Николай Николаевич — чуждый Л.Н. по духу человек, хотя его и зовут у Толстых «Колечка Ге» (несмотря на его пожилой возраст) и он издавна считается другом всей семьи. Это типичный интеллигент, с каким-то западным оттенком. (Недаром Ге не любит Россию и перешел во французское подданство.) Очень добродушный и остроумный, но какой-то рассеянный, в разговоре постоянно перескакивающий с предмета на

---

* Генри Дэвид Торо (1817—1862), американский мыслитель, писатель и натуралист описывает в книге «Уолден, или Жизнь в лесу» свои наблюдения за звуками и запахами леса и воды во время собственного эксперимента по изоляции от общества, проводимого в хижине на берегу Уолденского пруда.

предмет. Говорит, что он, побыв несколько лет за границей, видит, что Россия сильно изменилась.

— В чем же? — спрашивает Толстой. — Железных дорог больше и на аэропланах стали летать?

— Нет, — отвечает Ге, — именно не в том.

И начинает развивать сложную теорию о том, что раньше русский человек, разговаривая, так разговаривал, что обязательно хотел показать, что он принадлежит к какой-нибудь категории, а теперь русский человек разговаривает просто как человек, откровенно и свободно.

— Да я думаю, что это всегда было, — сказал с улыбкой Толстой.

— Нет, не было!

— Да как же не было?

— Нет, нет, не было!.. Знаете, Лев Николаевич, — говорит Ге, — я покажу вам прекрасную книгу Моно о религии...

— Да, да, ведь их так много пишется, что познакомиться со всеми ими никак не возможно.

— Нет, — с увлечением восклицает Ге, — это именно такая книга, какие очень редко встречаются! Он говорит в ней, что религиозная истина заключается не в каком-нибудь отдельном веровании — в католичестве, в протестантстве, — а во всех них, только надо извлечь ее... Это — вера!

— Это что же: *la loi ou la croyance**?

— Да.

— Да, но ведь только это такие трюизмы...

— Трюизмы, да, для нас, но для всего современного общества это не трюизмы, а для них это очень важно!..

Говорили о том, что фельдмаршал Милютин поправился и по-прежнему сам убирает свои комнаты.

— Как это трогательно! — заметил Л.Н.

Ездил с Толстым верхом. Долго, по лесу больше. Как он говорил, проехали верст двадцать. Между прочим, вот программа всех верховых прогулок Л.Н., от которой он отступает очень редко: выехать на дорогу, затем свернуть с нее в лес или в поле, в лесу пробираться по самым глухим тропинкам, переезжать рвы и заехать таким образом очень далеко; затем заблудиться и, наконец, искать дорогу в Ясную, спрашивая об этом у встречных, плутать,

---

* Закон или вера (*франц.*).

приехать утомленным. Спрашиваешь: «Устали, Лев Николаевич?» — «Нет, ничего», — неопределенным тоном. Или очень определенно, только одно слово: «Устал!»

И сегодня так всё именно было. Ответ по возвращении: «Устал!»

Я удостоился сегодня ехать на Дэлире, который опять подкован. Сильная, горячая лошадь, но очень покойная для седока.

28 мая

Опять поехал с Л.Н., но не на Дэлире, на котором ехал он сам.

— Сегодня немного проедем, — говорил Л.Н. — Впрочем, я говорю — немного, а как поедешь, опять далеко уедешь.

Ездили меньше вчерашнего, по вычислениям Л.Н. — верст двенадцать. Программа та же.

Жаркий день. Зелень, зелень, зелень. Голубое небо. Л.Н. всё восхищается.

За обедом шепотом говорит сидящему рядом Ге:

— Я думаю, через пятьдесят лет люди будут говорить: представьте, они могли спокойно сидеть и есть, а взрослые люди ходили, прислуживали им, подавали и готовили кушанье!..

— Ты о чем? — спросила Софья Андреевна. — О том, что они подают?

— Да, — и Л.Н. повторил то же вслух.

Софья Андреевна стала возражать.

— Да я это только ему сказал, — произнес Л.Н., указывая на Ге. — Я знал, что будут возражения, а я совсем не хочу спорить.

Рассказывал о письме Черткова, в котором он сообщает, что приедет артист Орленев, который хочет посвятить себя устройству народных спектаклей. Очень заинтересован. Л.Н. говорил, что хотел бы очень написать для Орленева пьесу, но вот — не может.

Говорили о памятнике Гоголю в Москве. Сергей Львович взялся доказать, что он никуда не годится. Между прочим, он говорит, что Гоголь представлен в памятнике не в полном расцвете сил, как следовало бы, а в период упадка. Расцвет же сил Гоголя — это время написания «Мертвых душ».

— Если бы Гоголь сжег не вторую, а первую часть «Мертвых душ», то ему, наверное, и памятника бы не поставили, — привел Сергей Львович слова, как он сказал, Льва Михайловича Лопатина, профессора философии Московского университета.

Николай Николаевич заявил, что памятник ставился для городской толпы и потому так вычурен, а если бы он ставился «для народа», то был бы яснее, понятнее, именно это был бы Гоголь — автор «Мертвых душ».

— А я скажу, — с необыкновенным волнением, какое мне приходилось редко наблюдать в нем, произнес до сих пор молчавший Л.Н., — что народу все эти «Мертвые души» и прочие художественные произведения Гоголя вовсе не нужны. Он скажет: это выдумка, значит, вещь ненужная, забава. А народ знает Гоголя совсем с другой стороны и только это в нем ценит. А все эти выдумки Гоголя ему вовсе не интересны и не нужны!..

Вечером я уехал на новое, вернее — на старое местожительство — в Телятинки.

29 мая

В Ясной — тяжелая семейная история. Рассказывал ездивший туда Дима Чертков.

Софья Андреевна стала жаловаться Л.Н., что ей всё надоело, что она не может заниматься хозяйством и т.д. Он предложил ей бросить эти скучные занятия, а если в Ясной Поляне нельзя ими не заниматься, то уехать куда-нибудь. Это обидело Софью Андреевну, и она ушла в поле, где будто бы лежала в канаве. За ней послали лошадь и привезли ее домой. Л.Н. боится, как бы Софья Андреевна чего-нибудь не сделала над собой, взволнован, и это волнение вызвало у него перебои сердца.

Очень грустно за него, грустно, что и он, при всем своем величии, да еще в преклонные годы, не избавлен от таких сцен.

30 мая

Был в Ясной. Когда пришел, все сидели за завтраком на террасе. Я подошел к Софье Андреевне и стал обходить, здороваясь, сидящих за столом.

— Точно чужой, — заметил, улыбаясь доброй улыбкой, Л.Н.

Тут же были новые гости: скульптор Паоло Трубецкой и его жена.

Л.Н. потом говорил мне о Трубецком:

— Очень интересный человек. Действительно, он ничего не читает, но мыслящий человек и умный. Вегетарианец. Говорит, что животные живут лучше, чем современные люди. Он был очень мил — приехал не за тем, чтобы лепить, а просто, но потом увлекся и будет лепить.

Я спросил Л.Н. о здоровье. Он ответил, как бы угадывая мою мысль:

— Хорошо. Вчера у нас было нехорошо, а сегодня всё хорошо.

Дал мне несколько писем для ответа. Потом уехал с Трубецким верхом. Сам на Дэлире, тот — на маленькой лошадке, между тем он очень грузный и высокий человек.

Трубецкой действительно очень оригинален. Наружность у него — актера на роли резонеров и благородных отцов, лицо совершенно бритое. Что-то в нем напоминает и американца. По-русски говорит плохо, потому что с детства жил в Италии и Франции. Жена его — финка или шведка и говорит по-русски, по словам Варвары Михайловны, едва ли не лучше мужа. За столом беседа велась все время по-французски.

31 мая

Л.Н. очень весел. Занимается Трубецким, много говорит с ним. Зовет его «ваше сиятельство».

— Буду его звать: ваше сиятельство. К нему это идет, — смеялся Толстой.

Я думаю, что он именно потому зовет Трубецкого «ваше сиятельство», что последний, как это делается очевидным очень скоро после знакомства с ним, совершенно равнодушен к своему титулу и, наверное, забыл бы о нем, если бы не напоминали другие.

Пока я был в Ясной, Толстой с Трубецким ездил в Телятинки и потом рассказывал, что Трубецкой был в восхищении от простой, веселой и трудовой жизни телятинковских друзей во главе с Димой Чертковым.

В Ясной Трубецкой не теряет времени: уже сделал небольшой портрет Л.Н. маслом и два рисунка карандашом. В свой альбом зарисовал карикатуры на себя и свою жену. Приступить к лепке он пока еще не может, так как глину пришлось выписывать из Москвы, и она еще не получена.

Июнь

2 июня

Был у Толстых вечером. Приезжала дама, соседка-помещица, «делала визит». Она показалась мне очень порядочной женщиной, но была слишком разговорчива — по-моему, от робости: она и сама признавалась вслух, что робеет, и я видел, как дрожали ее руки. Вполне светская, с хорошими манерами и французской речью.

Л.Н. вошел в «ремингтонную», где я один занимался копированием писем.

— Ужасно меня утруждает эта дама, — проговорил он. — Разговоры, разговоры... Только чтобы не молчать — прелюбодеяние слова...

И с этой дамой он должен был прощаться любезно, сказать ей что-нибудь приятное.

В Ясную кто-то из друзей прислал православный «На каждый день», издаваемый миссионером Скворцовым, в противовес, может быть, сочинению того же названия Толстого. Л.Н., придя ко мне в «ремингтонную», развернул его и прочел первое попавшееся какое-то суеверное мудрствование.

— Мне очень нравится, — произнес он, — то, что сказал перед смертью Вольтер, отказавшись от причащения, о чем его просили близкие: «Я умираю, обожая Бога, любя своих друзей, не ненавидя своих врагов и питая отвращение к суеверию».

3 июня

Трубецкой лепит статуэтку Л.Н. верхом на лошади. Л.Н. понемногу позирует художнику перед отправлением на прогулку. Лепит Трубецкой на дворе, перед крыльцом.

Все смотрят на его работу. Он сам очень увлекается: отходит в сторону, оглядывает свое произведение, восхищается маленькой степной лошадкой Толстого, на которой он непременно хотел лепить его, обойдя Дэлира. Лошадку эту скульптор находит очень характерной.

Л.Н. занят пьесой. Название ее из «Долг платежом красен» он переменил на другое — «От ней все качества». Это фраза одного из действующих лиц. От ней — то есть от водки.

Дал мне письмо для ответа, который начал писать сам, но не кончил.

Сделав свои дела, я отправился в Телятинки. Л.Н. уже уехал верхом в сопровождении Душана. Прощаясь с Трубецким, я задержался и разговорился с ним по-русски. Оказывается, он все-таки недурно владеет своим родным языком.

— Вы из Телятинок? — спросил он меня. — Как вы хорошо живете!.. Работаете на земле и сами себя прокармливаете? Это лучше всего — жить тем, что дает работа на земле... Вы лучше меня живете. Я живу в городе. Но, — с твердостью произнес он, — я буду так жить, я непременно буду!

Он хотел купить небольшой участок земли и работать на ней. И теперь он питается исключительно растительными продуктами, не употребляя в пищу ни мяса, ни молока и молочных продуктов. Вегетарианцем он стал десять-двенадцать лет назад. Поводом к решению вегетарианствовать послужил следующий случай: однажды, проезжая итальянскую деревню, он видел, как для того, чтобы заставить теленка войти в бойню, ему закрутили хвост и сломали хрящ.

— Никакое животное этого не сделает! — воскликнул Трубецкой.

О молоке же он говорит:

— Зачем нам молоко? Разве мы маленькие, чтобы пить молоко? Это только маленькие пьют молоко.

Как художник, Трубецкой ни к какой школе себя не относит. Считает, что в наше время «нет скульпторов». Роден и Судьбинин? Оригинально? В чем состоит эта оригинальность? Он изображает женщину с ногой, закинутой на руку (Трубецкой изобразил это), — и все кричат: ах, оригинально!

— Нужно просто делать! — говорит Трубецкой.

Говорит, что творчество художника должно быть свободным. Учить мастерству нельзя. Учитель может только передать ученику свои приемы, между тем талантливый художник должен сам вырабатывать свои. Он рассказал историю своего профессорства в Московском училище живописи, ваяния и зодчества. К нему записалось сначала сорок учеников, а потом осталось только два, потому что он ничему не учил и за два года был в школе только три раза. Но зато оставшиеся у него два ученика были самые талантливые.

— Отчего я леплю? — спрашивал Трубецкой. — Мне нужны деньги, за это, — указал он на статуэтку Л.Н., стоявшую около, — дают деньги. — И на его лице мелькнула детская, смущенная, застенчивая улыбка. — Но надо редко лепить, — продолжал Трубецкой, — когда самому хочется. Я вижу: натура хорошая, нужно сделать натуру, и я делаю.

— Меня спрашивают, — говорил еще этот, я думаю, единственный в своем роде скульптор: — «Вы скульптор?» Нет, я не скульптор, я — человек.

4 июня

Ездил в Ясную с Димой Чертковым и баронессой Ольгой Константиновной Клодт. Она — пожилая особа, лет пятидесяти, близкая родственница русских художников баронов Клодт. Сама окончила Академию по классу живописи, но давно этим искусством не занимается. Она разделяет взгляды Л.Н. Старается жить трудовой жизнью, долго жила в деревнях среди крестьян, помогая им в работах и обучая детей. Она считает трудовую жизнь более важной и более отвечающей ее религиозному настроению, чем занятие искусством. Очень проста и приветлива со всеми.

В столовой много народа. Шум. Л.Н. молча сидит грустный в сторонке. Где-то затерялся листок из альбома для автографов одной дамы-итальянки с несколькими автографами каких-то других знаменитостей, который она прислала Л.Н. для подписи. Толстой очень беспокоился за этот листок. Ввиду того, что поиски его оказались безрезультатными, решил сам написать итальянке извинительное письмо. Где предел его снисходительной доброте!

Я спросил его, чем он теперь занимается.

— Двумя самыми противоположными вещами: тем, что мне особенно дорого и что так серьезно и важно — предисловием к «Мыслям о жизни», и самой глупейшей вещью — комедией.

О комедии:

— Я теперь бросил ее писать. Комедию гораздо труднее написать, чем философскую статью. Только представить, сколько здесь трудностей! Каждое лицо имеет свой характер, каждое лицо говорит своим языком, столкновения между всеми лицами тоже должны быть естественными. Я так обрадовался, когда узнал от Ольги Константиновны, что Арвид Ернефельт писал своего «Тита» восемь лет. Это понятно.

Лев Николаевич имел здесь в виду не О.К.Толстую, а О.К.Клодт, приходящуюся Ернефельту родной теткой со стороны его матери, тоже баронессы Клодт. «Тит» — драма Ернефельта, недавно шедшая с выдающимся успехом на финской сцене.

О предисловии к «Мыслям о жизни» Л.Н. говорил с необыкновенным оживлением:

— Думаю, что теперь скоро кончу. Да, да, мне самому кажется, что это так хорошо. Знаете, как-то это само собой поднялось у меня, эти три пункта-усилия: против похотей тела — усилие самоотречения, против гордости — смирения и против лжи — правдивости. Это верно! Очень важно, хорошо... Буду кончать! Ну, до свиданья!

5 июня

Утром в Телятинки пришел крестьянин-писатель Семенов и скоро ушел, как-то незаметно для всех, в Ясную, где я его снова и встретил. В рубашке, в пиджаке. Похож на подрядчика. Жесткое выражение лица, маленькие бледные глаза, рыжеватая клинышком бородка. Л.Н. мало говорил с ним. О любви его к Семенову как к писателю я уже неоднократно упоминал.

Просмотрев мои дела, Л.Н. оставил меня обедать.

Трубецкой лепит его. Выходит очень похоже. Фигура Толстого бесподобна! Особенно голова. Взгляд понимаешь не сразу, а хочется вглядеться в него и так же задуматься. Выражение лица на статуэтке Трубецкого напомнило мне чуть-чуть выражение, которое я видел у Л.Н. в вагоне, по дороге в Кочеты.

Трубецкой говорит, что я заметил главное достоинство его работы: что у глиняного Толстого «даже есть глаза».

Л.Н. позирует художнику, сидя в кресле или стоя и разговаривая. Трубецкой так деликатен, что не заставляет его ни переходить с места на место, ни поворачиваться, а сам переносит подставку со своей статуэткой: быстрые, тяжелые, неуклюжие, но осторожные, медвежьи движения. Л.Н. передразнивал их: согнув колесом руки и ноги, переваливаясь с ноги на ногу, побежал... Засмеялся и бросил.

Видимо, он любит Трубецкого, это «большое дитя», необыкновенного человека.

Идет дурочка Параша, старая толстая женщина с улыбающимся лицом.

— Мажет! — говорит она, указывая на скульптора.

— Здравствуй, Параша! Это кого же он мажет, кто на лошади-то сидит? — спрашивает Л.Н.

— Да ты! — смеется и закрывает рукавом лицо Параша.

Л.Н. рассказывает Семенову:

— Она — девушка. Но с ней однажды случился грех: она забрюхатела. И Таня рассказывала о ней, очень трогательно, как она доставала белый хлеб, и когда ее спрашивали: «Куда?» — «А малого-то!» И про малого: «Ишь кобель, ворочается!..» Но, к сожалению, не умела родить. И была девочка, а не «малый». Когда ей говорили, что «что же ты, Параша, еще не родишь?», она отвечала, что как кто теперь полезет, так она его «в морду»! Чудесно! — заливался смехом Л.Н. — Вот кабы все женщины так!

Расстроила его сегодня одна просительница: рыдала и требовала дать ей какое-нибудь место. Он хотел опять писать письмо в газеты о том, что материальной помощи он не имеет возможности оказывать.

— Хочу перед смертью быть со всеми в добрых отношениях, — говорил Л.Н. с волнением, — а мои отказы в материальной помощи их раздражают и вызывают недобрые чувства.

Удовлетворила просительницу Мария Николаевна, жена Сергея Львовича.

8 июня

Л.Н. болен. Хотел приехать в Телятинки, к Орленеву, который здесь, а завтра хотел ехать в Столбовую к Черткову, но ни того ни другого не смог осуществить. Орленев был ненадолго у Л.Н. по его приглашению, но не понравился ему, как передавали после.

Павел Николаевич Орленев — лет сорока двух, но моложавый, живой, стройный, остроумный, однако, по крайней мере на мой взгляд, очень жалкий. Уже не человек, а что-то другое: не то ангел, не то машина, не то кукла, не то кусок мяса. Живописно драпируется в плащ, в необыкновенной матросской куртке с декольте и в панаме, бледный, изнеженный, курит папиросы с напечатанным на каждой папироске своим именем; изящнейшие, как дамские, ботинки, трость — всё дорогое. Читал стихи. Думается: нет, не ему основывать народный театр. Для этого нужен совсем другой человек. Впрочем, у Орленева и замыслы неширокие: один спектакль из семи — для народа.

Ездил в Ясную. Из лакейской, рядом с прихожей, слышатся звуки балалайки. Вхожу и вижу такую картину. Сидят Дима Чертков, лакей Филя и князь Трубецкой, причем последний, склонив голову и вогнув носки ног внутрь, бренчит на балалайке.

Потом я играл на балалайке на террасе вальс, а Трубецкой с женой вертелся, комически подражая движениям завзятых танцоров. «Еще, еще!» — кричал он, когда я останавливался, не будучи в состоянии от смеха продолжать игру.

Он показывал мне снимки с модели — проекта памятника Александру II. И этот высокохудожественный проект был отвергнут, а ему предпочтена какая-то конфетная бонбоньерка!

Вечером Трубецкой приехал в Телятинки, к фотографу Тапселю, которому он давал проявлять пластинки со своими снимками. Мы оставили его пить чай. Живо соорудили самовар не в очередь и накрыли стол на дворе, на открытом воздухе. Трубецкому нравится, как он говорил, «простота» Телятинок. Рассказывал о своей мечте заниматься земледелием, о варварском приготовлении некоторых мясных блюд, таких как *foie gras.*

— Как это... белое такое... — Он делал руками округлые движения и потом вспомнил: — Гусь!

Сожалел, что Л.Н. живет в таких тяжелых условиях. Говорил, что, может быть, через сто лет все будут жить, занимаясь трудом. И во всех оставил такое милое впечатление, так все с ним сроднились!

9 июня

Приходил вечером в Ясную. Л.Н. дал много писем для ответа. Между прочим, приведу образчик его религиозной терпимости. Один корреспондент пишет, что «принять учение Толстого он не может», но что сочувствует очень учению баптистов, а потому просит Л.Н. указать ему адреса баптистов в Москве. Толстой на конверте так просто и пишет: «указать адреса». Меня удивила эта исключительная внимательность.

Говорил мне об Орленеве:

— Совсем чужой человек. Афера... И не деньги, а тщеславие: новое дело...

Особенно поразил Л.Н. костюм Орленева и декольте во всю грудь до пупа. О своем разговоре с артистом он рассказывал:

— Я с ним и так и так — ничего не выходит!

10 июня

Был в Ясной и ездил с Л.Н. верхом, причем на одном из поворотов в лесу потерял его, и вернулись домой мы отдельно. Он вышел, смеясь, к обеду, зная, что я сконфужен. Расспрашивал, где я потерял его, и не успокоился до тех пор, пока ясно этого не понял.

Об Орленеве опять говорил мне:

— До сих пор не могу от него опомниться. Живет человек не тем, чем надо. Это совершенно то же, что проституция.

Читал в копеечном юмористическом журнале «Анекдоты о Толстом», очень остроумные, и весело смеялся над ними.

Говорил, что читает о бехаизме*, рассказывал об этой религии и очень высоко отзывался о ней.

Спрашивал о дальнейшей судьбе моей книги «Христианская этика».

— Так было вам много труда, такая интересная работа. Жалко!

То есть жалко, что она не печатается.

Я немного говорил с ним о своем недавнем разговоре с Сергеем Булыгиным и о том, как последний понимает Бога. Л.Н. не согласен с пониманием Бога как Существа, и с тем, что возможно «видение» Бога.

Опять дал мне для ответа несколько писем и, как очень часто, о некоторых приговаривал:

— Если вам Бог на сердце положит, ответьте.

12 июня

Л.Н. наконец собрался в гости к Черткову, проживающему в селе Мещерском, близ станции Столбовой, по дороге на Москву. Сопровождали его Александра Львовна, Душан Петрович, слуга Илья Васильевич и я.

Решили в поезд садиться в Туле, а до Тулы ехать на лошадях. Чудесное утро.

Проезжаем мимо Тульской тюрьмы.

— Вот здесь сидел Гусев, — говорит Душан Петрович.

Вспомнили, что и еще кое-кто из «толстовцев» сиживал в этом огромном белом с мрачными окнами здании, и тюрьма показалась «своей», близкой.

К Курскому вокзалу проехали задними, глухими улицами — если не ошибаюсь, по желанию Л.Н., не хотевшего соблазнять туляков своим появлением. По железной дороге отправились во втором классе, причем к нашей компании присоединился еще японец Кониси, бывший вчера в Ясной Поляне и теперь возвращавшийся в Москву. Ехали хорошо. Л.Н. по большей части находился в своем маленьком купе, а мы, остальные, теснились в другом таком же купе.

Толстой, присутствие которого мы невольно чувствовали даже и в другом купе и оттого радовались, несколько

---

* Бехаизм — оппозиционное религиозное учение, возникшее в Персии в середине XIX века, основателем его был последователь бабизма Бахаулла, мирза Хусейн-Али-и-Нури (1817—1892).

раз во время остановок поезда выходил погулять по платформе. Публики ехало немного, и назойливых приставаний не было.

Один раз я остановил Л.Н. во время прогулки и представил ему только что познакомившегося со мной добродушного пожилого сибиряка, доктора. Доктор из какой-то газеты узнал, что секретарь Толстого — сибиряк, и, увидав меня, подошел познакомиться с земляком. Л.Н. очень приветливо отнесся к нему, и тот был счастлив.

Уже когда мы сошли с поезда на Столбовой и Толстого окружили встречавшие нас Чертковы, ко мне подошел юноша в фуражке с зеленым околышем и робко попросил передать Л.Н. «привет от ученика коммерческого училища», что я после и исполнил.

Мы у Чертковых. Обед. За столом все: и хозяева, и гости, и прислуга. Наш Илья Васильевич робко жмется к сторонке: он не привык к такому порядку.

Л.Н. очень наблюдателен: заметил, что экономка и хозяйка Чертковых Анна Григорьевна, разливавшая суп, «левша». Заговорили о погоде — стал и прямо подошел к одному из окон взглянуть на градусник, который тоже заприметил.

После обеда сел играть в шахматы с Анатолием Радынским, молодым человеком, одним из сотрудников Владимира Григорьевича по издательским и литературным делам.

— Мы с Сухотиным ровно играем, — говорил Л.Н. о шахматах, — только он играет спокойно, а я вот, по молодости лет, всё увлекаюсь.

13 июня

Дождь, но Л.Н. все-таки гулял утром.

В его комнате, по указаниям его, сделали перестановку мебели. Он тоже помогал. А утром нечаянно пролил чернила и сам стирал их мокрой бумагой с клеенки стола. Позвал меня помочь, потому что нужно было с силой тереть, и мы терли до тех пор, пока клеенка не стала совсем чистой.

Собрались все в столовой. Владимир Григорьевич говорит, что часто приходит ему мысль, что если бы сочинения Толстого могли распространяться свободно, то как бы усиленно они читались и какое бы влияние оказывали на людей.

— Не думаю, — ответил Л.Н. — Есть такие течения, которые препятствуют входить, — как цензура «Русских Ведомостей».

— Да, но потребность религиозная назрела.

— Назрела-то назрела...

Утром Л.Н. опять исправил предисловие к «Мыслям о жизни». Оно было переписано, и вечером он снова сел за него. К чаю пришел поздно, в одиннадцать часов, и вручил мне вновь исправленное предисловие.

Веселый и оживленный. Быстро заговорил. Говорит, что начал читать «Яму» Куприна, но не мог дочитать, бросил.

— Так гадко! Главное, лишне. Всё это можно короче. А тут размазывание. Вот меня сейчас ждут в Ясной Поляне две девушки, приехали просить о местах. Одна из них имеет дар писательства. Но так как содержания она не может дать интересного, то она описывает. И вот описывает судьбу девушки. Очень естественно. У нее ноги вывернуты вот так (Л.Н. показал руками. — *В.Б.*), но такое красивое лицо, милое, нежное. Кто-то ее соблазнил, потом бросил... И такой рассказ производит гораздо более сильное впечатление, чем все «Ямы». А эти Пречистенские курсы... (Л.Н. имел в виду рабочую молодежь с Пречистенских курсов в Москве, бывшую у него недавно. — *В.Б.*). Я им говорю: отделите в литературе всё написанное за последние шестьдесят лет и не читайте этого — это такая путаница!.. Я нарочно сказал шестьдесят лет, чтобы и себя тоже захватить... А читайте всё написанное прежде. И вам то же советую, молодые люди, — обратился он к нам.

— Что же, Пушкина? — говорит Владимир Григорьевич.

— Ах, обязательно! И Гоголя, Достоевского... Да и иностранную литературу: Руссо, Гюго, Диккенса. А то принято это удивительное стремление — знать всё последнее. Как этот? Грут, Кнут... Кнут Гамсун!.. Бьёрнсон, Ибсен... О Гюго же, Руссо — знать только понаслышке или прочитать, кто они были, в энциклопедии и — довольно!..

— Да, кстати, — продолжал Л.Н., — я недавно смотрел там о Формозе. Вы имеете представление о том, что такое

Формоза? Это остров, которым Япония недавно завладела. Мне рассказывал о нем много Кониси, который постоянно там бывает. Представьте, там встречается людоедство. И как! Трубецкой очень умно сказал, что людоедство есть уже некоторая цивилизация. Людоеды уверяют, что они едят дикарей. А дикарями они считают племена, которые там же живут и питаются только фруктами.

И еще рассказывал Л.Н. о слышанном им от японца.

14 июня

Л.Н. ходил в деревню поблизости, где у крестьян размещены, под надзором фельдшера, пятьдесят умалишенных из находящейся близ психиатрической лечебницы. Разговаривал с ними. Некоторыми успел заинтересоваться, но, видимо, думал найти для себя в этой прогулке больше интересного, чем нашел, потому что рассказывал о своих впечатлениях без особенного одушевления.

Был доктор Карл Велеминский из Праги, чех, «учитель немецкого языка на реальном училище», как сообщил о нем милый Душан. Он приехал со специальною целью: подробнее ознакомиться с педагогическими взглядами Толстого. Л.Н. уделил ему довольно много времени, в течение которого Велеминский имел возможность расспросить Толстого о его отношении к отдельным научным дисциплинам и к школьному преподаванию вообще.

Об этнографии Л.Н. говорил, что ее задача не изучение внешней стороны жизни известной народности, не того, во что люди одеваются, в чем помещаются, а того, во что они веруют, какой смысл придают жизни.

Велеминский задавал свои вопросы на немецком языке, Л.Н. отвечал по-русски. Беседа шла в столовой при всех. Тут же записывали за Л.Н. четверо и даже больше людей: Владимир Григорьевич, Алеша Сергеенко и другие. Этакое старание было даже неприятно, и я нарочно ничего не записывал.

О сборнике киевских студентов по вопросу о самоубийствах Л.Н. сказал:

— Наивный сборник молодежи. Самонадеянность: «мы, молодежь»... Между тем молодые люди тогда-то и хороши, когда они скромны.

Говорил:

209

— С детьми стоит поработать. Я не столько говорю о маленьких, но вот так, начиная с четырнадцатилетнего возраста. Среди них из ста бывает двое таких, над которыми можно поработать, из которых что-нибудь выйдет.

Приходили дети из соседнего приюта с цветами. Л.Н. благодарил их, а Владимир Григорьевич роздал им портреты Толстого и книжки.

15 июня

Л.Н. немного нездоров. Приходил директор психиатрической лечебницы из Мещерского, но не был принят. Вечером Л.Н. все-таки вышел в столовую и сел за шахматы со своим постоянным теперешним партнером Радынским. Рассказывал, что читал «Записки лакея» Новикова*, служившего и у Сухотиных, переписанные на пишущей машинке. Восхищался ими.

— Начал читать и не мог оторваться: так интересно!

По предложению Анны Константиновны Чертковой, стали читать «Записки» вслух. Обязанность эта выпала на мою долю. Играя в шахматы, Л.Н. все-таки внимательно следил за чтением: некоторые места просил пропускать, смеялся при описании комических подробностей барской жизни, наконец, исправлял мои многочисленные почему-то сегодня ошибки в ударениях.

— Не правда ли, как интересно? — спросил он, когда мы оставили чтение по окончании игры в шахматы. — Но, к сожалению, у него есть преувеличения в описании барской жизни, преднамеренное сгущение красок...

Попрощался и ушел.

16 июня

С Чертковым Л.Н. осматривал психиатрическую лечебницу в Мещерском. Руководил осмотром директор. И он, и все врачи были с гостями очень любезны. Вечером Л.Н. делился впечатлениями:

— Все-таки думал, что впечатление будет сильнее, что меня больше взволнует. Должно быть, не сильное впечатление было оттого, что мы видели всех больных

---

* «Записки лакея, или Правдивая история рабской жизни» крестьянина Адриана Петровича Новикова (1865—1930), знакомого Толстого; в них рассказывается о его 26-летней службе лакеем у князя Г.П.Волконского.

сразу, было много интересного... Сильнее бы действовало, если бы мы видели одного больного...

Приятно поразило Л.Н. доброе отношение врачей и низших служащих к больным.

— Как это хорошо — доброе отношение к больным, да и ко всем! Ведь вот эта бывшая учительница: я немного стал ей перечить, а как она взволновалась. Она жаловалась, что ей дают не ту пищу, которая ей полезна. Я говорю, что доктора ведь, наверное, знают. А когда стал прощаться, то она мне руки не подала. «Я не могу вам подать руки, потому что мы с вами расходимся во мнениях...»

Говорил:

— Удивительно то, что для врачей больные — это не люди, которых жалеешь, а это — материал, над которым они должны работать. И, пожалуй, это так и нужно, чтобы не распускаться.

Л.Н. интересовало отношение больных к религиозным вопросам. Один на вопрос, верит ли он в Бога, ответил: «Я — атом Бога», а другой: «Я в Бога не верю, я верю в науку». Второй ответ особенно поразил Л.Н.

Между прочим, по дороге в больницу Толстого остановил крестьянин.

— Что вам? — спросил Л.Н.

— Да я слышал, что вы счастье отгадываете, — ответил тот.

Он обратился к Л.Н. как к знахарю, и тот сделал, что мог сделать, объяснил крестьянину свое понимание жизни.

Вообще за эти дни, то есть за время пребывания у Чертковых, Л.Н., по-видимому, чувствует себя очень хорошо. Всегда такой оживленный, разговорчивый. Думаю, что он отдыхает здесь после суеты у себя дома. Да и самая сравнительная простота чертковского домашнего обихода, как мне кажется, гораздо больше гармонирует со всем душевным строем Л.Н., чем опостылевшая ему «роскошь», а главное, хоть и не полная, но несомненная аристократическая замкнутость яснополянского дома.

17 июня

Л.Н. работал снова над предисловием к «Мыслям о жизни», которое переписывается для него почти каждый день по два раза. Говорил, что теперь кончил его, только дал еще для просмотра Владимиру Григорьевичу.

— Кажется, кончил, — говорит Л.Н., — признак тот, что у меня мозг хорошо работает.

После обеда (в час дня) он ездил верхом в сопровождении Черткова в соседнее село Троицкое. Встретили по дороге даму-дачницу, приветливо поклонившуюся. Л.Н., по словам Владимира Григорьевича, снял шляпу и раскланялся, «как маркиз».

Чертков рассказывал также о всегдашней привычке Л.Н. ездить там, где труднее.

— Все косогоры и рвы, какие есть на пути между Мещерским и Троицким, он проехал, — шутил Владимир Григорьевич.

Кто-то стал говорить о том, как на днях Л.Н. перебрался через отверстие в плетне и перед удивленной домашней экономкой вдруг появился, как она рассказывала, «прямо из помойной ямы».

Стоял общий хохот.

Вдруг входит Л.Н. Владимир Григорьевич передает ему содержание разговора.

— Да, я держусь пословицы о том, как прямо ехать, — произнес Толстой, — вы не знаете? «В объезд ехать — к обеду дома будешь, а прямо ехать — дай Бог к вечеру».

Рассмешил всех еще больше. А пословица эта к Л.Н. очень идет. Вспоминаются мне его плутания вокруг Ясной Поляны.

Владимир Григорьевич показывает Толстому сборники «Песен свободных христиан» своей жены Анны Константиновны, присутствующей тут же. Л.Н. подошел к фортепиано, просмотрел песню «Слушай слово», а я спел один куплет ее под его аккомпанемент.

— Браво, браво, — похлопал он в ладоши, вставая из-за фортепиано.

И за обедом повторил с улыбкой:

— Хорошо поете. В самом деле, хорошо. Голос такой хороший.

Вечером сошлись все за чаем.

Передам возникший за столом комический разговор «о таракане».

— Представьте, а у меня в комнате тараканы! — говорил Л.Н. — Я сегодня два раза видел.

— Ах, боже мой! Только один таракан? — спрашивает с испуганным выражением лица Владимир Григорьевич.

— Не знаю, один ли, я его два раза видел.

— Вам это неприятно?

— Да нет, что же, если он один.

— Можно изловить его, — говорит кто-то.

— А я думаю, — возразил Чертков, — что лучше этого не делать, чтобы не обнаружить, что он не один. Лучше оставаться в приятном заблуждении. Он коричневый? — спрашивает он.

Л.Н. старается припомнить цвет таракана. Компетентные люди объясняют, что собственно тараканы по виду — черные и большие, а маленькие и темно-желтые — это прусаки.

— Вот у меня маленький и темно-желтый, — говорит Л.Н.

— Так, стало быть, это не таракан, а прусак, — заключает Владимир Григорьевич при общем смехе.

— Стало быть, прусак, — соглашается Л.Н.

— А где Валентин Федорович? — спрашивает он вдруг через минуту. — Что же вы не поете?

Я встал и спел «Лихорадушку» Даргомыжского, по просьбе Чертковых, которым я пел эту песню вчера и еще раньше.

— *Quasi* народная, — заметил Л.Н.

Потом я спел еще народную песню «Последний нынешний денечек».

— Прекрасная песня, прекрасная песня! — говорил Толстой.

Похвалил у меня ясную дикцию. Затем ушел, а без него организовался хор, с которым я пропел еще две песни.

18 июня

От одной особы Л.Н. получил письмо с просьбой прислать триста рублей на лечение мужа от нервной болезни.

— Жалко, что я «откупался», — говорил он, — а то сколько бы хороших вещей можно было написать! Вот хотя бы об этой женщине...

— Да вы и пишете хорошие вещи, — сказал Владимир Григорьевич, намекая, очевидно, на пьесу, которую пишет Л.Н.

— Должно быть, я стал к себе строже, — ответил тот.

Вчера Толстой начал и сегодня кончил новую статью «Славянам», написанную по поводу приглашения его участвовать в славянском съезде в Софии. Вчера он кончил предисловие к «Мыслям о жизни», но сегодня все-таки еще поправил его немного. Поправку, как он говорил мне, ему хотелось сделать следующую. Он писал в предисловии о «любви к Богу и другим существам». Чертков, если не ошибаюсь, предложил ему выпустить слова «любовь к Богу». Лев Николаевич согласился, но сегодня решил выражение это заменить выражением «сознание Бога».

— Это гораздо яснее и сильнее, — говорил мне Л.Н., излагая сущность новой поправки.

Просматривая ноябрьский и декабрьский выпуски «На каждый день», он некоторые мысли снял и просил меня вместо них подыскать другие, однородные по содержанию, из его же сочинений. Замена, которую я сделал, была им одобрена.

Вчера заболела оспой маленькая дочка одного из работников, и всем обитателям дома была сделана прививка оспы, за исключением Владимира Григорьевича, отказавшегося от прививки по принципиальным соображениям, Александры Львовны и Анны Константиновны, как не вполне здоровых физически, а также, конечно, Л.Н. Последний говорил о бесполезности прививки.

— Нечего стараться избавиться от смерти, все равно умрешь.

— Да не все хотят умирать, — возразили ему.

— И напрасно.

Пришло письмо М.А.Стаховича о том, что Столыпин разрешил Черткову жить в Телятинках, пока там будет гостить его мать. Всеобщее ликование.

Вечером, под аккомпанемент пианино и с хором, я пел песни «Вот мчится тройка удалая» и «Последний нынешний денечек». Л.Н. слушал.

— После этой песни («Последний нынешний денечек») удобно перейти сразу на «Барыню», очень подходит, — посоветовал он нам.

И подхлопывал «Барыне» в ладоши.

С утра очень веселый и оживленный. Усиленно пишет. Александра Львовна вошла на цыпочках, положила для поправок на стол вновь переписанное письмо славянскому съезду. Он — ни звука. Пишет сам на листках бумаги. Потом приходит к ней на балкон, вручает рукопись — оказывается, написал рассказ под названием «Нечаянно» — и декламирует:

> Сочинитель сочинял,
> А в углу сундук стоял.
> Сочинитель не видал,
> Споткнулся и упал.

И сам смеется. Александра Львовна так оживилась, что решилась переписать рассказ на пишущей машинке, для чего нужно было спуститься вниз по подставной деревянной лестнице, высокой и крутой. По большой внутренней лестнице в доме в это время обычно стараются не ходить, чтобы не беспокоить скрипом отдыхающую Анну Константиновну.

— Если ты лазишь по этой лестнице, так и я буду лазить, — говорит Л.Н.

Александра Львовна давно уже подозревала в нем это желание.

В три часа поехали по приглашению директора и врачей в Мещерское, в Покровскую психиатрическую лечебницу, на сеанс кинематографа, обычно устраиваемый раз в неделю для больных. Л.Н., Александра Львовна, Владимир Григорьевич и многие из домочадцев, в том числе и я.

Опять Толстому — царская встреча. Со всех сторон бежит народ. Стали подъезжать к зданию лечебницы, по сторонам дороги — толпы. Тьма фотографов. При входе две больные женщины поднесли ему два букета цветов.

Большой зал. Темные занавеси на окнах. Освещение электрическими фонарями. В глубине зала большой экран. На скамьях для зрителей направо — больные мужчины, налево — женщины. В конце левых рядов — ряд стульев, где сел рядом с директором больницы Л.Н. и где разместились остальные гости.

Электричество потухло, зашипел граммофон в качестве музыкального сопровождения, и на экране замелькали картины. Показывались при нас картины «Нерон» — драма, водопад Шафгаузен — с натуры, зоологический сад в Анвере — с натуры, «Красноречие цветка» — мелодрама (преглупая), похороны английского короля Эдуарда VII — с натуры и «Удачная экспроприация» — комическая (очень глупая).

Картины эти оценены были Л.Н. по достоинству. Мелодрама и экспроприация, а также «Нерон» поразили его своей бессодержательностью и глупостью; похороны короля Эдуарда навели на мысль о том, сколько эта безумная роскошь стоила; зоологический сад очень понравился.

— Это настоящий кинематограф, — говорил Л.Н. во время показа этой картины. — Невольно подумаешь, чего только не производит природа, — добавил он.

— А, обезьяны! — прочел он на экране заглавие. — Это забавно!..

Обезьяны действительно были очень забавны.

По неосторожности Л.Н. в антракте заговорил с одной больной, бывшей учительницей, с которой виделся в первое посещение лечебницы.

Та нервно и возбужденно заговорила:

— Вот вы, Лев Николаевич, говорите: не судите да не судимы будете. А мой доктор должен быть отдан под суд, потому что он — деспот! Вы знаете значение слова «деспот»?

— Да как же, знаю!

— Так вот он деспот! Он лечит меня совершенно не так, как нужно! Вы знаете, он совершенно не понимает моей болезни.

— Как это грустно! — говорит Л.Н.

— И вы знаете, я думаю, что я здесь совершенно не поправлюсь.

Голос больной начинает дрожать. Она, придерживаясь за стену руками, возбужденно и обиженно глядит на Толстого и говорит громко, так что все остальные — и больные и здоровые — внимательно прислушиваются... Л.Н. выходит на улицу. Снаружи во всех направлениях бегают фотографы.

С другой больной во время представления случился истерический припадок: она разрыдалась, не хотела уходить, и ее насилу успокоили. Это несмотря на то, что допущены в зал были только тихие больные.

Вообще же больные следили за представлением довольно спокойно, с несомненным интересом, но не проявляя его как-либо особенно.

Не просмотрев программы и наполовину, мы уехали из больницы, причем Л.Н. расписался, по просьбе врачей, в книге почетных посетителей.

Проехали опять посреди групп народа. Только вернулись, как из соседней деревни явились в полном составе все домохозяева с женами и со старостой во главе — видеть Толстого. На руках держат корзинку и блюдо с яйцами. Он, хоть и был утомлен поездкой, вышел.

— Чем могу служить?

— Как же, великие люди... Поглядеть пришли...

Сами суют Л.Н. блюдо. Он растерялся и не знает, взять или нет. Тогда из-за его спины выдвинулся Чертков и принял подношение. Взяли у крестьян и корзину.

Л.Н. стал расспрашивать крестьян об их деревне, посоветовал не выделяться из общества на хутора («много от этого греха!») и затем попрощался с ними (за руки, как и поздоровался), обещавшись зайти на деревню.

Приехали гости: Семен Соломахин и Александр Сергеевич Бутурлин, когда-то, как говорят, оказавший помощь Л.Н. при издании и редактировании «Соединения, перевода и исследования четырех Евангелий». Л.Н. был очень любезен и приветлив со своим старым знакомым.

Вечер был необыкновенный. Толстой прочел вслух свои новые произведения «Славянскому съезду» и рассказ «Нечаянно», из детской жизни. Последний, впрочем, он только начал, а дочитал я. («Отлично читаете!») Рассказ прекрасный.

Потом долго разговаривали. Сидели все на террасе. Л.Н. — у стола с зажженной лампой.

Бутурлин сказал о художнике Мешкове, что он ничего не читал.

— Молодец! — воскликнул Л.Н., уже забывший Мешкова.

— Молодец? — изумился Бутурлин.

— Молодец! — подтвердил Л.Н. и рассказал о Трубецком, который тоже ничего не читает. При этом характеризовал Трубецкого как большой талант и как ребенка.

— Одно мне в нем не нравится, что он с женой голый ходит.

Трубецкой действительно, когда жил в Ясной Поляне, ходил на речку Воронку купаться вместе с женой.

— Он не безнравственный человек, — говорил Л.Н., — он делает это по принципу. Он — ужасный вегетарианец и поклонник животных. Как он говорит, животные гораздо нравственнее людей, и люди должны стараться на них походить. Я с ним спорил об этом и говорил, что человек не может ставить себе идеалом животное. Он может стать ниже животного, но может стать даже выше того идеала человека, который он себе представляет. У человека есть врожденный стыд, которого лишены животные. И это прекрасно, что он закрывает одеждой всё, что не нужно, и оставляет открытым только то, в чем отражается его духовное, то есть лицо. У меня всегда было это чувство стыда, и, например, вид женщины с оголенной грудью мне всегда был отвратителен, даже в молодости... Тогда примешивалось другое чувство, но все-таки было стыдно...

Бутурлин рассматривал фотографии Л.Н.

— Я ужасно ценю портреты в фотографиях, — сказал Толстой, — так приятно видеть дорогих людей.

Владимир Григорьевич показал Бутурлину скульптуру Аронсона — голову Л.Н. Сам Л.Н. при этом заметил, что ему скульптура эта не особенно нравится. Он находил, что в ней преувеличена «умственность»: «эти шишки на лбу». Владимир Григорьевич заметил, что Аронсон лепил статуэтку с одной из его фотографий.

Л.Н. ответил:

— А вот Трубецкой в этом отношении настоящий художник. Он никогда не допустил бы лепить по фотографии, всегда с натуры... Но я вообще это искусство — скульптуру — не особенно люблю, так же как и живопись... А вот музыка меня переворачивает! Живопись никогда не производила на меня сильного впечатления: подойдешь, посмотришь — и только. Может быть, я так чувствую, а другие иначе. Мне же только очень немногие картины дороги, и прежде всего — Орлов.

Бутурлин заметил, что, по отзывам художников, у Орлова рисунок нехорош.

Л.Н. не согласился с этим.

— В первой и последней картинах (как они расположены в альбоме, изданном «Посредником») рисунок действительно нехорош, а в остальных превосходен!*

Еще Л.Н. говорил:

— Трубецкой удивлял меня, как удивляет большой художник и в музыке! Он лепил статуэтку: вот этакая рука и такая головка, и он в этой головке кое-что снимет, кое-что прибавит, и получается то, что он хочет.

21 июня

Утром Л.Н. вышел на балкон, где я сплю. Я еще лежал, накрывшись одеялом. Душан писал за столом. Л.Н. стал спрашивать у него шепотом о присланных вчера Горбуновым-Посадовым корректурах «Мыслей о жизни». Я услыхал и сказал, что книжки у меня.

— Какие хорошие цветы! — сказал Л.Н., нагнувшись к букету из крупных лиловых колокольчиков на столе, за которым писал Душан. — Это опять вы нарвали?

Я отвечал утвердительно. Поднявшись, я набрал такой же букет и, пока Л.Н. гулял, поставил букет к нему в комнату.

Отправляясь на прогулку, он опять вышел на балкон и подошел к подставной наружной лестнице с намерением спуститься по ней вниз, чтобы не идти по внутренней, скрипучей, и не беспокоить отдыхавшую Анну Константиновну.

— Это не пройдет, — просто заметил стоявший около Илья Васильевич.

Л.Н. махнул рукой:

— Не буду, а то вы все смотреть на меня будете!

Повернулся и тихо, на цыпочках, спустился по внутренней лестнице.

Вернувшись с прогулки, он позвал меня и передал письма для ответа. По случайному поводу тут же сказал о вчерашнем рассказе, где, между прочим, изображается муж, возвратившийся домой в отчаянии после крупного проигрыша в карты.

---

* Речь об альбоме репродукций картин Николая Орлова «Русские мужики» с предисловием Толстого.

— Я хотел представить — особенно на это я не хотел налегать, — что в отчаянии он хочет сначала забыться удовлетворением половой похоти, а когда жена его оттолкнула, то папироской...

Часа через два узнаю, что Л.Н. написал новый рассказ: разговор с крестьянским парнем*. Видимо, его охватил такой счастливый творческий порыв. Конечно, это, я уверен, следствие спокойной, тихой и в то же время богатой впечатлениями жизни в Мещерском.

Приехали: Федор Алексеевич Страхов, актер Орленев и скопец Григорьев, бывший у Л.Н. в Кочетах.

После завтрака снимали Л.Н. Так же как в Кочетах, он в саду за столом разбирал со мной письма. Подошли и остальные. Толстой стал читать свою новую статью о самоубийствах, над которой он сегодня работал, и мистер Тапсель имел случай снять живописную группу.

Вначале, когда Л.Н. только что сел, он поглядел на меня и, смеясь, тихонько проговорил, намекая на фотографа:

— Я едва удерживаюсь, чтоб не выкинуть какую-нибудь штуку! Не задрать ногу или не высунуть язык.

Но вот все пошли пить чай. Л.Н. остался кончить разборку корреспонденции, я также остался. Он поднял глаза от письма, которое читал.

— Хотя Белинький, — заговорил он, — и недоволен, что я всё говорю о любви да о любви, но я все-таки чем дольше живу, тем больше убеждаюсь, что любовь — это самое главное, что должно наполнять собою всю нашу жизнь и к чему нужно стремиться. Она всё определяет и дает благо. Если есть любовь, то всё хорошо: и солнце хорошо, и дождик хорошо... Не правда ли?

Просмотрев письма, Л.Н. отправился гулять, а за обедом у него разговор с Орленевым о театре. Видимо, они не сойдутся. Орленев никогда не поймет Л.Н. В то время как он придает исключительное значение художественности пьесы, игре, костюмам и декорациям, Толстой ценит, главным образом, содержание пьесы, не придавая значения внешней обстановке спектакля.

---

* Сначала рассказ назывался «Из дневника», а потом — «Благодарная почва».

220

После обеда Орленев прочел — с пафосом, но без вдохновенного подъема — стихотворение Никитина. Всем чтение понравилось. Л.Н. прослезился. Орленев тоже был растроган. Ему страшно не хотелось уезжать, но надо было спешить на поезд — в Москву по делу.

Все же остальные отправились в село Троицкое, в Московскую окружную психиатрическую лечебницу — тоже на сеанс кинематографа. Прекрасные лошади были высланы администрацией лечебницы за Л.Н. и его «свитой». Роскошное помещение. Диваны и кресла в первом ряду. Любезнейшие директор и врачи. Масса народу.

Толстой, просмотрев начало программы из пяти интересных картин с натуры, когда начали показывать одну из глупых комических картин, встал и вышел, а мы, его многочисленные спутники, последовали за ним. Ему вообще не хотелось ехать смотреть кинематограф, но он обещал это раньше врачам и не хотел их обидеть, не приехавши хоть ненадолго.

Л.Н. слаб. Сделал кое-что по «Мыслям о жизни».

Кониси прислал открытку с японским рисунком, снимок со старинной картины.

— Странно, но выразительно, — улыбнулся Л.Н., после того как довольно долго смотрел на рисунок, где изображена японка, всплескивающая руками над разбившимся кувшином.

В столовую пришел поздно. Там были Владимир Григорьевич, Душан Петрович и скопец.

— Что это вы вырезали, Душан Петрович, из «Нового времени»? — сказал Л.Н., увидав продырявленный номер суворинской газеты.

Тот начал описывать какие-то «еврэйские» плутни.

— Ах, грех это, Душан Петрович! — покачал Л.Н. головой. — Грех...

— Но... что же, Лев Николаевич!

— Нет, грех, грех, грех!.. Обращать внимание на это!.. Я не понимаю.

Пил кефир, взял пустую бутылку и стал глядеть в нее через горлышко. Разговаривает и смотрит. Потом смеясь поманил меня пальцем.

— Посмотрите-ка!

Я поглядел внутрь бутылки: муха карабкается по скользким стенкам вверх, к выходу через горлышко.

— Ах, несчастная! — сорвалось у меня.

— Да, — засмеялся Л.Н., — я тоже смотрел и думал: «Несчастная!» Теперь еще она выкарабкивается, а то совсем вязла. Невозможно было смотреть без чувства жалости.

— Так, стало быть, по-вашему, мух и морить не нужно? — озадачился скопец.

— Не нужно, — ответил Толстой. — Зачем же их морить? Они тоже живые существа.

— Да они — насекомые!

— Все равно.

— Мы так завсегда их морим.

— А я вот этих листов, знаете, видеть не могу.

— Как же от них избавиться-то?

— Нужно делать так, чтобы избавиться от них без убийства: выгонять из комнаты или соблюдать чистоту.

Л.Н. подошел и нагнулся к старику.

— Об этом хорошо сказано у буддистов. Они говорят, что не нужно убивать сознательно.

Он пояснил, что, позволив себе убивать насекомых, человек может себе позволить убивать животных и человека. Владимир Григорьевич напомнил Л.Н., что раньше он не имел такой жалости к мухам и даже утверждал противоположное только что сказанному.

— Не знаю, — ответил Толстой, — но теперь это чувство жалости у меня не выдуманное и самое искреннее... Да как же, я думаю, что, если бы кто-нибудь из детей увидал так муху, то он испытал бы к ней самое непосредственное чувство сострадания.

Скопец заметил, что не все могут испытывать это чувство. Л.Н. согласился.

— Да вот я сам был охотником, — сказал он, — и сам бил зайцев. Ведь это нужно его зажать между колен и ударить ножом в горло. И я сам делал это и не чувствовал никакой жалости.

— А позвольте, Лев Николаевич, — начал старик, — ведь вы сами на войне были?

— Был.

— Были?! — воскликнул тот изумленно.

— Как же, и в Севастополе был.

— В Севастополе были?!

— Был в Севастополе.

И Л.Н. рассказал, как он счастлив, что ему не пришлось убивать, так как, хотя его 4-й бастион и считался самым опасным местом, артиллерия, стоявшая там, была приготовлена лишь на случай неприятельского штурма, которого не случилось, и огня, таким образом, не открывала.

— И великие князья туда приезжали? — спрашивал явно знакомый с историей Крымской войны скопец.

— И великие князья приезжали. У меня был на 4-м бастионе Михаил Николаевич. Да недолго повертелся: ему там невкусно было.

Приехал новгородский корреспондент Л.Н., неоднократно судившийся в связи со своим отношением к «толстовству», Владимир Айфалович Молочников, маленький, юркий, наблюдательный, умный и разговорчивый.

Вечером Страхов читал свою новую статью, основанную на евангельских текстах, о компромиссе и принципе «всё или ничего».

Л.Н. высказался против обязательности евангельских текстов, которые извращены.

— Не хочется мне этого говорить, но уж скажу: как раньше я любил Евангелие, так теперь я его разлюбил.

Потом прочли одно прекрасное место из Евангелия, по изложению Л.Н.

— Я опять полюбил Евангелие, — произнес он улыбаясь.

После обеда и поздно вечером, когда все уже легли спать, — две телеграммы из Ясной Поляны, странного, сбивчивого характера, о нервной болезни Софьи Андреевны. Лев Николаевич вызывается в Ясную Поляну. Нужно завтра уезжать*.

Настроение в доме подавленное. Л.Н. переносит испытание с кротостью.

---

* Об этой ситуации подробно рассказывается в «Дневниках» С.А.Толстой, вышедших в «Захарове» в 2017 году.

Вчера Страхов привел из Евангелия Луки притчу о царе, рассчитывающем наперед, может ли он с количеством имеющегося у него войска надеяться на успех похода. Федор Алексеевич относил смысл притчи к плотской жизни человека, а я высказал мнение, что притча может быть применима и к духовной жизни: стремясь воплотить идеал, человек должен рассчитывать свои духовные силы, чтобы не упасть под принятым на себя бременем.

Сегодня утром Л.Н. вошел ко мне со словами:

— Я согласен с вашим замечанием, которое вы вчера сделали Федору Алексеевичу, что тот текст можно отнести к духовной, а не к плотской жизни. Это совершенно верно. Вчера ведь мы говорили, что надо в нравственном совершенствовании начинать с легких вещей, а не с трудных, чтобы развить волю... И эта возможность разного толкования одного и того же текста опять подтверждает мою мысль, что нельзя придавать обязательного значения всему, что написано в Евангелии.

Потом он позвал меня, чтобы я передал переписчице рукопись разговора с крестьянином.

— Никто не приехал? — спросил он.

— Нет, Эрденко приехал с женой.

Михаил Эрденко — известный скрипач, желавший играть Л.Н. и для этого приехавший к Черткову.

— Приехал? Вы его никогда не слыхали?

— Нет.

— Получите большое удовольствие.

— А разве вы, Лев Николаевич, припоминаете его игру?

— Как же, как же!..

Выйдя к Эрденко, Л.Н. заметил ему:

— Наверное, еще лучше играете. Ваш брат всегда так, настоящий артист — всегда подвигается вперед.

Эрденко играл днем, потому что вечером Л.Н. надо было ехать, и в два приема — до и после его прогулки. Репертуар у него разнообразный, с преобладанием лирических вещей, в том числе на народные темы. Классики почти не были представлены — только ноктюрн Шопена и ария Баха. Увлечение техникой. В общем, очень хороший скрипач.

Л.Н. несколько раз плакал и горячо благодарил артиста и аккомпаниаторшу, его жену. Эрденко играл, между прочим, и Чайковского. Л.Н. не любит Чайковского, но «Колыбельная» и «Осенняя песня» ему очень понравились.

Еще до концерта читал он у себя в комнате вслух только что написанную главу из статьи о самоубийствах. Слушали Владимир Григорьевич, Молочников, Страхов, Сергеенко и я.

Отрывок был посвящен безумию жизни современного общества. Л.Н. брал изречение Паскаля о том, что сон отличается от действительности непоследовательностью совершающихся в нем явлений, что если бы явления во сне были последовательны, то тогда мы не знали бы, что сон и что действительность. Кроме того, во сне человек, совершая безнравственные поступки, не сознает безнравственности их и своей ответственности за них. В подобном состоянии сна находятся современные люди, жизнь которых безумна.

— Если бы безумие было общее, — говорил Л.Н. по прочтении статьи, — то тогда мы не знали бы, что безумно, а что разумно. У Паскаля — во времени, а у меня — в пространстве... Мне это интересно, потому что это уничтожает осуждение... Это ново, и я хотел посоветоваться с вами. Хотя, конечно, это не важно!.. Хотелось объяснить то состояние безумия, в котором находится большинство людей нашего времени.

Стали собираться к отъезду в шесть часов вечера. Уже всё было уложено, надо было садиться в экипажи, чтобы ехать на станцию. В узеньком коридорчике внизу столпилось несколько человек. Идет Л.Н., уже совсем одетый, с ведром в руках. В последние минуты он вспомнил о накопившихся за день нечистотах и вынес их сам, оставаясь верным своему обычаю.

— Мои грехи, мои грехи, — проговорил он, пробираясь между нами.

Во время поездки на одной из станций Л.Н. встретил своего внучатного племянника князя Оболенского, земского начальника Тульского уезда, большого барича. Он ехал тоже в Тулу, возвращаясь, кажется, из служебной поездки. Л.Н. с ним на «ты» и зовет его Мишей.

Оболенский поехал в одном с нами вагоне. Сначала говорили о незначащих вещах. Я любовался способностью

Толстого войти в интересы другого человека, в данном случае Оболенского, даже в его манеры, стать с ним на одинаковую ногу и соблюсти в то же время человеческое достоинство, не сделав ни малейшей уступки в сохранении своей духовной независимости.

— Что ж, угости Мишу карамелькой! — сказал он, усмехнувшись, Александре Львовне, сидя на диване, закинув ногу на ногу и с высоко поднятой головой.

— *Merci*, — процедил сквозь зубы племянник-князь, лениво протягивая руку к «карамельке».

Л.Н. заговорил о Законе 9 ноября, очень щекотливом предмете, если принять во внимание положение Оболенского как земского начальника. Оболенский стал рассказывать, что, насколько ему пришлось наблюдать, выделившиеся на хутора крестьяне очень довольны своим новым положением, о чем, между прочим, недавно заявляли бывшему у него англичанину, профессору Ливерпульского университета.

— А ведь уж это человек посторонний! — добавил князь.

Л.Н. ответил:

— Может быть, с материальной стороны для выделяющихся это и лучше. Но для всех хуже. Нарушается принцип, тот, что земля — Божья и не может быть предметом частной собственности... Англичанину-то это нравится, да мне-то, русскому, не нравится.

В Туле Л.Н. пошел в вокзал написать письмо Татьяне Львовне. Его окружила толпа. Стали просить автографы, подсовывая для этого открытки с портретами и просто со всевозможными рисунками, которые тут же в вокзале покупали. Л.Н. начал было даже подписывать, но, видя, что этому конца не будет, поднялся и ушел в вагон. Ему захотелось чаю, но он уже ни за что не хотел вернуться на вокзал.

— Нет, я туда не пойду! — отмахивался он.

Чай принесли к купе.

В Ясную приехали часов в десять-одиннадцать вечера. От Варвары Михайловны узнали подробности о том, что происходило в доме в наше отсутствие. Оказывается, Софья Андреевна была недовольна, что Чертков не пригласил ее в Мещерское или пригласил в недостаточно определенной форме, не предложив отдельной комнаты, и на этой почве у нее создалось болезненное истерическое раздражение не только против Черткова, но и против самого Л.Н. Всё сообщенное производило самое тягостное впечатление.

Толстой, несмотря на позднее время, просидел у Софьи Андреевны, которая сегодня слегла, часа полтора. Потом послал к ней дочь.

— Ради Бога, будь осторожнее! — умолял он ее. — Потом говорил: — Нельзя молчать, но и говорить опасно!.. Попробую пойти заснуть, — сказал он в заключение и простился с нами.

Сердце сжимается от боли за дорогого, великого старика.

24 июня

Александра Львовна утром уехала к тульскому губернатору навести справки о предполагающемся возвращении Черткова в Телятинки. За Владимира Григорьевича хлопочет в Петербурге его мать, имеющая большие связи в высших кругах.

Я остаюсь жить в Ясной. Утром Л.Н. передал мне письма для ответа. Говорил, что спал мало. Когда я собрался выйти из комнаты, он посмотрел, засмеявшись почему-то, и спросил:

— А вы как, хорошо?

— Да, только больно за вас, Лев Николаевич.

— Нет, сегодня ничего, лучше. Она говорит, что «ты мне не простишь всё, что я наговорила»... Так что чувствует эту... свою ненормальность...

Ездили верхом. Долго. Жаркое солнце и ветер. Наливается рожь, цветет гречиха. Пышная зелень деревьев.

— Вам не надоело? — спрашивает Л.Н.

— Нет, ничего.

— А мне очень приятно, очень приятно!

За обедом употребили выражение: «Этот номер не пройдет». Л.Н. сказал:

— Этим испорченным языком удивительно владеет Куприн! Прекрасно знает его и употребляет очень точно. И вообще он пишет прекрасным языком. И очень образно. Он не упустит ничего, что бы выдвинуло предмет и произвело впечатление на читателя.

Вечером в столовой было как-то необычно малолюдно. Софья Андреевна не выходила.

Л.Н. говорил:

— Я сегодня ехал и всё размышлял. И думал, что материя есть средство общения между собою существ. Мы таинственно разделены телами, но посредством материи мы чувствуем. Я ударился коленкой об дерево — я чувствую, что твердо. И тайна в том, что я чувствую это!.. Вот кусочки материи не чувствуют друг друга.

Еще он говорил:

— Я занят статьей о самоубийствах. Мне хочется, чтобы было как можно яснее, лучше, и я не тороплюсь, пишу потихоньку. В ней я хочу показать всё безумие нашей жизни, которое родит самоубийства. Когда я с Чертковым ездил разговаривать с сумасшедшим, который всё ходит вокруг дерева и повторяет «не украл, а взял», и когда я сказал, что увидимся на том свете, то он ответил: «Свет один», то есть говорил всё очень умные вещи. И к нам подходит господин с черными бакенбардами и говорит, что просит сделать ему честь, и всё такое, осмотреть его фабрику. Фабрика — ткацкая. Там девушки, девочки, которые от половины восьмого утра до половины восьмого вечера занимаются только одним. Натянуты какие-то нитки, и вот если какая-нибудь нитка оборвется, то они должны связать ее и исправить. И только это!.. В первом отделении делают шелковую материю, вроде парчи, которая идет на Восток по огромной цене, что-то он мне сказал огромное за аршин. Во втором — пояса. Широкие, которые идут в Бухару. Он сам продает их по восемь рублей за штуку!..

Но меня всё это не интересовало, меня занимали люди. И с ним самим заговаривал. Он мне сказал, что он старообрядец «рогожского согласия». Что за согласие? Он отвечает, что «приемлем священство». Я стал говорить с ним о том, что такое священство. «Ведь вот вы учились, бывали за границей. Неужели вы можете верить в творение в шесть дней или в то, что Христос улетел на небо?» А он мне отвечает: «Да, это, говорит, всё по логике... А вот пожалуйте, не угодно ли вам взглянуть на этот бархат, он разрезается вот так-то!..»

И Л.Н. представил суетливые движения господина с бакенбардами и засмеялся. Во время рассказа он тоже всё улыбался, причем добродушно и лукаво, исподлобья поглядывал на меня. (Я сидел за столом как раз напротив него.)

— Разве этот человек не безумный?.. У меня это *idée fix*, грешный человек, я это везде ищу, — продолжал Л.Н. — А разве не безумный этот знаменитый ученый, как его — Мечников? Я, когда он был тут, один раз, чтобы навести его на нравственные вопросы, заговорил о прислуге, о том, как это безнравственно, что взрослые люди, почтенные, семейные, прислуживают каким-нибудь мальчишкам-гимназистам... Он говорит: «Да, представьте... Приходит ко мне француз и говорит, что у него в доме у всех аппендицит, так что он окружен больными с аппендицитом... — Л.Н. засмеялся. — Аппендицит, аппендицит — что такое аппендицит? Я, говорит, отправляюсь к нему. И что же?.. Там он находит, что у людей, у прислуги, устроены плохо ретирады, так что всё оттуда стекает прямо на огород. Я, говорит, им и говорю: "Да ведь вы же едите испражнения своих людей!"» — И Л.Н. опять засмеялся. — Так вот у него только и есть на уме эти испражнения и ретирады...

Говорил:

— А эти иностранные слова! В больницах психиатрических, где я никак не мог усвоить деления больных, названия болезней такие, что эпитет состоит из четырех иностранных слов да существительное из двух... Некоторые я понимаю, ну такие, как *dementia* или *stultitia*, а одна болезнь называется «везания». Уж я и пробирал докторов этой везанией! Спросишь: что это значит? А это, видите ли, так, этак... ни то ни се, а так... Только директор в Троицком объяснил, что, может быть, частица *ve* имеет отрицательное значение, *sanus* — значит здоровый, так что «везания» собственно значит — нездоровье.

Л.Н. весело рассмеялся.

— И пробирал же я их этой везанией!..

— Сегодня я чувствую себя так, как будто мне семьдесят лет, — сказал он, прощаясь.

— То есть как? — немного удивился я. — Это значит — хорошо?

— Нет, напротив! В самом деле, — говорил он мне и Ге, — я никак не могу привыкнуть к мысли, что я старик. И это даже научает смирению. Удивляешься, почему с тобой говорят с таким уважением, тогда как ты мальчишка, ну просто мальчишка! Вот каким был, таким и остался!..

26 июня

Вчера с Софьей Андреевной опять было нехорошо. Не ела, не спала. Чтобы успокоить жену, Л.Н. ездил вместе с нею в Овсянниково (сначала хотел ехать один, верхом). Утром ходил в деревню, в гости к приехавшим с Кавказа и остановившимся у крестьян своим знакомым, Николаю Григорьевичу Сутковому с сестрой и Петру Прокофьевичу Картушину, но не застал их дома: вчера еще они ушли к Булыгиным вместе с Сережей, приходившим в Телятинки.

По духу Суткова и Картушин, по крайней мере в последнее время, близки к учению небезызвестного мистика Александра Добролюбова, вышедшего из интеллигентной среды и имевшего даже причастие к литературе, — личности во всяком случае очень незаурядной, судя по тому, что мне до сих пор удавалось о нем слышать. Оба прошли высшую школу: Сутковой окончил юридический факультет, а Картушин был студентом Высшего технического училища. Теперь они «опростились» и живут, занимаясь разработкой земли, близ Сочи. Редкие по нравственной высоте и идейной чистоте люди. Сутковой старше и оригинальнее, Картушин как бы следует за ним в своих духовных исканиях. К Добролюбову идейный путь их был через Толстого, давнишними почитателями которого они являются.

Беседуя по поводу приезда «добролюбовцев», Толстой восстал именно против мистического в воззрениях Добролюбова.

— Что неясно, то слабо, — говорил он. — То же в области нравственной. Только те нравственные истины тверды, которые ясны. И что совершенно ясно, то твердо. Мы твердо знаем, что дважды два — четыре. Или что углы треугольника равны двум прямым... И зачем, зачем этот мистицизм!

Говорил Л.Н. также против обычая «добролюбовцев» употреблять слово «брат» лишь по отношению к единомышленным им людям.

— Они отделяют себя от других людей. Все люди — братья.

— Все-таки их жизнь удивительно последовательна и высока, — заметил Белинький.

— Да как же! — воскликнул Л.Н. — Дай Бог, чтобы таких людей было больше!..

Белинький говорил, что при этих словах Л.Н. прослезился. Я, по близорукости, не видал.

Между прочим, я передал ему свой вчерашний разговор о мистицизме с Сережей Булыгиным и мысль последнего: «Я допускаю мистицизм. Например, голос совести есть уже нечто мистическое, а не разум. Но есть граница в допущении мистического: мистицизм допускается, пока он не принижает разума».

С этой мыслью Л.Н. вполне согласился.

— Превосходно и вполне верно, — были его слова.

27 июня

В Телятинки ожидалась сегодня мать Черткова. Неожиданно приехал и он вместе с ней. Оказывается, что, провожая сюда мать по железной дороге, Владимир Григорьевич уже в Серпухове — крайнем пункте на границе Московской губернии, дальше которого он уже не имел права ехать, — получил телеграмму с разрешением проживать и ему в Телятинках во время пребывания там его матери. Времени же пребывания в Телятинках матери В.Г.Черткова мудрая телеграмма, конечно, не определяла.

Приезд Черткова возбуждает ревность Софьи Андреевны, чувствующей себя вообще все последнее время в болезненно-возбужденном состоянии, а теперь опасающейся, как бы непосредственная близость не усилила «влияния» Черткова на Л.Н.

Придя вечером в Ясную Поляну, я передал ему о приезде Владимира Григорьевича и его матери в то время, как он играл в шахматы с Гольденвейзером, а Софья Андреевна сидела около них неотступно, по словам Варвары Михайловны.

Л.Н., выслушав известие, чуть заметно улыбнулся. После я узнал, что он уже слышал это известие от Гольденвейзера.

Софья Андреевна не просидела и минуты, взволнованно поднялась, вышла куда-то и опять вернулась.

Я спросил ее о здоровье.

— Вот сейчас опять в жар бросило... Не могу дышать! — сказала она и снова вышла.

— Видите, как это ее взволновало, — сказал Л.Н., обращаясь к Гольденвейзеру.

Чтобы успокоить Софью Андреевну, он согласился отправиться завтра вместе с нею в гости к старшему сыну, Сергею Львовичу, по случаю дня его рождения. Пока Л.Н. гостил в Мещерском, Софья Андреевна занималась ремонтом дома, и теперь она хотела поездкой в имение Сергея Львовича «вознаградить себя», как она сказала Варваре Михайловне, за поездку мужа к Чертковым.

Имение Сергей Львовича Никольское-Вяземское находится в пределах Орловской губернии, как раз по соседству (верст за тридцать пять) от Кочетов. Таким образом, Л.Н., только что вернувшемуся из поездки к Чертковым и недавно ездившему в Кочеты, предстоит новое, довольно продолжительное путешествие по железной дороге и на лошадях.

Впрочем, поездка в Никольское может расстроиться, если завтра утром приедет Татьяна Львовна, которую здесь ожидают. При том влиянии, которым она пользуется у Софьи Андреевны, она могла бы уговорить ее остаться. Л.Н. нарочно оставил меня ночевать, чтобы я мог передать Владимиру Григорьевичу, поедет или не поедет он к сыну.

Гольденвейзер играл. Прелюдия Скрябина. Понравилась Л.Н. очень.

— Очень искренне, искренность дорога! — говорил он. — По этой одной вещи можно судить, что он — большой художник. Не правда ли, Валентин Федорович, хорошо?

Вот образчик беспристрастности суждений Л.Н.: ведь он говорил это — не угодно ли? — о Скрябине, о декаденте Скрябине, о Скрябине — музыкальном новаторе, именем своим пугающем добродетельных маменек даже и в столицах!

Затем слушали Аренского. Опять понравилось Л.Н. Он стал припоминать самого композитора, вспомнил место, где он играл с ним в карты, и удивился этому:

— Почему это помнишь?..

Гольденвейзер рассказал, что после посещения Аренским Ясной Поляны Л.Н. послал ему «Круг чтения», а тот неожиданно скончался, и подарок не успел дойти по назначению.

Шуман, Шопен...

28 июня

Утром от Татьяны Львовны пришла телеграмма, извещающая, что по нездоровью она приехать не может. Тем самым окончательно решилась поездка Л.Н. и Софьи Андреевны в Никольское.

Во время утренней прогулки он виделся в парке с Чертковым, временно, вследствие охлаждения отношений с Софьей Андреевной, воздерживающимся от посещения дома, и беседовал с ним. Ясная Поляна превратилась в какую-то крепость, с таинственными свиданиями, переговорами и пр.

Итак, отправились в Никольское Л.Н., Софья Андреевна, Александра Львовна, Душан Петрович, а также Николай Николаевич (Ге), продолжающий гостить в Ясной.

На время отсутствия всей семьи я переселился из Телятинок в Ясную, где, кроме меня и прислуги, остается еще только Варвара Михайловна.

Вчера, между прочим, перед тем как дать свой новый рассказ («Нечаянно») Софье Андреевне, Л.Н. изменил в нем одну деталь: жену, неприятную высокую брюнетку с блестящими глазами, напоминавшую Софью Андреевну, заменил невысокой голубоглазой блондинкой. Листок рукописи с этой поправкой выпросил себе на память Гольденвейзер.

В голове — туман от всех этих нелепых историй и обида за Л.Н.

29 июня

В половине первого ночи вернулись все уезжавшие в Никольское. Л.Н. на мой вопрос, как съездили, отвечал:

— Ничего, хорошо. Были маленькие неприятности, но это ничего.

Неприятности, между прочим, состояли и в том, что за приехавшими, по недоразумению, долго не высылали на станцию лошадей. Пришлось ждать на станции чуть ли не четыре часа. Л.Н. сначала заводил разговор кое с кем из народа, бывшего на станции, а потом решил пойти в Никольское пешком, с тем чтобы его после догнали на лошадях. Но ошибся и в одном месте свернул не на ту дорогу, причем ушел довольно далеко. Его не сразу нашли...

Июль

1 июля

История тянется. Между Софьей Андреевной и Владимиром Григорьевичем возник спор о том, у кого должны храниться дневники Л.Н. (кажется, начиная с 1900 года), находящиеся сейчас у Черткова, которому они когда-то переданы были Толстым лично. Чертков и его близкие уверяют, что если передать дневники на хранение Софье Андреевне, то она может вымарать в них все те места, которые покажутся ей неприятными. Л.Н. также против передачи дневников. Настроение неспокойное.

Он сегодня слаб и вял. Верхом не ездил. Позвал меня, чтобы поговорить о письмах. Был в зале, где полулежал на кушетке. Передавал, что продолжает писать статью о самоубийствах и что для обрисовки безумия современной жизни ему была полезна только что полученная книга француза Поллака.

— Научная... Здесь и теория эволюции: всё эволюцирует. Значит, не нужно никакого усилия? — говорил Л.Н.

5 июля

Сегодня Душан Петрович был занят, и верхом поехал с Л.Н. я. Отправились в Телятинки. Дорогой был разговорчив, и мы ехали рядом.

— Я вам когда-нибудь подробно расскажу, — начал он, — это очень интересно! Получил я сегодня брошюру студента, окончившего несколько факультетов. Научная, «фагоцитоз»...

Лев Николаевич засмеялся. Об этой брошюре он рассказывал вечером. Она представляет попытку сделать крайние выводы из всех популярных современных научных теорий — выводы в практической области: так, например, автор утверждает, что женщины не будут рожать как теперь, а дети будут происходить из яиц; что общение между людьми словом, языком заменится общением посредством внушения; что, собрав жизненные силы («фагоцитозы», состоящие, кажется, из «электронов») в одну перчатку, можно, надев эту перчатку, одной рукой поднять невероятные тяжести; что пища будет приготовляться химически и много другое. Забавнее всего, что автор всей этой чепухи основывается на авторитете ученых и излагает всё это совершенно серьезно.

Рассказывал Л.Н. по дороге о пожаре у его друзей, Марии Александровны (Шмидт) и Горбуновых в Овсянникове, уничтожившем их избы, всё имущество и ценные бумаги и рукописи. Есть предположение, что пожар был следствием поджога; подозревается в поджоге приехавший издалека и остановившийся у Шмидт некто Репин, бывший военный и затем устроитель земледельческой общины, совершенно ненормальный человек, помешавшийся на том, что он Христос. Марию Александровну обвиняли в том, что она в не принадлежащий ей дом (он составлял, так же как и изба Горбуновых, собственность Татьяны Львовны) пустила сумасшедшего. Но Л.Н. говорил, что иначе она не могла поступить: ее долг был принять человека, кто бы он ни был, раз он искал приюта. Да и к самому Репину Толстой относился снисходительно.

— Он сделал только то, — говорил Л.Н., — что мы все думаем: уничтожил внешнее, материальное, что не имеет важности... Я вообще не думаю, чтобы человек мог перестать быть человеком. И у ненормального та же душа, но она только уродливо проявляется.

Жалел только Л.Н. жену Репина, которая должна была ухаживать за больным мужем.

— И она беременна от него, — говорил он. — К счастью, она, говорят, стара для того, чтобы употребить искусственные способы...

Вчера Л.Н. смотрел фотографии, снятые Чертковым в Кочетах и в Мещерском. Они очень ему понравились, особенно стереоскопические снимки, которые он и рассматривал в стереоскоп.

— А как хороша та фотография, где мы с вами! — говорил он. — Это даже не похоже на портреты: видно, что заняты делом. Я, помню, просил устроить, чтобы мне можно было просматривать письма в саду... Чертков всё говорит о цветной фотографии, но я что-то не верю, чтобы это было возможно...

В Телятинках Л.Н. своим приездом, конечно, доставил всем большую радость. Да и он, я думаю, рад был видеть и Владимира Григорьевича, и остальных друзей. Было так приятно видеть его в этой обстановке дружелюбного отношения и уважения к нему!...

Я думаю, его радовала теперь раньше надоедавшая ему фигурка мистера Тапселя в серой шляпе, по своему обыкновению забегавшего и щелкавшего фотографическим аппаратом со всех сторон. Л.Н. даже нарочно проехался лишний раз по двору верхом в сопровождении своего внучка Илюшка, чтобы дать возможность мистеру Тапселю сделать снимок...

Вечером в яснополянском зале собралось большое общество: Л.Н., Софья Андреевна, Лев Львович, Ге, Булыгин, Гольденвейзер и позже Владимир Григорьевич. Говорили о том же, о чем заговаривал Л.Н. со мной по дороге в Телятинки: о брошюре ученого студента, о пожаре у Шмидт и о Репине. В связи с вопросом о безумии последнего Л.Н. говорил, что прочел обстоятельно две трети поднесенной ему врачами больницы в Мещерском большой книги профессора Корсакова о душевных болезнях и при этом часто при чтении не мог удержаться от смеха — так много в книге несообразностей.

— Представьте только, — говорил Л.Н., — есть восемнадцать разных классификаций душевных болезней, и все они отвергают одна другую. А в каждой классификации свои отделы и разряды, которые тоже не сходятся... Или он ставит вопрос: что такое «я»? И отвечает, что есть ощущения, из ощущений складываются представления, из представлений — умозаключения, и эти умозаключения составляют «я». Ну, а ощущения кто же испытывает? Ведь, должно быть, «я», которое воспринимает их?.. Полная несообразность! И так почти всё.

Затем Л.Н. дал очень интересное определение состояния безумия. Он говорил:

— Я не согласен с учеными в определении того, что такое душевная болезнь, безумие. По-моему, безумие — это невосприимчивость к чужим мыслям: безумный самоуверенно держится только своего, только того, что засело ему в голову. Моего он не поймет. Есть два рода людей. Один человек отличается восприимчивостью, чуткостью к чужим мыслям. Он находится в общении со всеми мудрецами мира — и древними, и теми, которые теперь живут. Он отовсюду собирает впечатления: и от них, и из детства, и из того, что няня говорила... А другой человек знает только то, что его, что раз пришло ему на ум. Вот как Михаил Васильевич (Булыгин. — *В.Б.*) рассказывал о каком-то чудаке, который был уверен, что чтобы освободить душу в человеке, надо отрубить ему голову: тогда душа выйдет через два отверстия — из головы и из сердца... Но это два крайние типа, и вот между ними идут всевозможные градации.

8 июля

После завтрака поехал с Л.Н. в Овсянниково. Видели пепелище после пожара: на месте двух изб стоят две полуразрушившиеся печки с торчащими трубами. Ребятишки Горбунова весело бегают вокруг.

— Мне часто приходят в голову, — говорил, глядя на них, Иван Иванович, — стихи Пушкина:

> И пусть у гробового входа
> Младая будет жизнь играть.
> И равнодушная природа
> Красою вечною сиять! —

хотя наше пожарище еще и не гробовой вход... Только, думаю, природа ко мне неравнодушна.

— Нет, «равнодушная природа», — подтвердил, улыбаясь, Л.Н., — равнодушная и красивая. Вот она мне не равнодушное, близкое, — указал он на девушку, пришедшую за детьми, — а природа — равнодушное.

— Но у вас у самих, Л.Н., есть описания природы прекрасные, где природа производит впечатление и неравнодушной...

— Обязательно когда-нибудь перечитаю Толстого! — засмеялся Л.Н.

После пожара Горбуновы ютятся в маленькой избе в одну комнату; Шмидт — в каком-то сарайчике. Заговорили о предполагаемом переезде их в Телятинки к Чертковым, по предложению последних. Они не решаются покинуть Овсянниково. Как на одну из причин этой нерешительности Мария Александровна указала Л.Н. на «слабую сторону» Софьи Андреевны: нежелание постоянной близости к нему его друзей. Но Л.Н. стал горячо заверять ее, что на этот раз она ошибается, и добавил:

— Не надо думать о других... Вот действительно, крайности сходятся: думать как можно меньше о себе и в то же время не думать о других. Я говорю — «не думать о других» в том смысле, что ничего не предполагать, не предугадывать о них, а делать самому то, что нужно.

На обратном пути через Засеку встретили толпу дачников с только что пришедшего из Тулы поезда. Тут же шел Буланже, с которым Л.Н., остановившись, перекинулся несколькими словами. Дачники почти все кланялись.

С террасы одной дачи, из зелени, слышим торопливый тонкий женский голос:

— Льву Николаевичу привет! Льву Николаевичу привет и почтение!

«Лев Николаевич» сначала не обращал внимания на крик, потом наклонился слегка и сделал под козырек.

Утром дал мне письмо: молодой человек хочет поступить в университет, чтобы избавиться от воинской повинности. «Учиться в университете хуже, чем быть солдатом», — сказал и в этом духе просил ответить юноше Л.Н., желая указать на подневольность солдатчины и безнравственность вполне сознательного отношения к школе, к науке как к средству пропитания, освобождения себя от труда за счет народа. А когда мы возвращались из Овсянникова, он подозвал меня и просил «получше» ответить на это письмо. Как раз вчера был у Л.Н. юноша, который передал ему о своем намерении сделать буквально то же самое, что предполагал сделать и упомянутый корреспондент. Л.Н. особенно задевало то, что у обоих спрашивающих и сомнения не возникало в том, что нравственнее. Задевало, что оба рассуждали с чисто эгоистической точки зрения.

Приехали француз Шарль Саломон из Парижа, давнишний знакомый Толстого, Николай Васильевич Давыдов из Москвы — приват-доцент университета и бывший прокурор Тульского окружного суда, и Николай Николаевич Ге — от Булыгиных, где он теперь живет.

От «Посредника» прислали новую книжку «О воспитании», три статьи Толстого, написанные в 1909 году. Первая из них — письмо Л.Н. ко мне, то самое, которое прислано было им в ответ на мой запрос об образовании во время работы над «Христианской этикой». Письмо это он прочитал сегодня, и оно ему так понравилось, что вечером он прочел его вслух, тем более что, как он сам и заметил, вопрос об образовании должен был быть близок Давыдову, состоящему председателем правления Московского народного университета имени Шанявского. Но как Саломон, так и Давыдов выслушали письмо довольно равнодушно. Точка зрения Л.Н. едва ли близка им обоим.

Отмечу, что Толстой всячески подчеркивал свое внимание к Давыдову: называл его «такой дорогой гость» и пр. Меня это даже несколько удивило: так редко видел я Толстого нарочито любезным. Само по себе внимание его к Давыдову понятно: последний связан с семьей старинными дружескими отношениями.

Гольденвейзер много играл: Шуман, Шопен.

— Как я люблю Шумана! — говорит Софья Андреевна.

— Да кто же его не любит? — отвечает Л.Н.

Я ночевал в Ясной. Проснувшись утром, узнал, что ночью в доме был большой переполох. Софья Андреевна, продолжая требовать, чтобы Л.Н. взял свои дневники у Черткова, устроила ему бурную сцену. Сначала она лежала на полу его балкона, а потом убежала в парк. Просьбы Душана, Ге и Льва Львовича не могли ее заставить вернуться. Она требовала, чтобы за ней пришел сам Л.Н. Наконец он пришел, и она вернулась.

Нехорошо проявил себя Лев Львович, который грубо кричал на отца, требуя, чтобы он отправился за Софьей Андреевной в парк.

Приехал Сергей Львович. Днем между детьми Толстого происходил совет о том, как предохранить Л.Н. от всевозможных неожиданных выходок больной Софьи Андреевны.

12 июля

В Телятинки к Елизавете Ивановне Чертковой, матери Владимира Григорьевича, приехал известный баптистский проповедник Фетлер, одетый в длиннополый сюртук и в белую накрахмаленную манишку, и заявил, что он хочет проповедовать крестьянам Ясной Поляны и Телятинок против Толстого. Когда ему стали указывать, что по многим причинам это неудобно, ретивый немец возразил, что на эту проповедь его призывает «голос Божий».

Когда я, придя в Ясную Поляну, рассказал об этом Л.Н., он повторил несколько раз:

— Прекрасно, прекрасно!

Впрочем, вечером Фетлер вместе с каким-то другим приезжавшим с ним баптистом уехал обратно на станцию. Он успел только попроповедовать двум дамам: Елизавете Ивановне и Софье Андреевне, которая была приглашена по этому случаю в Телятинки. Никто из нашей молодежи Фетлера не слыхал. А он по дороге на станцию разбрасывал пачки баптистских брошюрок и склонял в свою веру правившего лошадью Диму Черткова, соблазняя его тем, что он может быть таким же учеником Христа, как он, Фетлер, или даже более.

Всё это забавно, но рядом с этим эпизодом я должен описать другой, в котором уже не только не было ничего забавного, но который, наоборот, произвел на меня самое тяжелое впечатление.

Дело в том, что я должен был возвращаться из Ясной Поляны в Телятинки как раз в то время, когда Софья Андреевна направлялась к Чертковой. Узнав об этом, она любезно предложила довезти меня туда, на что я с удовольствием согласился. В коляске, на рысаках, мы поехали. Софья Андреевна — в изящном черном шелковом костюме, ради великосветской Елизаветы Ивановны, друга императрицы-матери Марии Федоровны...

Поехали в объезд, по большаку, чтобы миновать плохой мост через ручей Кочак. Софья Андреевна всю дорогу плакала, была жалка до чрезвычайности и умоляла меня передать Черткову, чтобы он возвратил ей рукописи дневников.

— Пусть их все перепишут, скопируют, — говорила она, — а мне отдадут только подлинные рукописи Льва Николаевича!.. Ведь прежние его дневники хранятся у меня... Скажите Черткову, что если он отдаст мне дневники, я успокоюсь... Я верну ему тогда мое расположение, он будет по-прежнему бывать у нас, и мы вместе будем работать для Льва Николаевича и служить ему... Вы скажете ему это?.. Ради Бога, скажите!..

Софья Андреевна, вся в слезах, дрожащая, умоляюще глядела на меня: слезы и волнение ее были самые непритворные... Она почему-то не верила, что я передам ее слова Черткову, и умоляла меня об этом снова и снова...

Я не мог без чувства глубокого сострадания смотреть на эту плачущую, несчастную женщину. Тех нескольких десятков минут, которые я провел с нею в экипаже, я никогда не забуду. Признаюсь, меня самого охватило волнение, и мне так захотелось, чтобы какою угодно ценою, ценою ли передачи рукописей Софье Андреевне, или еще каким-нибудь способом был возвращен мир в Ясную Поляну, — мир, столь нужный для всех и особенно для Л.Н.!

В этом настроении я отправился к Черткову, когда мы приехали в Телятинки. Узнав, что я имею поручение от Софьи Андреевны, Владимир Григорьевич, встревоженный, с озабоченным видом, ведет меня в комнату своего ближайшего помощника и непременного советника Алеши Сергеенко. Мы оба усаживаемся с ним на скромную «толстовскую» постель Сергеенко. Тот, с напряженным от любопытства лицом, садится против нас на стуле.

Я начинаю рассказывать о просьбе Софьи Андреевны вернуть рукописи. Владимир Григорьевич — в сильном возбуждении.

— Что же, — спрашивает он, уставившись на меня своими большими, белесыми, возбужденно бегающими глазами, — ты ей так сейчас и выложил, где находятся дневники?!

При этих словах Владимир Григорьевич, совершенно неожиданно для меня, делает страшную гримасу и высовывает мне язык. Я гляжу на Черткова и страдаю внутренне от того нелепого положения, в которое меня ставят, и не знаю: меня ли это унижает, или мне надо жалеть этого человека за то унижение, которому он себя подвергает. Я соображаю, однако, что Чертков хочет посмеяться над проявленной мною якобы беспомощностью, когда-де на меня насела в экипаже Софья Андреевна. Он, должно быть, заметил то волнение, в котором я находился, и раздражился, поняв, что я сочувствую Софье Андреевне и жалею ее.

Собравшись с силами, я игнорирую выходку Черткова и отвечаю ему:

— Нет, я не мог ей ничего сказать, потому что я сам не знаю, где дневники!

— Ах, вот это прекрасно! — восклицает Чертков и суетливо поднимается с места. — Так ты иди, пожалуйста!.. — Он отворяет передо мной дверь из комнаты в коридор. — Там пьют чай... Ты, наверное, проголодался... А мы здесь поговорим!..

Дверь захлопывается за мной, щелкает задвижка замка. Я выхожу, ошеломленный тем приемом, какой мне оказали, в коридор. Владимир Григорьевич и Алеша Сергеенко совещаются. Позже я узнаю, что дневники решено не возвращать.

14 июля

В Ясной настроение тревожное. Софья Андреевна категорически требует себе дневники за последние десять лет, находящиеся у Черткова, — под угрозой, в противном случае, отравиться или утопиться и т.п. Л.Н. мучается с ней, но переносит это большое испытание очень хорошо. Он готов на все уступки, чтобы успокоить жену. Разумеется, общий мир и согласие для него бесконечно важнее, чем какие бы то ни было бумаги.

Сегодня им написано следующее письмо на имя Софьи Андреевны:

«1) Теперешний дневник никому не отдам, буду держать у себя.

2) Старые дневники возьму у Черткова и буду хранить сам, вероятно, в банке.

3) Если тебя тревожит мысль о том, что моими дневниками, теми местами, в которых я пишу под впечатлением

минуты о наших разногласиях и столкновениях, что этими местами могут воспользоваться недоброжелательные тебе будущие биографы, то, не говоря о том, что такие выражения временных чувств как в моих, так и в твоих дневниках никак не могут дать верного понятия о наших настоящих отношениях, — если ты боишься этого, то я рад случаю выразить в дневнике или просто как бы в этом письме мое отношение к тебе и мою оценку твоей жизни.

Мое отношение к тебе и моя оценка тебя такие: как я смолоду любил тебя, так я, не переставая, несмотря на разные причины охлаждения, любил и люблю тебя.

Причины охлаждения эти были, во-первых, всё большее и большее удаление мое от интересов мирской жизни и мое отвращение к ним, тогда как ты не хотела и не могла расстаться с ними, не имея в душе тех основ, которые привели меня к моим убеждениям; что очень естественно и в чем я не упрекаю тебя. Это во-первых. Во-вторых (прости меня, если то, что я скажу, будет неприятно тебе, но то, что теперь между нами происходит, так важно, что надо не бояться высказывать и выслушивать всю правду), во-вторых, характер твой в последние годы всё больше и больше становился раздражительным, деспотичным и несдержанным. Проявления этих черт характера не могли не охлаждать — не самое чувство, а выражение его. Это во-вторых.

В-третьих. Главная причина была роковая та, в которой одинаково не виноваты ни я, ни ты, — это наше совершенно противуположное понимание смысла и цели жизни. Всё в наших пониманиях жизни было прямо противуположно: и образ жизни, и отношение к людям, и средства к жизни — собственность, которую я считал грехом, а ты — необходимым условием жизни. Я в образе жизни, чтобы не расставаться с тобой, подчинялся тяжелым для меня условиям жизни, ты же принимала это за уступки твоим взглядам, и недоразумение между нами росло всё больше и больше.

Были и еще другие причины охлаждения, виною которых были мы оба, но я не стану говорить про них потому, что они не идут к делу. Дело в том, что я, несмотря на все бывшие недоразумения, не переставал любить и ценить тебя.

Оценка же моя твоей жизни со мной такая: я, развратный, глубоко порочный в половом отношении человек, уже не первой молодости, женился на тебе, чистой, хорошей, умной 18-летней девушке, и, несмотря на это мое грязное, порочное прошедшее, ты почти 50 лет жила со мной, любя меня, трудовой, тяжелой жизнью, рожая, кормя, воспитывая, ухаживая за детьми и за мною, не поддаваясь тем искушениям, которые могли так легко захватить всякую женщину в твоем положении, сильную, здоровую, красивую. Но ты прожила так, что я ни в чем не имею упрекнуть тебя. За то же, что ты не пошла за мной в моем исключительном духовном движении, я не могу упрекать тебя и не упрекаю, потому что духовная жизнь каждого человека есть тайна этого человека с Богом, и требовать от него другим людям ничего нельзя. И если я требовал от тебя, то я ошибался и виноват в этом.

Так вот верное описание моего отношения к тебе и моя оценка тебя. А то, что может попасться в дневниках (я знаю только, ничего резкого и такого, что бы было противно тому, что сейчас пишу, там не найдется).

Так это 3-е, что может и не должно тревожить тебя — о дневниках.

4) Это то, что если в данную минуту тебе тяжелы мои отношения с Чертковым, то я готов не видаться с ним, хотя скажу, что это мне не столько для меня неприятно, сколько для него, зная, как это будет тяжело для него. Но если ты хочешь, я сделаю.

Теперь 5-е — то, что если ты не примешь этих моих условий доброй, мирной жизни, то я беру назад свое обещание не уезжать от тебя. Я уеду. Уеду наверное не к Черткову. Даже поставлю непременным условием то, чтобы он не приезжал жить около меня, но уеду непременно, потому что дальше так жить, как мы живем теперь, невозможно.

Я бы мог продолжать жить так, если бы я мог спокойно переносить твои страдания, но я не могу. Вчера ты ушла взволнованная, страдающая. Я хотел спать лечь, но стал не то что думать, а чувствовать тебя, и не спал и слушал до часу, до двух — и опять просыпался и слушал и во сне... видел тебя.

Подумай спокойно, милый друг, послушай своего сердца, почувствуй, и ты решишь всё, как должно. Про себя же скажу, что я, со своей стороны, решил всё так, что иначе не могу, не могу. Перестань, голубушка, мучить не других, а себя, себя потому, что ты страдаешь в сто раз больше всех. Вот и всё.

14 июля, утро
Лев Толстой».

По поручению Л.Н. Александра Львовна отправилась в Телятинки за дневниками и оставалась там очень долго. Как я узнал от Варвары Михайловны, в Телятинках, в той самой комнате у Сергеенко, где третьего дня произошел наш разговор с Чертковым, спешно собрались самые близкие Черткову люди — его *alter ego* Алеша Сергеенко, Ольга Константиновна Толстая (сестра Анны Константиновны), Александра Львовна, муж и жена Гольденвейзеры, а также сам Владимир Григорьевич. И все они занялись спешным копированием тех мест в дневнике Л.Н., которые компрометировали Софью Андреевну и которые она, по их мнению, могла уничтожить. Затем дневники были упакованы и отправлены в Ясную Поляну. Чертков, стоя на крыльце телятинковского дома, с шутливой торжественностью троекратно перекрестил Александру Львовну в воздухе папкой с дневниками и затем вручил ей эти дневники. Тяжело ему было расставаться с ними.

А в Ясной Поляне с таким же волнением и нетерпением ожидала дневников Софья Андреевна. По словам Варвары Михайловны, она с такой стремительностью кинулась к привезенным дочерью дневникам, что пришлось звать на помощь Сухотина, чтобы помешать ей повредить тетради, которые и были затем отобраны у нее и опечатаны.

Всё это происходило уже под вечер, а день Л.Н. протекал своим чередом. Просмотрев мысли о тунеядстве, он поручил мне распределить их в книжке по отделам. После завтрака предложил ехать с ним верхом. Садясь на лошадь, вскрикнул, поглядев на меня:

— Ах, студенческая фуражка!..

Я ходил обыкновенно в шляпе и фуражку надел по случаю дождливой погоды.

Поехали в деревню Рудаково, по тульской дороге, за восемь верст от Ясной Поляны. Л.Н. хотел посмотреть у тамошнего помещика продающийся деревянный дом, о чем просила Татьяна Львовна, думающая купить и перевезти этот дом на место сгоревшего в Овсянникове.

Было дождливо. Два раза мы останавливались и пережидали дождь: один раз у лесного сторожа и потом в какой-то лавке. У лесника Л.Н. поднялся на крыльцо с навесом, а я пошел поставить лошадей в сарайчик и потом тоже взошел на крыльцо. Пастух сидел там и курил. Когда мы поехали, Л.Н. рассказал, что он стал убеждать пастуха не курить и вина не пить, а тот возразил ему:

— Как же, а доход-то царю-отечеству?

В Рудаково с полдороги поехали сокращенным путем, лесной тропинкой, но заплутались. Было уже поздно, нужно было торопиться, и мы скакали по полю, отыскивая дорогу. Вот, наконец, деревня. Л.Н. проехал в общественную потребительскую лавку, только что устроенную крестьянами по совету и под руководством Буланже. Вошел в лавку и посидел, расспрашивая крестьян, как идут дела, и обрадовался, когда узнал, что успешно.

Про дом для Татьяны Львовны вспомнили, уже выезжая из деревни. Нужно было возвращаться на другой конец ее. Но Л.Н., видимо, устал, да и торопился домой — только смотреть дом не поехал.

Поехали назад другой дорогой, сокращенной. Но опять не совсем удачно, потому что не попали туда, куда хотели. Вернулись по большой дороге, через Скуратово, Овсянниково и Засеку. Все время скакали, и оба приехали в Ясную в мокрых от пота рубашках.

Л.Н. так устал или был возбужден, что даже не спал перед обедом.

15 июля

Отправляясь верхом, Л.Н. говорил:

— Жалко, что не вы едете.

Ездил опять в Рудаково, очень устал. Полученные письма не успел прочесть, дал мне:

— Решайте, кому ответить, кому книги послать, какие оставить без ответа. Мы потом посоветуемся.

Приехал из Америки мистер Рокки, друг Брайана, с рекомендательным письмом от него*. Рокки принадлежал к одной из богатейших американских семей, но порвал со своим кругом и ведет очень скромный образ жизни, занимаясь теорией педагогики.

История с дневниками, по-видимому, близится к концу. Л.Н. уступил Софье Андреевне: взял дневники у Черткова. Но при этом решил не предоставлять дневников как предмета спора ни той ни другой стороне, а хранить их как бы в нейтральном месте, в каком-нибудь тульском банке.

Когда я стал прощаться перед уходом домой, Софья Андреевна просила меня передать Владимиру Григорьевичу приглашение быть у них сегодня вечером. С другой стороны, от Л.Н., я получил письмо для Владимира Григорьевича. Кроме того, он просил меня передать Черткову на словах, чтобы он был возможно осторожнее с Софьей Андреевной, не упоминал ни слова о дневниках и воздержался от беседы с Л.Н. наедине, у него в кабинете, ограничившись свиданием с ним в общей комнате.

Л.Н. вынул из кармана письмо Владимира Григорьевича и показал фразу, где тот, как оказалось, уже спрашивал, не лучше ли было бы хранить дневники в Ясной Поляне, чтобы в случае надобности иметь возможность пользоваться ими для работы.

— Вот такие вещи разве можно говорить?! Пожалуйста, скажите, чтобы ни слова не упоминал о дневниках! Это может вызвать такой взрыв, какого предугадать нельзя. Ведь дневники — это прямо пункт умопомешательства душевнобольного!..

16 июля

Утром Л.Н. говорил о письме, полученном им от петербургского журналиста А.М.Хирьякова:

— Какое пустое письмо Хирьякова! Шуточки о самых серьезных и важных предметах. Он не может понять, что познать себя не значит копаться в самом себе, а значит

---

* Мистер Рокки — прозвище, которое дали в Ясной Поляне Мэтью Герингу, магистру права Эдинбургского университета, другу американского политика-демократа Уильяма Брайана (1860—1925), корреспондента Толстого.

познать свою духовную сущность, которая составляет основу движения жизни. Что значит не иметь религиозно-философского отношения к вопросам жизни! Все мудрецы мира учили, что самопознание имеет глубокое, огромное значение, а Хирьяков с госпожой Курдюковой решили, что это такое глубокомыслие, в которое «провалишься» и т.д. Бог знает что такое!

Ездили вместе верхом далеко-далеко, сделав большой круг. Открыли новую дорогу: сначала по крутому косогору вверх, по тропинке между молодыми березами, со сверкающими от пробивающегося сквозь листву солнца частыми белыми стволами; потом по глухой дороге, а потом и главное, по бесконечной узкой просеке, с препятствиями, которые приходилось брать: то склоненные с двух сторон над дорогой и переплетенные ветвями между собой деревья (их объезжали с большим трудом по частому, почти непролазному молодому лесу), то канавы, то крутые спуски и такие же крутые подъемы...

Когда свертывали с дороги в эту просеку, Л.Н. произнес свое обычное:

— Попробую дорожку!

На середине я было предложил ему вернуться, но он не хотел.

— Вы совсем не помните этой дорожки, Лев Николаевич? — спросил я через некоторое время, видя, что просеке конца-краю нет.

— Совсем не помню.

— Куда же она может вывести?

— Понятия не имею! Куда-нибудь выедем. Вот это-то и интересно, куда она выведет.

Все-таки выехали на дорогу. Вернулись через Овсянниково и Засеку. Поехали на Засеке не мимо дач, а в объезд, по лесу.

— Что и требовалось доказать! — воскликнул Л.Н., когда мы благополучно выехали к железнодорожному мосту у станции.

А вечером говорил:

— Мне не хотелось, чтобы мне кричали: «Здравствуйте, Лев Николаевич!» — и я объехал дачи лесом. Какая хорошая тропинка!

Л.Н. прислали приветствие чешские «соколы»*. Душан настаивал на ответе им, но Л.Н. сказал:

— Я не могу выражать сочувствия обществу, которое организует гимнастику. Гимнастика — занятие, пригодное только для богатых классов, освобождающее их от обязательной, нужной для всякого, настоящей работы.

Сегодня днем имело место «великое событие»: Татьяна Львовна (недавно приехавшая из Кочетов) и сопровождавшая ее Софья Андреевна отвезли наконец в Тулу старые дневники и положили их на хранение в тульском отделении Государственного банка. При этом было условлено, что дневники могут быть выданы только Л.Н. или, по его доверенности, М.С.Сухотину.

Вечером Гольденвейзер играл мазурки Шопена. Л.Н. прослезился и потом говорил комплименты пианисту. Слышал только его слова: «Каждая нота в полном смысле...»

19 июля

В Ясной гостит племянница Л.Н., дочь его сестры Марии Николаевны, княгиня Елизавета Валериановна Оболенская.

Из-за жары в кабинете, выходящем окнами на юг, Л.Н. занимается в «ремингтонной». Одет в белую парусиновую пару. Сегодня он получил приглашение участвовать в конгрессе мира в Стокгольме, если не лично, то присылкой доклада. Он шлет доклад, написанный еще в прошлом году, с сопроводительным письмом.

К своему рассказу «Из дневника», только что напечатанному в газетах, он написал заключение. Чертков предполагал послать заключение в газеты, с припиской от своего имени о том, что напечатание его было бы желательно для Толстого. Л.Н. изменил приписку Черткова в том смысле, что Чертков считает заключение заслуживающим напечатания и потому посылает его в редакцию с разрешения Толстого.

— Я больше на него сваливаю, — сказал мне Л.Н. — Пишу, что он считает эту вещь стоящей печати... Потому что я-то не считаю ее такой. Вы покажите мою приписку

---

* Редакция журнала чешской юношеской гимнастической организации «Сокол».

Владимиру Григорьевичу: если хочет, пусть он ее примет, если нет, пусть оставит по-старому.

Во время этого разговора вошла Софья Андреевна и, увидев в руках Л.Н. листок с текстом заключения, стала расспрашивать, что это за листок.

Он стал объяснять ей, но она ничего не понимала. «Это письмо Черткову? Зачем Чертков? Можно ли мне переписать? Почему Черткову этот листок, а не тот, который я перепишу?» и т.д. и т.д. — сыпались вопросы один за другим. И в заключение:

— Я все-таки ничего не поняла!

— Очень жалко, — ответил Л.Н. уже утомленным голосом и добавил, когда Софья Андреевна вышла: — как только Чертков, так у нее в голове всё так путается, и она ничего не понимает, и Бог знает что такое!..

Из Москвы приехали к больной Софье Андреевне доктор Никитин и психиатр Россолимо. За обедом Россолимо и Л.Н. вели разговор о причинах самоубийств. Л.Н. как на главную причину указывал на отсутствие веры. Россолимо называл причины: экономическую, культурную, физиологическую, биологическую и пр., а также, пожалуй, и отсутствие веры, то есть (перевел он на свой язык) отсутствие «точки, на которую можно было бы опереться». Никак сговориться с Л.Н. он не мог, да и немудрено: говорили они на разных языках, поскольку Толстой скептически относился к медицине как к науке.

Вечером он вышел к чаю на террасу, Софья Андреевна была занята у себя с докторами.

— Они мне хорошее лекарство прописали, — сказал Л.Н., — которое я с удовольствием проглочу: уехать в Кочеты.

Сегодня врачи еще не составили своего заключения и потому остаются на завтра.

Ввиду того что отношения между Софьей Андреевной и Владимиром Григорьевичем продолжают оставаться неровными, Л.Н., чтобы успокоить Софью Андреевну, решил уступить ей и просить Черткова временно не посещать Ясной Поляны. Поздно вечером он позвонил ко мне. Я вошел к нему в спальню, где Душан забинтовывал ему больную ногу.

— Вы завтра пойдете к Черткову, — сказал Л.Н., — следовательно, расскажите ему про все наши похождения.

И скажите ему, что самое тяжелое во всем этом для меня — он. Для меня это истинно тяжело, но передайте, что на время я должен расстаться с ним. Не знаю, как он отнесется к этому.

Я высказал уверенность, что если Владимир Григорьевич будет знать, что это нужно Л.Н., то, без сомнения, он с готовностью примет и перенесет тяжесть временного лишения возможности видеться.

— Как же, мне это нужно, нужно! — продолжал Л.Н. — Письма его всегда были такие истинно дружеские, любовные. Я сам спокоен, мне только за него ужасно тяжело. Я знаю, что и Гале* это будет тяжело. Но подумать, что эти угрозы самоубийства — иногда пустые, а иногда — кто их знает? — подумать, что может это случиться! Что же, если на моей совести будет это лежать?.. А что теперь происходит — для меня это ничего... Что у меня нет досуга или меньше — пускай!.. Да и чем больше внешние испытания, тем больше материала для внутренней работы... Вы передайте это бате**. Наверное, мы не увидимся с вами утром.

21 июля

Пришел я в Ясную во время завтрака, который происходил на площадке для крокета, под деревьями. Вместе со мной подошли к дому двое молодых людей и остановились за кустами. Назвались учениками Тульского городского училища, и старший просил «доложить графу». Л.Н., очень добродушный и милый, расхаживал по двору в белых парусиновых брюках и без верхней рубашки. Попросил принести ему шляпу и в этом виде вышел к ребятам. Потом говорил о них:

— Ничего не читали... Старший, я думаю, плохой: и курит, и пьет, и женщин, наверное, знает; а младший — нет, чистые глаза.

Просил меня дать им книжек, между прочими — книжку о половом вопросе.

Ездили кататься.

— Ну, кто меня берет сегодня с собой? — подошел он ко мне с улыбкой.

---

* Так называли в семье Анну Константиновну Черткову.
** Домашнее прозвище Черткова.

251

Ездили долго, опять по новым местам.

Вечером Л.Н. говорил, что читал в «Вестнике Европы» статью о «смертниках», то есть приговоренных к смертной казни. Статья произвела на него меньшее впечатление, чем статья о смертных казнях Короленко. В том же журнале он прочел описание потопления на Амуре русскими властями трех тысяч китайцев во время осады Благовещенска в 1900 году. Об этом рассказывал ему уже Плюснин. В журнале Л.Н. был неприятно поражен неуместно-шутливым заглавием: «Благовещенская утопия».

Вообще же похвалил журнал:

— Там много хорошего.

Сегодня уехали бывшие у Софьи Андреевны доктора.

Г.И.Россолимо установил следующий диагноз болезни Софьи Андреевны: «Дегенеративная двойная конституция, паранойяльная и истерическая, с преобладанием первой. В данный момент эпизодическое обострение».

Врачи советовали Л.Н. и Софье Андреевне разъехаться, хотя бы на время, и он принимает этот совет охотно, а Софья Андреевна сердится. Кажутся ей смешными и полученные ею от врачей предписания обычной гигиены: не волноваться, брать ванны, гулять и пр. Она сама считает глубже причины своего недомогания. При таких условиях приезд врачей, пожалуй, не очень поможет.

22 июля

Принес показать Л.Н. написанное мною большое письмо о Боге одному корреспонденту Л.Н., убежденному атеисту, которому однажды я уже писал. Толстой прочел и похвалил письмо. Между прочим, я касался там вопроса о сущности духовной любви. Как формулировать, в чем собственно заключается это чувство? Вопрос этот я задал Л.Н. Он сказал:

— Я уже много раз формулировал это. Любовь — соединение душ, разделенных телами друг от друга. Любовь — одно из проявлений Бога, как разумение — тоже одно из его проявлений. Вероятно, есть и другие проявления. Посредством любви и разумения мы познаем Бога, но во всей полноте существо Бога нам не открыто. Оно непостижимо, и, как у вас и выходит, в любви мы стремимся познать божественную сущность.

Про письмо еще добавил:

— Очень хорошо, что вы отвечаете прямо на его возражения. Показываете, что он не хочет только называть слово «бог», но что сущность-то эту он все-таки признает. Назови эту сущность хоть кустом, но она все-таки есть.

Он сидел на балконе, очень слабый и утомленный. С Софьей Андреевной опять нехорошо, и в доме — напряженное состояние. Вот-вот сорвется — и напряженность разразится чем-нибудь тяжелым и неожиданным. Невыносимо больно — сегодня как-то я особенно это чувствую — за Л.Н.

Он хотел поскорей послать меня в Телятинки, сказать, чтобы Чертков, который опять начал было посещать Ясную Поляну, не приезжал сегодня.

— Идите лучше, скажите это! А то я уверен, что опять будут сцены, — говорил Л.Н.

Но как раз возвращалась в Телятинки одна молодая девушка, финка, приезжавшая оттуда побеседовать с Толстым. С нею и отправили письмо к Черткову. Вышло так, что финка и Чертков разъехались: из Телятинок в Ясную есть две дороги, и они поехали разными. Владимир Григорьевич, ничего не подозревая, явился к Толстым.

Сначала он говорил с Л.Н. на балконе его кабинета. Потом все сошли пить чай на террасу, в том числе и Софья Андреевна. Последняя была в самом ужасном настроении — нервном и беспокойном. По отношению к гостю, да и ко всем присутствующим держала себя грубо и вызывающе. Понятно, как это на всех действовало. Все сидели натянутые, подавленные. Чертков точно аршин проглотил: выпрямился, лицо окаменело. На столе уютно кипел самовар, ярко-красным пятном выделялось на белой скатерти блюдо с малиной, но сидевшие за столом едва притрагивались к своим чашкам, точно повинность отбывали. И, не засиживаясь, скоро все разошлись.

26 июля

Вчера и третьего дня Л.Н. был нездоров.

Вчера Софья Андреевна (возбужденная, как всегда) вдруг решила, что она одна уедет из Ясной Поляны в Москву, «может быть навсегда», как она сказала. Она вдруг как-то стала спокойнее, предобросовестнейшим образом простилась с Л.Н. и с домашними и в коляске уехала в Тулу, чтобы там сесть на скорый поезд. Все думали, что это вполне серьезное намерение и что, очевидно, Софья Андреевна сама почувствовала необходимость успокоиться где-нибудь на стороне.

Но вот вдруг сегодня она неожиданно возвращается из Тулы в сопровождении Андрея Львовича и его семьи: второй жены (разведенной жены тульского губернатора Арцимовича) Екатерины Васильевны и плодом этого брака — двухлетней дочкой Машенькой, единственным ребенком, которого Л.Н., по его словам, «не мог любить». Он был против развода Андрея с первой женой, Ольгой Константиновной, и как бы не признавал — в душе — его второго брака. Разумеется, это не мешало ему при встречах быть рыцарски любезным с Екатериной Васильевной.

Софья Андреевна рассказала, что она встретилась с Андрюшей в Туле совершенно случайно и что он уговорил ее вернуться. Нет сомнения, что она подробно поделилась с сыном своими тяжелыми переживаниями. Это видно из того, что Андрей Львович настроен, что называется, «агрессивно». Л.Н. он очень тяжел.

Кажется, и Софью Андреевну, и Андрея Львовича томят какие-то подозрения насчет завещания. Я заключаю это из следующего эпизода.

Я передал Л.Н. для прочтения четыре письма, написанных мною, по его поручению, к разным лицам. Он прочел их и сам принес из кабинета ко мне в «ремингтонную».

— Всё очень хорошо! — ласково сказал он при этом.

— А это что, Лев Николаевич? — спросил я, заметив среди писем клочок бумаги с его почерком.

— А это я вам аттестат написал, баллы за письма.

Содержание «аттестата», набросанного карандашом:

«Блатову — вполне хорошо.

Тучаку — тоже.

Трушову — тоже.

Кабанову — тоже».

— Ну вот, теперь я буду с «аттестатом», — пошутил я.

— Да, да, — ответил Л.Н.

Этот разговор наш, очевидно, был подслушан. Когда я вскоре после этого столкнулся с Софьей Андреевной, она вдруг спросила меня:

— Какой это вы документ подписали для Л.Н.?

— Я?! Документ?! Никакого!

— Нет, нет, вы говорили, что вы подписали исторический документ и что вы будете теперь историческим человеком!..

— Я, Софья Андреевна?! Уверяю же вас, что вы ошибаетесь, и я решительно никакого документа не подписывал!

— Совсем никакого?

— Совсем никакого!..

Тут я вспомнил про «аттестат».

— Вот только о каком документе говорили мы с Львом Николаевичем, — сказал я, вытаскивая из кармана злополучный «аттестат» и показывая его Софье Андреевне.

Я объяснил ей, что это за документ, и она как будто успокоилась.

По поручению Анны Константиновны, я показал Л.Н. рассказ одного начинающего еврейского писателя, по-видимому, не лишенного дарования, с просьбой почитать рассказ в свободную минуту и сказать свое мнение. Л.Н. начал читать, но прочел только первые две страницы — рассказ ему не понравился.

— Нет, не видно, чтобы было талантливо, — сказал он. — Что это? «И в этой молитве, жаркой и трепетной, как дыхание умирающего, точно слышалась мольба Даниила из львиного рва, Иосифа из темницы, Ионы...» Фразы...

Душан не окончил прием больных, и я поехал с Л.Н. верхом.

— Поедемте дороги разыскивать! — весело сказал он, садясь на лошадь.

Но ездили немного и новых дорог не разыскали, потому что Душан просил далеко не ездить, утверждая, что это было бы вредно после только что минувшего нездоровья.

28 июля

Я сказал Л.Н., что Владимир Григорьевич шлет ему привет и просил сказать, что хотел бы что-нибудь слышать от него.

— Скажите ему, — ответил Л.Н., — что я хотел написать ему подробно, но теперь некогда. Передайте так, что у нас теперь тишина, не знаю — перед грозой или нет... Я всё чувствую себя нехорошо, и даже совсем нехорошо: печень, желчное состояние... Приехал Сергей Львович, вы видели, что мне приятно, потому что он мне не далек. Было письмо от Тани.

Л.Н. поехал с Душаном, но что-то забыл у себя в комнате, вернулся и, проходя назад через «ремингтонную», сказал мне:

— А про Танино письмо вы скажите, что я с ним не согласен...

Он торопился и уже отвернулся от меня и быстро пошел. Но воротился опять:

— Она пишет, чтобы он уехал. А я думаю, что это совершенно не нужно, и я этого не хочу.

30 июля

Придя, узнал, что Л.Н. справлялся обо мне. Пошел к нему. Он дал мне письма для ответа.

— Земляки все ваши (письма были из Сибири. — *В.Б.*). Все хорошие письма.

Об одном письме, интимной исповеди, он рассказывал в зале Софье Андреевне, мне и Софье Александровне Стахович. Хотел сам на него отвечать, но теперь решил отдать мне.

— Думал, что оно более интересное, — сказал он, давая мне указания, как ответить.

Я сказал, что на письмо, которое я вчера передал от него Владимиру Григорьевичу, тот ответит завтра.

— Да оно не требует особенного ответа, — сказал Л.Н. — Мне просто приятно слышать его голос, знать о нем, чем он занят, как живет.

Он был как-то особенно доверчив, и лицо его было совсем открыто. Я не уходил. Когда бываешь наедине с дорогим, близким человеком, то иногда, уже после того как всё переговорено, ясно чувствуешь, что нужно еще подождать, потому что назрела между вами потребность более серьезного задушевного общения, чем только деловое. Бывает особенно приятно сознавать присутствие друг друга, и хочется воспользоваться этим моментом, чтобы перекинуться несколькими теплыми, серьезными, соединяющими души мыслями, словами, хотя заранее ничего и не готовилось к такому разговору. Кажется, такой момент был и этот.

— Что бы вам еще рассказать? — задумался Л.Н.

— Бирюковы приехали к вам.

— Да, да... Я очень, очень им рад. Павла Ивановича я давно не видал, и мне очень приятно с ним... У нас сейчас всё спокойно, — продолжал, помолчав, Л.Н. — Я понял недавно, как важно в моем положении, теперешнем, неделание! То есть ничего не делать, ничего не предпринимать. На все вызовы, какие бывают или какие могут быть, отвечать молчанием. Молчание — это такая сила! Я на себе это испытал. Влагаешь в него (в противника. — *В.Б.*) самые сильные доводы, и вдруг оказывается, что он вовсе ничего... Представляешь себе, что он собирает все самые веские возражения, а он — совсем ничего... На меня по крайней мере молчание всегда так действовало... И просто нужно дойти до такого состояния, чтобы, как говорит Евангелие, любить ненавидящих вас, любить врагов своих... А я еще далеко не дошел до этого... — Покачал головой: — Но они всё это преувеличивают, преувеличивают...

По-видимому, Л.Н. разумел отношение Владимира Григорьевича, Александры Львовны и других близких людей к поведению Софьи Андреевны.

— Наверное, Лев Николаевич, вы смотрите на это как на испытание и пользуетесь всем этим для работы над самим собой?

— Да как же, как же! Я столько за это время передумал!.. Но я далек еще от того, чтобы поступать в моем положении по-францисковски. Знаете, как он говорит? Запиши, что если изучить все языки и т.д., то нет в этом радости совершенной, а радость совершенная в том, чтобы когда тебя обругают и выгонят вон, смириться и сказать себе, что это так и нужно, и никого не ненавидеть. И до такого состояния мне еще очень, очень далеко!

Август

Говорил:

— Валентин Федорович, а все эти профессора — настоящие христиане, не правда ли? Я их браню, а они мне свои книжки шлют, оказывают внимание...

Получил и дал мне для ответа письмо от одного волостного старшины, которого он охарактеризовал так:

— Это — из новых... Я представляю его себе так: молодой человек, лет двадцати семи, видимо, богатый, честолюбивый, желает приносить пользу крестьянам. Он думает, находясь в своей среде, что стоит на высшей ступени развития! А между тем он такой же слепой. Так вот ему нужно показать это, открыть глаза.

Вчера я показывал Л.Н. письмо, полученное мною от одного близко знакомого мне по университету социал-демократа Александра Руфина, из тюрьмы в городе Благовещенске-на-Амуре. Он приговорен к одному году заключения в крепости за содействие всеобщей забастовке 1905 года. Тогда Руфин был в одном из больших сибирских городов товарищем председателя рабочего союза, насчитывавшего в числе своих членов до семи тысяч человек. Я знал его за человека очень убежденного, в высшей степени энергичного, честного и прямодушного.

Из Ясной, узнав в Москве через жену Руфина его адрес, я однажды написал ему в тюрьму и вот получил ответ. Оказалось, что он переживает мучительный душевный переворот, переоценивая свои прежние ценности и в своем новом душевном движении явно приближаясь к кругу мыслей и чувств, свойственных мировоззрению Толстого. В конце письма Руфин просил меня «всякими правдами или неправдами достать или просто попросить» у Л.Н. его портрет, на котором бы он надписал что-нибудь, подходящее к переживаемому Руфином душевному состоянию.

Письмо это очень тронуло Л.Н. С первых же строк он оценил ум и искренность писавшего. Потом расспрашивал о Руфине подробно и решил непременно написать ему.

— Надо помочь ему, бедному, — говорил он.

Сегодня он исполнил свое обещание. На полях портрета со всех четырех сторон надписал: «Есть французская поговорка: *Les amis de nos amis sont nos amis**. И потому, считая вас близким человеком, исполняю ваше желание. Лев Толстой. 1 августа 1910 г. Среди наших чувств и убеждений есть такие, которые соединяют нас со всеми людьми, и есть такие, которые разъединяют. Будем же утверждать себя в первых и руководствоваться ими в жизни и, напротив, сдерживаться и осторожно руководствоваться, в словах и поступках, чувствами и убеждениями, которые не соединяют, а разъединяют людей».

Надпись эта далась Л.Н. не сразу, он ее несколько раз исправлял. Слово «всеми» велел мне подчеркнуть через несколько часов, по возвращении с верховой прогулки.

— Хороши эти книжечки, Лев Николаевич, — сказал я, просматривая корректуры «Мыслей о жизни», пока он составлял надпись на портрете для Руфина. Кстати, «Мысли о жизни» переименованы в «Путь жизни».

— Дай Бог вашими устами да мед пить! — ответил Л.Н. — Иногда я думаю это, иногда сомневаюсь.

— Я сейчас смотрел «Самоотречение».

— А! Это очень хорошая.

Между прочим, утром говорил мне в кабинете:

— Софья Андреевна сегодня так... (Пошевелил кистью руки. — *В.Б.*). Ничего дурного не говорит, но... неспокойна.

После обеда я зашел к нему, чтобы взять для Черткова письмо его, написанное по поручению Толстого к В.Л.Бурцеву в Париж и присланное им для просмотра, а также письма Бурцева к Владимиру Григорьевичу и к Л.Н. Бурцев касался в письмах излюбленной своей темы — вопроса о борьбе с провокацией. Взял я также одну из книжек «Пути жизни», чтобы внести в нее некоторые дополнения по черновой.

Ушел. Л.Н. сейчас же позвонил. Я вернулся.

— Это вы? Я думал, придет Саша. Ну, все равно...

Он попросил запереть дверь на балкон: стояло ненастье, и было уже холодно. Потом я поставил на его рабочий столик свечу и повернулся к другому столику, чтобы взять спички.

---

* Друзья наших друзей — наши друзья.

— Ах, как хорошо! — слышу я за своей спиной голос.

— Что, Лев Николаевич? — обернулся я.

— А вы что улыбаетесь?

— Да вот вы говорите, что хорошо...

— Да, я думаю, как это хорошо! Когда живешь духовной жизнью, хоть мало-мальски, как это превращает все предметы! Когда испытаешь чье-нибудь недоброе отношение и отнесешься к этому так, как нужно, — знаете, как говорил Франциск? — то как это хорошо, какая радость! Если удается заставить себя отнестись так, как должно... Так что здесь то самое, что должно было быть для тебя неприятным, превращается в благо. — Он помолчал. — Это кажется парадоксом, и многие этого не понимают, но это несомненная истина. Вот Иван Иванович... (Л.Н. улыбнулся. — *В.Б.*) Он такой добрый, милый человек, но почему-то все мысли Канта... Вы заметили?..

Л.Н. имел в виду корректуры «Пути жизни», в которых Горбунов, будучи посредником между Толстым и типографией, часто еще прежде просмотра их Л.Н. делает от себя карандашом много предположительных поправок в тексте и содержании изречений, как бы предлагая эти поправки на усмотрение автора. При этом против многих мыслей Канта Иван Иванович часто ставит на полях надпись: «трудно» или «непонятно»... Обыкновенно Л.Н. некоторые поправки принимает, а остальные перечеркивает чернилами.

Для ясности понимания сказанного Толстым нужно еще принять во внимание, что как раз перед этим был какой-то неприятный для него разговор с Софьей Андреевной.

Под вечер он долго разговаривал в своем кабинете с Павлом Ивановичем Бирюковым наедине. Это был разговор большой важности, касавшийся, как я узнал после, недавно совершившегося в Ясной Поляне исключительного дела: составления Л.Н., тайно от семьи, формального духовного завещания, в силу которого все произведения Льва Толстого, художественные и философские, должны были после его смерти стать всеобщей собственностью.

Будучи поставлен (если не ошибаюсь, самим Л.Н.) в известность относительно составления завещания, Бирюков в разговоре с ним, как оказалось, указал на нежелательный тон, какой принимало завещательное дело вследствие своей конспиративности. Собрать всех семейных и объявить им свою волю — может быть, более соответствовало бы общему духу и убеждениям Л.Н.

Разговор этот и еще одна новая неприятность с Софьей Андреевной не прошли для Толстого, поставленного между разными течениями в своем близком кругу, даром. Еще перед тем как говорить с Бирюковым, он просил меня не уезжать в Телятинки, не зайдя к нему.

Собравшись уезжать, я зашел к Л.Н.

— Вы хотели сказать мне что-то? — спросил я.

— Ничего особенного, ничего особенного! — несколько неожиданно для меня ответил он.

Мне показалось, что лицо его было какое-то странное и как будто утомленное. Прежнего оживления, с которым он совсем еще недавно говорил со мной, не видно было и тени.

— Владимиру Григорьевичу ничего не нужно передать?

— Нет. Я хотел написать ему, но сделаю это завтра. Скажите, что я в таком положении, что я ничего не желаю и... (Л.Н. приостановился. — *В.Б.*) ожидаю... Ожидаю, что будет дальше, и заранее готов одинаково на всё!..

Я вышел.

2 августа

— Ну, давайте письма! И волостному писарю написали? Это трудное письмо.

Письма не особенно одобрил. Писарю — «ничего». Другое — о разнице учений религиозного и мирного анархизма — «неясно», просил переделать. Это же письмо Л.Н. предполагал показать Черткову, что я и сделаю.

Софья Андреевна слегла. Владимир Григорьевич по-прежнему не бывает у Толстых. Л.Н. тоже не ездит в Телятинки. Иногда они переписываются, через меня или Гольденвейзера.

Александра Львовна и Чертковы очень недовольны вчерашним выступлением Бирюкова. По их мнению, Бирюков, не уяснив еще всей сложности вопроса, позволил себе очень неумело вмешаться в дело и даже давать Л.Н. советы, чем только расстроил его. Сколько я понимаю, слова Бирюкова действительно произвели впечатление на Толстого.

Утром Л.Н. звонит. Иду в кабинет.

— Я в «Самоотречении» такие прелести нахожу! — говорит он о книжке «Пути жизни».

Читал по-французски Паскаля и продиктовал мне перевод еще одной мысли из него, которую просил включить в книжку «Самоотречение».

— Какой молодец! — сказал он о Паскале.

Уже лег в постель после верховой прогулки. Звонок. Прихожу в спальню. Полумрак. Спущенные шторы. Л.Н. лежит на кровати, согнувшись на боку, в сапогах, подложив под ноги тюфячок, чтобы не пачкать одеяло.

— А я думаю, что эту мысль нужно объяснить, — говорит он.

Я как раз перед этим указал ему нижеследующую мысль из книжки «Самоотречение», которую Горбунов пометил «трудной», и спрашивал, верно ли я ее понял: «Если человек понимает свое назначение, но не отрекается от своей личности, то он подобен человеку, которому даны внутренние ключи без внешних». Собственно вся-то «трудность» здесь в ясности представления, что такое внешние ключи и ключи внутренние. Л.Н. замечание Ивана Ивановича зачеркнул.

— Нет, не стоит, Лев Николаевич, — ответил я на его слова, что надо объяснить мысль.

— Да нет; если и вы... близкий... А я думаю, — продолжал он, — теософия говорит о таинственном. Вот Паскаль умер двести лет тому назад, а я живу с ним одной душой. Что может быть таинственнее этого? Вот эта мысль (которую Л.Н. мне продиктовал. — *В.Б.*), которая меня переворачивает сегодня, мне так близка, точно моя!.. Я чувствую, как я в ней сливаюсь душой с Паскалем. Чувствую, что Паскаль жив, не умер, вот он! Так же как Христос... Это знаешь, но иногда это особенно ясно представляешь. И так через эту мысль он соединяется не только со мной, но с тысячами людей, которые ее прочтут. Это — самое глубокое, таинственное и умиляющее... Я только хотел поделиться с вами.

Вот мысль французского философа, которая так тронула Л.Н.:

«Своя воля никогда не удовлетворяет, хотя бы и исполнились все ее требования. Но стоит только отказаться от нее — и тотчас же испытываешь полное удовлетворение. Живя для своей воли, всегда недоволен; отрекшись от нее, нельзя не быть вполне довольным. Единственная истинная добродетель — это ненависть к себе, потому что всякий человек достоин ненависти своей похотливостью. Ненавидя же себя, человек ищет существо, достойное любви. Но так как мы не можем любить ничего вне нас, то мы вынуждены любить существо, которое было бы в нас, но не было бы нами, и таким существом может быть только одно — всемирное существо. Царствие Божие в нас (Лк. XVII, 21); всемирное благо в нас, но оно не мы».

За обедом Душан сообщил Л.Н., что один чешский поэт прислал ему два стихотворения — о Лютере и о Хельчицком.

— Ах, о Хельчицком, это в высшей степени интересно! — воскликнул Толстой.

Душан передал вкратце содержание стихов. О Лютере говорилось, что хотя он победил Рим, но сатану в себе, своих пороков, не победил.

— Это мне сочувственно, — сказал Л.Н., — тем более что у меня никогда не было... уважения к Лютеру, к его памяти.

Вечером — опять тяжелые и кошмарные сцены. Софья Андреевна перешла все границы в проявлении своего неуважения к Л.Н. и, коснувшись его отношений с Чертковым, к которому она его ревнует, наговорила ему безумных вещей, ссылаясь на какую-то запись в его молодом дневнике. Я видел, как после разговора с ней в зале Л.Н. быстрыми шагами прошел через мою комнату к себе, прямой, засунув руки за пояс и с бледным, точно застывшим от возмущения лицом. Затем щелкнул замок: он запер за собой дверь в спальню на ключ. Потом он прошел из спальни в кабинет и точно так же запер на ключ дверь из кабинета в гостиную, замкнувшись, таким образом, в двух своих комнатах, как в крепости.

Его несчастная жена подбегала то к той, то к другой двери и умоляла простить ее («Левочка, я больше не буду!») и открыть дверь, но Л.Н. не отвечал... Что переживал он за этими дверьми, оскорбленный в самом человеческом достоинстве своем, Бог знает!..

В Ясной получена телеграмма от В.Г.Короленко: «Был бы счастлив побывать, прошу сообщить, не обеспокою ли Льва Николаевича». Софья Андреевна отвечала: «Все будут рады вас видеть, приезжайте».

Владимир Григорьевич просил передать Л.Н. привет, как обыкновенно, и сказать, что лучшее, о чем он бы мечтал по отношению к Толстому, это чтобы он уехал из Ясной Поляны к Татьяне Львовне в Кочеты.

— Да я и сам об этом подумываю, — неопределенно ответил Л.Н., когда я передал ему слова Черткова.

Я сидел у Л.Н. в кабинете.

— Софья Андреевна нехороша, — говорил он. — Если бы Владимир Григорьевич видел ее — вот такой, как она есть сегодня!.. Нельзя не почувствовать к ней сострадания и быть таким строгим к ней, как он... и как многие, и как я... И без всякой причины! Если бы была какая-нибудь причина, то она не могла бы удержаться и высказала бы ее... А то просто ей давит здесь, не может дышать. Нельзя не иметь к ней жалости, и я радуюсь, когда мне это удается... Я даже записал.

Л.Н. нащупал в карманах записную книжку, достал ее и стал читать. Неожиданно вошла Софья Андреевна, чтобы положить ему яблоки, и начала что-то о них говорить... Он прекратил чтение, отвечая на слова Софьи Андреевны. Потом она вышла, по-видимому, недовольная моим присутствием в кабинете и как будто что-то подозревающая, и он кончил чтение.

Вот мысль, которую Л.Н. прочел:

«Всякий человек всегда находится в процессе роста, и потому нельзя отвергать его. Но есть люди до такой степени чуждые, далекие в том состоянии, в котором они находятся, что с ними нельзя обращаться иначе, как обращаешься с детьми — любя, уважая, оберегая, но не становясь с ними на одну доску, не требуя от них понимания того, чего они лишены. Одно затрудняет в таком обращении с ними — это то, что вместо любознательности, скромности детей у этих детей равнодушие, отрицание того, чего они не понимают, и, главное, самое тяжелое — самоуверенность».

— И сколько таких детей около нас, — добавил Л.Н., указав рукой на дверь, — среди окружающих! Кстати, вот работа для вас, переписать это — вот сколько накопилось — в тетрадь...

То есть нужно было из записной книжки набросанные начерно мысли переписать в дневник. И вот он, великий Толстой, сгорбленный, седенький, стал на табуретку, протянул руку и из-за полки с книгами достал тетрадь дневника, которую и подал мне: он прятал тетрадь от Софьи Андреевны...

Условились, чтобы я переписал внизу, в комнате Душана, подождал возвращения Л.Н. с прогулки и отдал бы ему тетрадь.

— Хотя тут ничего и нет такого, — сказал Л.Н., перелистывая тетрадь...

6 августа

Ездили с Л.Н. на «провалы», за деревни Бабурину, Дёминки и Мясоедову. «Провалы» — небольшие, мрачные, бездонные озера в старом дубовом лесу, образовавшиеся действительно вследствие того, что почва вместе с росшим на ней лесом провалилась в этих местах куда-то в глубину. Это было еще на памяти Л.Н. Он помнил деревья, свешивавшиеся с боков «провалов» вниз. Да и теперь видно, как местами по берегам озер почва изломана и точно готова осесть тоже вниз, в пропасть. «Провалы» — одна из живописнейших окрестностей Ясной Поляны.

Когда Л.Н. отдыхал после прогулки, явился Короленко. Он пришел пешком с Засеки, где сошел с поезда, не зная, что там нет ямщиков. Я первый встретил Владимира Галактионовича и провел в зал. Сейчас же пришла туда и Софья Андреевна, извещенная о приезде гостя.

Короленко — почтенный седой старик, невысокого роста, коренастый. Благообразное, спокойное лицо с окладистой бородой и добрыми глазами. Движения неторопливы, мягки, определенны. Чисто и просто одет в темную пиджачную пару.

Перед обедом вышел Л.Н.

— Я приготовил фразу, что вы напрасно не известили нас о приезде, — говорил он, здороваясь с гостем, — напрасно истратили три рубля на ямщика... Знаю, знаю! А вы пешком со станции пришли...

— Счастлив видеть вас здоровым, Лев Николаевич! — говорил Короленко.

Как и можно было ожидать, Л.Н. сразу заговорил о статье Владимира Галактионовича о смертных казнях. Короленко указал, что благодаря письму Толстого об этой статье она действительно получила огромное общественное значение. Л.Н. говорил, что если это и случилось, то в силу достоинств самой статьи.

Сели обедать. Тут во время разговора обнаружилось, что Короленко глуховат. После он объяснил, что недавно был болен и ему заложило уши от хины.

Заговорили о декадентстве в литературе и в живописи. Короленко хочет найти более глубокую причину его появления, чем простое манерничанье или оригинальничанье. Рассказывал о знакомом художнике, намеренно в живописи употреблявшем «синьку», то есть скрывавшем определенные контуры и тона картины под темными пятнами — нарочно, как он говорил, чтобы не показывать богачам, которые покупают его картины, натуру красивой.

— Н-не знаю! — нерешительно восклицает Толстой. — Восхищаюсь вами, вашей осторожностью, с которой вы относитесь к декадентству, восхищаюсь, но сам не имею ее. Искусство всегда служило богатым классам. Возможно, что начинается новое искусство, без подлаживания господам, но пока ничего не выходит...

Говорили о музыке.

Л.Н.:

— Настоящее искусство должно быть всем доступно. Теперешнее искусство только для развращенных классов, для нас. Как я ни люблю Шопена, а думаю, что Шопен не останется жив, умрет для будущего искусства... Настоящего искусства еще нет.

Говорили о Законе 9 ноября. Короленко высказывался как-то осторожно. Л.Н. определенно высказал свой взгляд на землю как на предмет, не могущий быть частной собственностью.

Между прочим, за обедом Софья Андреевна рассказывала о своем столкновении с покойным Победоносцевым, когда она ездила к нему ходатайствовать о разрешении издания «Полного собрания сочинений Толстого». Победоносцев говорил ей: «Я, графиня, в вашем муже ума не признаю: ум — гармония, а у него всё углы». Тогда

Софья Андреевна возразила: «Позвольте в таком случае, Константин Петрович, напомнить вам изречение Шопенгауэра: "Ум — это фонарь, который человек несет перед собой, а гений — это солнце, освещающее всю вселенную"».

— Ну, этак-то уж не годится говорить, — вставил в этом месте рассказа Л.Н.

— Отчего? — возразила Софья Андреевна. — Я просто оскорбилась за своего мужа.

Она добавила при этом, что издания Победоносцев ей все-таки не разрешил.

После обеда и кофе Л.Н. некоторое время занимался у себя в кабинете. Короленко разговаривал с Софьей Андреевной.

Подали чай. Вышел Л.Н. Собрались все, в том числе вызванный из Телятинок Гольденвейзер, и снова завязался оживленный разговор. Короленко оказался очень разговорчивым вообще и, кроме того, прекрасным рассказчиком. Материал для рассказов в изобилии давали ему воспоминания его богатой событиями жизни. Куда ни забрасывала его судьба! То он в ссылке в Пермской губернии, то «послан дальше» — в Якутскую область, то он в Америке, на выставке в Чикаго, то в Лондоне, то, с тросточкой в руках, пешком, с одним «товарищем» (Короленко всё говорит: «с товарищем, мои товарищи», что отчасти рисует его мировоззрение) бродит по России, по самым глухим ее уголкам, монастырям, среди сектантов и т.д.

Л.Н. с особенным интересом слушал рассказ Короленко о том, как он видел Генри Джорджа. Это было на выставке в Чикаго. Устраивались всевозможные конференции, и вот одна из них была конференция Генри Джорджа — о едином налоге. Происходило это в огромном помещении, была масса публики. Джордж? Да, он был уже седой старик. И вот во время чтения один человек из публики задает вопрос: «Скажите, пожалуйста, как вы смотрите на вопрос о том, допускать или не допускать китайских рабочих в Америку?» (Л.Н.: «Да ну, и что же он?») Джорджу, видимо, вопрос этот был неприятен, и ему не хотелось отвечать. Но потом он обращается к тому, кто спрашивал, и говорит: «Хотя это к делу и не относится, но если вы хотите знать мое личное мнение, то я думаю, что наплыв китайцев в Америку следует регулировать...» (Л.Н.: «Эх, не ожидал!») Тогда вскакивают трое — последователи Генри Джорджа: «Учитель, мы не согласны!» (Л.Н.: «Молодцы!») И начинают доказывать противоречие только что сказанного Генри Джорджем с его теорией, которая имеет универсальное значение и которую он недостаточно ценит... (Л.Н.: «Прекрасно!»).

К сожалению, Владимир Галактионович не помнил или ему было неясно, как он сказал, что ответил своим ученикам Джордж и как он отнесся к их выступлению. Л.Н. это очень интересовало.

— Наверное, согласился! — говорил он. — Это был религиозный, истинно гуманный, свободный человек, и потому это меня удивляет...

Приведу еще рассказ Короленко о том, как он ходил на открытие мощей Серафима Саровского.

— Так как ехал царь, то со всех деревень набрали мужиков охранников и расставили по всей дороге. Мы шли вдвоем с товарищем. Подходим к нескольким таким охранникам. Поздоровались. «Что вы здесь делаете?» — спрашиваем. «Караулим царя». — «Да что же его караулить?» — «Его извести хотят». — «Кто же?» — «Да скорей вот такие же, как вы, картузники!» А я заметил, что на одном из мужиков тоже был картуз, и с козырьком, разорванным пополам. Я ему и говорю: «Да ведь на тебе тоже картуз, да у меня еще с одним козырьком, а у тебя ведь с двумя!» Так шуткой всё кончилось, стали смеяться...

Какое же у них представление о том, кто хочет извести царя? По их мнению, по России ходят студенты с иконой и всё добиваются, чтобы царь приложился к иконе. Раз он было чуть не приложился и уже перекрестился, да батюшка Иван Кронштадтский говорит: «Стой! Солдат, пали в икону!» Солдат взял ружье, хотел палить, вдруг из-за иконы выскочил татарин... Я говорю мужикам: «Что вы, какой татарин?» Но они объясняют, что татарин с двумя ножами, в той и в другой руке; его студенты посадили в икону: как царь стал бы прикладываться, он бы его так с обеих сторон ножами и убил бы. Я тогда и говорю своему товарищу, — добавил Короленко, — о каких мы говорим конституциях, о каких реформах, когда в народе такая темнота?..

— Совершенно верно! — вставил Лев Львович и добавил что-то о невежественности народа и о недоступности для его сознания всякого просвещения, которого ему и не нужно.

— Я с вами не согласен, — степенно возразил Короленко. — Я тогда привел своему товарищу одно сравнение и позволю себе и здесь его привести. Когда идет маленький дождик, и вы идете под ним, то это ничего, но если вы станете под водосточную трубу, вас всего обольет. Так и здесь: ведь собрался в одно место со всех концов самый суеверный люд... Ведь все эти места — это сброд всякого, самого нелепого суеверия!..

— Совершенно верно! — проговорил Л.Н.

Рассказывал еще Короленко очень подробно о том, как он выступал защитником по обвинению вотяков в принесении богам человеческих жертв, около пятнадцати лет тому назад*, затем, так же подробно, о религиозных собраниях в июне на берегах озера у «невидимого града Китежа», в Нижегородской губернии. Из последнего рассказа Л.Н. понравилось, что собирающиеся на берегу озера богомольцы за «видимым», телесным представляют себе «невидимую», духовную сущность.

Удивительно то, что Короленко в Ясной сумел удержаться на своей позиции литератора. Остался вполне самим собой, и даже только самим собой. Обыкновенно Л.Н. всех вовлекает в сферу своих интересов, религиозных по преимуществу; между тем Короленко, кроме того что сосредоточил общее внимание на своих бытовых рассказах и вообще разных «случаях» из своей жизни, но еще и ухитрился вызвать Толстого на чисто литературный разговор, что редко кому бы то ни было удается.

Разговор литературный возник в конце всех разговоров, и уже поздно, перед тем как разойтись.

— Один молодой критик говорит, — начал Короленко, — что у Гоголя, Достоевского есть типы, а у вас будто бы нет типов. Я с этим, конечно, не согласен,

---

* Группа крестьян-удмуртов (вотяков) из села Мултан (дело так и называли — «Мултанское») в 1892 году была обвинена в убийстве нищего Матюшина с целью жертвоприношения. Первое и второе слушания закончились обвинительными приговорами, но затем, под нажимом общественного мнения (и при участии Короленко и знаменитого адвоката А.Ф.Кони), подсудимые были оправданы.

во-первых, потому что и типы есть, но кое-что есть в этом и правды. Я думаю, что у Гоголя характеры взяты в статическом состоянии, так, как они уже развились, вполне определившиеся. Как какой-нибудь Петух, который, как налился, точно дыня на огороде в постоянную погоду, так он и есть!.. А у вас — характеры развиваются на протяжении романа. У вас — динамика. Как Пьер Безухов, Левин: они еще не определились, они развиваются, определяются. И в этом-то, по-моему, и состоит величайшая трудность художника...

— Может быть, — сказал Л.Н. — Но только главное то, что художник не рассуждает, а непосредственным чувством угадывает типы. В жизни какое разнообразие характеров! Сколько существует различных перемещений и сочетаний характерных черт! И вот некоторые из этих сочетаний — типические. К ним подходят все остальные... Вот когда я буду большой и сделаюсь писателем, я напишу о типе... Мне хочется написать тип... Но... я уж, как этот мой старичок говорил, «откупался».

— Знаете, Лев Николаевич, — возразил Короленко, — есть легенда о Христе. Будто бы он вместе с апостолами пришел к мужику ночевать. А у того в избе крыша была дырявая, и Христа с апостолами промочило. Христос ему и говорит: «Что же ты крышу не покроешь?» А мужик отвечает: «Зачем я ее буду крыть, когда я знаю, что я в четверг умру!» И вот, говорят, с тех пор Христос сделал так, чтобы люди не знали дня своей смерти. Так и вы, Лев Николаевич. Что загадывать? Живут же люди до ста двадцати лет. Так вот, может, вы и напишете этот свой тип...

— Когда я писал раньше художественные произведения, — сказал еще Л.Н., — то как это было трудно! Теперь всё это кажется так легко, потому что не надо исполнения. Я знаю это и потому отношусь так легкомысленно.

7 августа

Короленко, ночевавший в Ясной Поляне, ездил сегодня с Александрой Львовной к Черткову в Телятинки, где его, разумеется, информировали обо всех фазах болезни или злонамеренного поведения Софьи Андреевны, а затем в три часа отправился в Тулу, чтобы оттуда ехать по железной дороге домой. Л.Н. не преминул оказать ему любезность и доброту. По его плану, я верхом и с Дэлиром в поводу выехал на тульскую дорогу вперед, он же поехал с Короленко попозже. Потом они догнали меня. Обернувшись, я увидел в подъезжавшей пролетке сидящих рядом двух стариков с белыми бородами, и первое время не мог разобрать, где Толстой, где Короленко...

Когда пролетка поравнялась со мной и остановилась, Л.Н. вышел из нее, попрощался в последний раз с Короленко, я тоже раскланялся с ним, и экипаж покатил в Тулу, увозя Владимира Галактионовича.

Л.Н. взобрался на Дэлира, и мы ровным шагом поехали в сторону от шоссе по дороге на Овсянниково. Между тем пошел сильный дождь, и Толстой заехал в имение Красноглазовой, где мы и спрятались в каком-то сарае. Прибежал гимназист, бойкий, цветущий мальчик лет пятнадцати, со славными, чистыми глазами:

— Лев Николаевич, пожалуйте к нам!

После минуты колебания Л.Н. слез с лошади, и под дождем мы пошли на дачу к гимназисту. Оказалось, что это семья тульского врача Сухинина, бывавшего и в Ясной Поляне. Дома были только жена его и дети. Она была счастлива и всячески старалась оказать Толстому какую-нибудь любезность. Сам доктор лежит больной в городе. С ним несчастье: его старший сын Гриша, тот самый милый гимназист, который приглашал нас в дом, на охоте по неосторожности выстрелил отцу в ногу из дробовика.

— Брось ты эту забаву, — говорил гимназисту Л.Н. — Нехорошее это дело. Нельзя убивать, всё живое хочет жить. Вы извините, — обратился он к матери, — что я ему это говорю. Мне совестно говорить это потому, что я сам до пятидесяти лет охотился — на зайцев, на медведей... Вот это у меня след от медведя, — указал Л.Н. на рубец на правой стороне лба. — Теперь не могу вспомнить об охоте без чувства стыда и мучительного раскаяния.

У Сухининых мы просидели с полчаса. Л.Н. ласкал детей, а самому маленькому из них на клочке бумаги нарисовал лошадку.

У меня шла переписка о Боге с неким Ананием Пилецким из Конотопа Черниговской губернии, очень даровитым молодым человеком своеобразного образа мыслей. Он признавал все нравственные требования, но никак не хотел допустить понятия Бога, или даже, как потом выяснилось, слова «Бог».

Передавая мне последнее письмо Пилецкого, Л.Н. сказал:

— Благодарит вас и опять отстаивает свое. Он резонер. По-моему, не стоит отвечать.

Другой корреспондент спрашивал, как перейти в какое-либо другое вероисповедание, чтобы избавиться от преследований православных священников, с которыми он поссорился и которых всячески обругал. Отвечая этому лицу, что переходить в другое вероисповедание не нужно, так как формальная принадлежность к тому или другому вероисповеданию не имеет значения, а лучшее средство избавиться от недоброжелательства других — это самому не иметь к ним недоброжелательства, я в конце письма советовал, для примирения с православными священниками, смирившись, пойти к ним и попросить прощения за свои жестокие и грубые слова (сволочь, христопродавцы, иуды и пр.).

Л.Н. не согласился с последним советом:

— Он подумает, что вы многого от него требуете. Напишите в том смысле, что он не может жаловаться на недоброжелательство священников, так как сам в нем виноват, потому что сам вызвал его.

Ездили верхом. До сих пор стояло ненастье. Сегодня выглянуло солнце. Чувствуется приближение осени, или лучше — конец лета. Видишь уже пожелтевшие листья.

Прогулка была знаменательна тем, что переехали несколько трудных рвов и канав. В одном месте слезли с лошадей, и я не без риска перевел их одну за другой через канаву с почти отвесными стенками; помог перейти через нее также и Л.Н.

В другой раз он говорит, свертывая на глухую тропинку в неровной местности:

— Я совершаю отчаянный поступок.

— Почему?

— Должно быть, дальше нехорошо будет...

— Тогда лучше не ездить.

— Нет, надо попробовать!

Едем. Один за другим крутые спуски — ступенями всё ниже и ниже.

— Да, пока что действительно отчаянно, — говорю я.

— Пока хорошо, — отвечает Л.Н.

— А вы припоминаете эту тропинку?

— Совсем не знаю.

Выбрались, однако, благополучно.

Подъезжаем к Ясной. Стадо на лугу. Подходит мальчишка-пастух, без шапки:

— Ваше сиятельство, дозвольте на вашем лугу стадо пасти.

А стадо уже на «барском» лугу.

— Это не мой луг, я не хозяин, — отвечает Л.Н. и едет дальше.

10 августа

Третьего дня были у Л.Н., а вчера пришли к нам в Телятинки двое молодых людей, только что окончивших реальное училище и сдавших дополнительные экзамены для поступления в университет. Оба — облеченные уже в студенческие фуражки. Они уважают и любят Толстого как художника. Пришли в Ясную Поляну видеть его и... только. Как они рассказывали, Л.Н. сказал им, что всегда бывает очень рад беседовать с молодыми людьми, но только тогда, когда они задают ему какие-нибудь вопросы и вообще хотят серьезно о чем-нибудь поговорить. Затем они отправились к Черткову, чтобы получить «более подробные сведения о жизни Льва Николаевича». Ничего из последних писаний его не читали, но заявили, что главные вопросы жизни уже разрешены ими. Обоим по семнадцати лет.

Владимир Григорьевич долго и хорошо говорил с ними в присутствии нашей молодежи, но только не о подробностях жизни Л.Н., а об образовании, смысле жизни и религии. Студенты остались по его предложению, ночевать в Телятинках, так как явились они туда вечером, проведши день в прогулке по окрестностям. Одним словом, они, как выразился Владимир Григорьевич, «делали экскурсию около Толстого». Но оба такие беспомощные, искренние и молодые...

О беседе с ними Черткова и о том, что и на сегодня они остались в Телятинках, я передал Л.Н.

— Ах, вот как? Я очень рад, очень рад, — сказал он.

Когда Л.Н. уже лег отдыхать после верховой прогулки, пришел солдат... Сегодня около деревни остановились бивуаком два батальона солдат, разбив в поле, как раз перед въездом в усадьбу Толстых, палатки. Офицеры поместились в избах. По приходе начальник отряда собрал взводных, унтер-офицеров и приказал им следить, чтобы никто из солдат не смел ходить к Толстому. «Это враг правительства и православия». И вот еврей двадцати одного года, киевлянин Исаак Винарский, взял два котелка и, отправившись будто бы только за водой, задами пробрался к дому Л.Н. Взводному он сказал, что пусть его арестовывают, а он все-таки «сходит к Толстому». Как я и сказал, Л.Н., к сожалению, не мог к нему выйти. Я поговорил с ним.

— Специально для Льва Николаевича десять суток отсижу под арестом! — со счастливой улыбкой говорил солдатик, очень горячий человек.

Он грамотный. Жаловался на то, что очень огрубел за время службы, читать нечего; говорил, что ни одного солдата нет, который бы служил охотно; рассказывал о случае самоубийства солдата, не вынесшего тяжести службы.

— Хоть дом Льва Николаевича увидал, — говорил он.

Пользуясь тем, что никого не было, я провел солдата внутрь дома и показал ему зал, потом подарил открытку с портретом Л.Н., которую он запрятал за голенище сапога. И ушел он очень счастливый, захватив для взводного, отпустившего его к Толстому, в благодарность два яблока из толстовского сада.

11 августа

Мать Черткова Елизавета Ивановна хотела подарить в яснополянскую библиотеку книжки, излагающие евангелическое вероисповедание, но прежде поручила мне спросить Толстого, не будет ли он что-либо иметь против этого.

— Очень рад, очень рад, — сказал мне Л.Н. и добавил, — пусть читают!

Подробно книжек он не рассматривал, а взглянул только на две, на три и улыбнулся, покачав головой.

После я рассказывал ему, что бывшие в Телятинках два студента ушли заинтересованные его мировоззрением, которого раньше они, конечно, не знали, хотя и утверждали противное.

— Мы сейчас с вами рассматривали книги Елизаветы Ивановны, — сказал Л.Н. — Кажется, что нечего их читать, что всё это уже известно. Вот точно такое отношение большинства и к моим книгам.

Затем Л.Н. рассказал, что вчера вечером были у него четыре солдата из остановившегося в деревне отряда. Был и Винарский. Из остальных двое тоже были евреи, а один русский.

Л.Н. говорил:

— Если встать на точку зрения патриотизма, то я бы пускал евреев беспрепятственно в университеты, в школы, но ни одного бы не пустил в войска. У тех, которые были у меня, так как они люди умные, ничего, кроме ужаса и отвращения перед солдатчиной, нет. И другой, русский, положим — тоже... Книги? Позволяется читать только книги из полковой библиотеки. Но так как там только самые глупые, а народ теперь уже выше этого, то их не читают.

Рассказал также, что, как он узнал, трое бывших у него солдат «за самовольную отлучку» приговорены к трем месяцам ареста.

12 августа

Л.Н. рассказывал за обедом:

— Я наблюдал муравьев. Они ползли по дереву — вверх и вниз. Я не знаю, что они могли там брать. Но только у тех, которые ползут вверх, брюшко маленькое, обыкновенное, а у тех, которые спускаются, толстое, тяжелое. Видимо, они набирали что-то внутрь себя. И так он ползет, только свою дорожку знает. Неровности, наросты, он их обходит и ползет дальше... На старости мне как-то особенно удивительно, когда я так смотрю на муравьев, на деревья. И что перед этим значат все аэропланы! Так это всё грубо, аляповато!..

Потом говорил:

— Какой прекрасный день в «Круге чтения»! Рассказ Мопассана «Одиночество». В основе его прекрасная, верная мысль, но она не доведена до конца. Как Шопенгауэр говорил: «Когда остаешься один, то надо понять, кто тот внутри тебя, с кем ты остаешься». У Мопассана нет этого. Он находится в процессе внутреннего роста, процесс этот в нем еще не закончился. Но бывают люди, у которых он и не начинался. Таковы все дети, а сколько взрослых и стариков!..

Софья Андреевна, присутствовавшая за обедом, несколько раз прерывала Л.Н. своими замечаниями. Она почти ни в чем не соглашалась с ним. Изречение Шопенгауэра о Боге, о высшем духовном начале в человеке — изречение, составляющее для Толстого одно из коренных убеждений его жизни, основу всего его мышления, — она тут же, при нем, аттестовала как «только остроумную шутку».

Л.Н. скоро ушел к себе в кабинет.

— Грешный человек, я ушел, — сказал он, — потому что при Софье Андреевне нет никакой возможности вести разговор, серьезный разговор...

Вечером Сергей Дмитриевич Николаев рассказывал о кавказских друзьях и последователях Л.Н., описывая один за другим их хуторки по Черноморскому побережью и в других областях. Потом Николай Николаевич Ге очень интересно рассказывал о Швейцарии, в которой он прожил десять лет. Л.Н. задавал ему один за другим вопросы: о государственном устройстве, владении землей, законодательстве, войске, уголовных законах, тюрьмах, нищих, безработных, цензуре, а главное — о религиозном движении. Свободолюбивая страна покорила его сердце. Он находил, что Швейцария — государство, наиболее приближающееся к анархическому обществу и с наименьшим употреблением насилия, и вполне соглашался с мыслью Ге, что из нее, как из эмбриона, должны развиться подобные же общества, сначала в соседних странах (как Эльзас), а потом по всей Европе.

Между прочим, умилило Л.Н, что когда в швейцарской тюрьме не содержится ни одного человека, то над тюрьмой выкидывается флаг, который, как говорил Ге, не снимается иногда подолгу. Понравились ему также рассказы о честности жителей. Когда кто-то сказал, что там нельзя ожидать отказов от воинской повинности, потому что таких отказов не допустят, Л.Н. заметил:

— Да им хоть есть что защищать насилием; это их порядок, которым они пользуются. А кому же нужно защищать наш беспорядок?

Читали вслух последнее письмо Хирьякова из тюрьмы с описанием его тяжелого душевного состояния. Л.Н. говорил о том, что он ответил Хирьякову: что ему гораздо понятнее дикарь, убивающий и поедающий своего врага, чем правительство, которое запирает людей в одиночное заключение и наряду с этим вводит в тюрьмах электрическое освещение, телефон, асфальтовые полы и пр., — все произведения разумной человеческой деятельности.

13 августа

Ночевал в Ясной. Утром Л.Н. позвал меня.

— Получил ужасное письмо, так что не хочу даже диктовать ответ Саше, хотел просить вас.

Письмо — о половой связи брата с сестрой.

Александра Львовна рассказывала Л.Н., как Мария Александровна (Шмидт) стесняется, что Татьяна Львовна собирается строить в Овсянникове дом как будто исключительно для нее. Л.Н. пошутил над своим любимым другом, старушкой Шмидт:

— Доставить бы ей удовольствие, — смеялся он, — дать ей раз-два по щекам: ведь для них лучше этого ничего быть не может.

По поводу моих слов, что иногда с уяснением какой-нибудь мысли человек как бы делает скачок вперед, продвигается в своей духовной работе, Л.Н. сказал:

— Это даже и со мной бывает, когда знаешь какую-нибудь мысль, но она не вполне завладевает тобой и вдруг завладеет. Помогай вам Бог подвигаться вперед в вашей духовной работе. Самоуглубление не скучная вещь, потому что оно плодотворно. Помните, Хирьяков в первом письме иронически отзывался о самоуглублении? Он понимал его как углубление в свое плотское «я». Такое углубление бесплодно. Если я буду думать, что я заперт, что у меня кашель или живот болит, то живот все-таки не перестанет болеть. Тут именно нужно, как говорит Шопенгауэр, помнить, кто тот другой внутри тебя, с кем ты остаешься наедине. Если, например, решишь,

277

что нельзя ненавидеть Столыпина, который тебя запер, потому что Столыпин — человек, заблудший человек, которого надо жалеть, то как это углубление в себя должно быть плодотворно по своим последствиям!.. И сколько такой внутренней работы над собою предстоит каждому человеку! Мне восемьдесят два года, но и мне предстоит много работы над собой. Мое положение представляется мне иногда как положение землекопа перед огромной кучей, массой еще не тронутой земли. Эта земля — необходимая внутренняя работа. И когда я делаю эту работу, то получаю большое удовольствие.

15 августа

Завтра Л.Н., Александра Львовна, Софья Андреевна, Татьяна Львовна и Душан Петрович уезжают в Кочеты на неопределенное время — от одной недели до трех и более. Я неожиданно заболел ревматической лихорадкой (простудившись вечером в поле, где мне вздумалось полежать на сыром жнивье) и остаюсь в Телятинках.

Чертков получил разрешение навсегда остаться в Телятинках. Сюда приехал с женой Хирьяков, только что выпущенный из тюрьмы, где он содержался девять месяцев за написанное им стихотворение «Мирная марсельеза».

Вечером посетил меня Душан, который привез из Ясной поклон «от всех».

24 августа

По письменному поручению Александры Львовны из Кочетов, был в Ясной, собрал и отправил по присланному ею списку книги. Л.Н. прислал одно письмо для ответа. Кажется, он останется в Кочетах на довольно долгое время.

В своем письме Александра Львовна пишет: «У нас опять не очень хорошо. Софья Андреевна сильно возбуждена, но тут ее держат рамки чужой жизни, чужих привычек».

25 августа

Опять письмо от Александры Львовны:
«Нам, насколько это возможно, хорошо. Все-таки здесь легче, много легче, чем в Ясной».

При письме — снова список книг, которые нужно по приложенным адресам выслать, и, кроме того, три письма для ответа от Л.Н. Его надписи на письмах: 1) «Не читай этого письма, я отвечу, пошли В.Ф.» (надпись Александре Львовне, письмо о половом пороке), 2) «Напиши, что не совсем здоров и переслать письмо Булгакову» (тоже по адресу Александры Львовны), 3) «Б.о., В.Ф.?» (то есть: «Без ответа, Валентин Федорович?»).

29 августа

Новый список книг и адресов от Александры Львовны. Письмо ее от вчерашнего дня — дня рождения Толстого: ему исполнилось 82 года. «Отец, слава Богу, здоров и бодр. Гостей никого нет», — пишет Александра Львовна.

Сентябрь

6 сентября

Приезжал к Л.Н. и, не застав его, прожил здесь два дня Александр Иванович Кудрин, отказывавшийся по религиозным убеждениям от воинской повинности и только что выпущенный из арестантских рот, где просидел четыре года. С ним жена. Оба — прекрасные люди. Со слов Кудрина я подробно записал историю его отказа, особенно интересную по своим подробностям, и посылаю ее Л.Н. в Кочеты.

13 сентября

Был в Ясной Поляне, чтобы собрать и послать по присланным мне из Кочетов адресам книги. Живет там теперь только Варвара Михайловна Феокритова. Долго мы разговаривали с ней о трагедии яснополянского дома. Слушал ее дневник за последнее время. Он имеет свои специфические недостатки (как женский дневник), но, несомненно, впоследствии это будет один из самых ценных документов для воссоздания обстановки, в которой жил Толстой.

Остался ночевать в Ясной. Как в ней сиротливо без Толстого! Пустой зал. Белеют бюсты. В одном углу — новый,

Софьи Андреевны, работы Льва Львовича. Софья Андреевна в двенадцать часов ночи должна приехать, ее ждут: в зале зажгли огни и приготовили чай.

С робостью вошел в кабинет Л.Н., чтобы взять понадобившийся для работы клей. Обычный, несколько пряный запах; обстановка, в которой каждая деталь — кресло, картина — знакома. Везде мне чудится фигура Л.Н. Особенно теперь, вечером.

Приехала Софья Андреевна. Вид измученный. Жалуется: Толстой ничего не хотел ей сказать определенного о времени своего приезда.

Заглянешь вперед — так и не видишь конца всей печальной истории...

14 сентября

Софья Андреевна (совсем безумная) хотела мне показать одно место из прежних дневников Л.Н., на котором она основывает свою болезненную ревность к Черткову. Но я отказался читать это место, сказав, что не могу этого сделать, потому что мне это было бы тяжело. Я слишком уважаю и люблю Толстого, чтобы позволить себе без его разрешения разбираться в его дневниках, отыскивая в них что-то, обличающее его. Мой отказ Софья Андреевна приняла хорошо и сказала, что понимает меня. Но только она думает, что я хочу сохранить для себя какие-то иллюзии, тогда как я знаю, что у меня нет никаких иллюзий, а есть глубокое убеждение в моральной правоте и чистоте Л.Н.

Как всегда, жаловалась Софья Андреевна и на недоброе, а иногда и грубое отношение к ней Черткова. Один раз он будто бы сказал в ее присутствии Л.Н.: «Если бы я имел такую жену, как вы, я застрелился бы...» А в другой раз сказал ей самой: «Я мог бы, если бы захотел, много напакостить вам и вашей семье, но я этого не сделал!..» Не знаю, насколько точно передала слова Черткова Софья Андреевна, но что с ней как с больной и пожилой женщиной следовало бы иной раз обращаться деликатнее, чем это делают Чертков или Александра Львовна, это для меня ясно.

И я часто удивляюсь, как они не замечают, что свой гнев и свое раздражение, вызванные столкновениями с ними, Софья Андреевна неминуемо срывает на ни в чем не повинном и стоящем вне борьбы Л.Н. И Владимир Григорьевич, и Александра Львовна страдают какой-то слепотой в этом отношении. У первого из них цель — уничтожить морально жену Толстого и получить в свое распоряжение все его рукописи. Вторая либо в заговоре с ним, либо по-женски ненавидит мать и отдается борьбе с ней как своего рода спорту. И то и другое не делает ей чести.

Варвара Михайловна, притворяясь одинаково преданной матери и дочери, передает последней все неловкие, истерические словечки Софьи Андреевны и тем подстрекает ее к дальнейшим «воинственным» действиям. Гольденвейзер и Сергеенко помогают Черткову... Картина — ужасная и безрадостная. Одна надежда, что Л.Н. преодолеет всю эту мелочную склоку между близкими высотой своего духа и силой живой любви — к тем и другим, ко всем и ко всему.

18 сентября

Приезжал к Л.Н., но не застал его близкий ему и Чертковым Маврикий Мечиславович Клечковский, юрист по образованию и преподаватель консерватории по профессии. Ему же принадлежит несколько статей о воспитании в изданиях «Посредника». Это очень милый и чуткий — может быть, несколько экспансивный — человек.

Сразу по приезде он попал в Ясной к Софье Андреевне. Она, по своему обыкновению, решила посвятить гостя во все яснополянские события и начала ему рассказывать такие вещи про Черткова, погрузила его в такую грязь, что бедный Маврикий Мечиславович пришел в ужас. Он тут же, при Софье Андреевне, расплакался и, вскочив с места, выбежал из дома как ошпаренный. Убежал в лес и проплутал там почти весь день, после чего явился наконец к Чертковым в Телятинки.

Очень впечатлительный и всей душой любящий Л.Н., Клечковский никак не предполагал, что ему будет так тяжело в Ясной Поляне, как это можно было заключить по свиданию с Софьей Андреевной, и от такого открытия расстроился ужасно. Вероятно, он думал отдохнуть душой у Чертковых. Но... здесь Анна Константиновна и Владимир Григорьевич, со своей стороны, наговорили ему столько отвратительного про Софью Андреевну, погрузили его в такие невыносимые перипетии своей борьбы с ней, что Клечковский пришел в еще большее исступление. Мне кажется, он чуть не сошел с ума в этот вечер.

Против обыкновения он не остался ни погостить, ни даже ночевать у Чертковых и в тот же вечер уехал обратно в Москву. Случилось, что я как раз в это время собрался туда же по своим делам, так что нас вместе с Клечковским отвозили в одном экипаже на станцию (потом мы ехали в вагонах разных классов). По дороге на станцию спутник мой все время молчал и жаловался на головную боль, мы перекинулись с ним только несколькими фразами. Признаться, и мне тяжело было касаться в разговоре яснополянских событий.

— Боже мой, как не берегут Льва Николаевича! Как не берегут Льва Николаевича!.. Как с ним неосторожны! — невольно прерывая молчание, вскрикивал только время от времени Клечковский, сидя рядом со мной и задумчиво глядя перед собою в темноту надвигавшейся ночи.

Эту фразу расслышал Миша Зайцев, деревенский парень, работник Чертковых и товарищ Димы, отвозивший нас на станцию.

— Да-а, Софья Андреевна, уж, верно, неосторожна! — заметил он на слова Клечковского.

Он, конечно, был наслышан у Чертковых о том, что делалось в Ясной Поляне.

— Тут не одна Софья Андреевна неосторожна, — возразил Клечковский.

— А кто же еще? — с недоумением спросил Миша, оборачиваясь к нам с козел.

— Вот он понимает кто! — кивнул на меня Клечковский.

Маврикия Мечиславовича глубоко поразила атмосфера ненависти и злобы, которой был окружен на старости лет так нуждавшийся в покое великий Толстой. Неожиданное открытие вселило в него горькую обиду и самый искренний, естественный у любящего человека страх за Толстого.

А в Ясной Поляне и в Телятинках еще долгое время по его отъезде говорили о нем со снисходительно-презрительными улыбками: «Он странный!..»

По возвращении из Москвы нашел письмо на свое имя от Александры Львовны из Кочетов от 17 сентября следующего содержания:

«Посылаю вам пропасть дела... О нас что же вам сообщить? Живем тихо, мирно, а как подумаешь о том, что ожидает нас, и сердце замирает. Но теперь, за это время, есть перемена, и перемена, по-моему, очень важная — в самом Льве Николаевиче. Он почувствовал и сам, и отчасти под влиянием писем добрых друзей, что нельзя дальше, в ущерб своей совести и делу (?), подставлять спину и этим самым, как ни странно это сказать, не умиротворять и вызывать любовные чувства, как бы это и должно было быть, а наоборот, усиливать ненависть и злые дела. И пока отец стоит твердо на намерении не уступать и вести свою линию. Дай Бог ему силы так продолжать. Это единственное средство установления возможной жизни между отцом и матерью.

Вчера отец писал не совсем верно (Черткову) о том, что мне хочется домой. Мне хочется, чтобы отец не уступал матери и делал по-своему и как лучше. Перед отъездом матери Лев Николаевич сказал Софье Андреевне: "Когда ты хочешь, чтобы я приехал?" Она сказала: "Завтра". — "Нет, это невозможно". — "Ну, к 17-му". — "И это рано". — "Ну, так как хочешь". И отец сказал: "Я приеду к 23-му". Так если мы не выедем 23-го, будет скандал, пойдут истерики и всякая штука и отец может не выдержать. Понимаете, ему лучше сделать самому, чем быть вызванным по ее воле. Вот почему я хочу ехать. Объясните это Владимиру Григорьевичу».

Чертков принял письмо к сведению, но должен сознаться, что мне далеко не всё в этом письме понравилось. Чувствовался неукротимый характер Александры Львовны, ее стремление поставить отца на стезю борьбы с женой, как будто он сам не знал, что ему следует делать в том или ином случае.

Письмецо от Л.Н.:

«Спасибо Вам, милый Валентин Федорович, за письмо и присылку статейки (я как будто знал ее) и за рассказ Кудрина. И прекрасно Вы его записали. И рассказ очень хорош. Я читал его здесь вслух, он производит сильное впечатление. Может быть, увижусь с Вами прежде, чем получите это письмо. Думаю выехать и приехать 22-го. Привет всем друзьям. Л.Толстой. 20 сен.».

Вечером я отправился в Ясную Поляну и там остался ждать приезда Л.Н. Софья Андреевна казалась в высшей степени возбужденной. Теперь она была настроена не только против Черткова, как раньше, но и против Л.Н. Говорила вслух, что уже не любит его и считает «наполовину чужим человеком». И ожидала она его «без обычного чувства радости».

— А всё Чертков! Кто виноват? Он вмешался в нашу семейную жизнь. Вы подумайте, ведь до него ничего подобного не было! — говорила Софья Андреевна.

Я пробовал заикнуться о возможности в будущем примирения с Чертковым, говоря, что Л.Н. его не сможет никогда забыть, но увидал, что для Софьи Андреевны одна мысль об этом представляется совершенно невероятной. Раздор между нею и Чертковым зашел так далеко, что поправить дело, по-видимому, уже невозможно. И мне стало очевидно, что яснополянская трагедия еще долго будет продолжаться или, напротив, кончится скоро, но конец будет неожиданным.

Л.Н., Александра Львовна и Душан приехали в половине первого ночи. Ночь холодная, Толстой — в огромном медвежьем тулупе, высланном на станцию Софьей Андреевной, но лишь по напоминанию Ильи Васильевича. На вопрос мой о здоровье ответил, что чувствует себя очень хорошо.

— Не холодно ли было? — спросила Софья Андреевна, медленно спустившаяся с лестницы и поздоровавшаяся с Л.Н., когда он уже совсем разделся.

— Нет, я считал, на мне семь штук было надето.

Вместе с женой Л.Н. поднялся наверх. Остальные прошли в комнату Александры Львовны. Прошло около четверти часа, и к Александре Львовне вошла Софья Андреевна.

— Папá скучает без вас, — проговорила она, тем самым приглашая всех наверх.

Она казалась расстроенной. Видимо, разговор с Л.Н. имел не то направление, какого бы ей хотелось. Потом она ушла к себе и появилась в зале только через некоторое время.

Александра Львовна, Варвара Михайловна, Душан Петрович и я поднялись в зал.

Л.Н. встретил нас словами:

— Всё то же самое, всё то же самое: в сильнейшем возбуждении...

— Что же? Завтра опять уезжаем? — спросила Александра Львовна.

— Да, да... Ах, несчастная, — покачал Л.Н. сокрушенно головой, — несчастная!..

Сели пить чай. Толстой стал рассказывать о своем житье в Кочетах:

— Читали рассказ Кудрина. Вас хвалили, так хорошо вы его записали и так просто. И рассказ очень интересный. И как вы верно в письме пишете, особенно удивительно отношение офицеров к Кудрину. (В рассказе говорится, что большинство офицеров 131-го Пензенского полка, в который был зачислен (вопреки его желанию) Кудрин, очень мягко и дружелюбно относилось к нему.)

Я спросил, о каком собирающемся отказываться от воинской повинности Николаеве писали мне из Кочетов.

— Ах, это не отказывающийся! — воскликнул Л.Н. — Он живет за границей, в Ницце, и занимается большим трудом: научным, философским обоснованием религии. И сколько я мог судить по его письму, близок по своим воззрениям ко мне и к нам. Я не знаю, может быть, такое научное обоснование религии и не нужно, но он, видимо, увлечен. Всякий с известной стороны бывает чем-нибудь увлечен, так вот он увлечен своим трудом. У него есть сын, и из-за него он боится вернуться в Россию, потому что сыну его пришлось бы отказаться от воинской повинности*.

Рассказывал затем подробно Л.Н. о письме своем к Н.Я.Гроту, брату профессора-философа, с характеристикой

---

* Речь о литераторе Петре Петровиче Николаеве (1873—1928).

последнего (К.Я.Грота), и о посещении им около Кочетов школы помещика Горбова, откуда он вынес очень
хорошее впечатление.

— Вот всё, чем я там занимался! — закончил он.

23 сентября

Утром принес мне письмо о Константине Яковлевиче
Гроте и просил передать его Черткову.

— Саша его подчистит, — говорил он. — Наверное,
вы сделаете это вместе: продиктуйте ей. И тогда передадите Черткову. Мне интересно слышать его замечания,
и тогда сразу можно написать письмо во многих экзем-
плярах. И нужно спросить о его печатании на русском
языке, потому что на иностранных уже нельзя: сборник
о Гроте выходит в сентябре.

Потом Л.Н. переменил тему:

— Когда пойдете к Черткову, скажите ему — он, верно, интересуется, — что Софья Андреевна в сильнейшем
возбуждении. Сколько разговоров, упреков!.. Вчера —
ужасная сцена. Но она так жалка, удивительно жалка!
Мне ее истинно было жалко. Слава Богу, я отнесся как
должно. Всё молчал и только одно слово сказал, и это
одно слово возбудило ее... Она спросила, почему я не
приехал раньше. Я говорю, что не хотел. И вот это «не
хотел» вызвало и развилось в Бог знает что!.. Нужно
осторожным быть, чтобы не возбуждать ее.

— Тяжело вам, Лев Николаевич?

— Нет... Вот когда стараешься отнестись так, как нужно, тогда легко... Да... Я писал Владимиру Григорьевичу, что буду видеться с ним, так вы скажите, что я это
пока подожду. Мне хотелось бы, чтобы это от нее самой
исходило. Я думал заявить ей об этом теперь, если бы
встретил с ее стороны доброе чувство, но такого чувства
я не встретил и потому подожду.

Я сказал, что, как мне показалось, Софья Андреевна
трудно воспринимает даже самую мысль о возобновлении
отношений с Владимиром Григорьевичем.

— Я хотел заявить ей об этом, — повторил Л.Н. —
В самом деле, ведь это же смешно: жить рядом и не видеться. Это для меня большая потеря. Мне бывает нужно
и переговорить с ним, и посоветоваться. И я знаю, что
для его жизни это нужно...

Через некоторое время Л.Н. снова пришел и принес пачку нераспечатанных писем, накопившихся в его отсутствие дня за два.

— Я сразу запрягаю вас, — говорил он. — Прочтите письма и решайте и отметьте сами, какие оставить без ответа, кому выслать книг, какие интересные, и я их сам прочту.

Я передал ему большое письмо киевского студента, привезенное Кудриным.

— Пустое письмо, — сказал Л.Н., просмотрев его и отдавая мне, но просил меня все-таки ответить студенту. Вот что он говорил по поводу этого письма:

— Надо принять во внимание медленное движение... Вот Таня получила письмо от графа Татищева, губернатора, у которого она хлопотала о переводе Платонова (заключенного в тюрьму за отказ от военной службы) по болезни в другие арестантские роты, на юг, — такое темное!.. Писал Чертков Татищеву, а она, оказывается, хорошо его знала в молодости: «Татищев! Да это тот самый Митя Татищев, с которым я танцевала!..» И вот этот Татищев пишет, что, во-первых, Платонов вовсе не болен, его свидетельствовал врач и нашел здоровым; во-вторых, он распространяет вредные идеи, то есть, видимо, возбуждает к неподчинению, за это даже посажен в карцер; в-третьих, нельзя же исполнять все просьбы, которые подаются за заключенных, и, в-четвертых, если перевести Платонова в другой город, то на это потребуются расходы, а правительство и без того тратит на содержание тюрем большие деньги... И вот в этом роде. То есть это такой мрак, какого мы себе и представить не можем!

Сегодня сорок восемь лет со дня свадьбы Толстого и Софьи Андреевны. Она против обыкновения поднялась очень рано и, одевшись в нарядное белое платье, ушла гулять в парк. Говорила, что легла спать в четыре часа утра и совсем не спала.

— Вас поздравить можно, — сказал я, поздоровавшись с Софьей Андреевной.

— С чем? — спросила она, протягивая мне руку. — Такая печальная...

Она не договорила и ушла, заплакав и закрыв лицо рукой.

287

После завтрака я снял Софью Андреевну с Л.Н. фотографическим аппаратом. Сняться она упросила его тоже по случаю годовщины брака. Процедура снимания была очень тягостна: Софья Андреевна, видимо, не желая затруднять Л.Н., торопилась, нервничала, в то же время просила его менять позы. Зная нелюбовь его к сниманию, нетрудно было догадаться о тех чувствах, какие он мог испытывать в это время. Мне совестно было смотреть на снимающихся, и я механически нажимал резиновую грушу, считая вслух по предписанию Софьи Андреевны:

— Раз... два... три!..

Повторить это пришлось четыре раза. Но потом оказалось, что я недодержал, в комнате было недостаточно света, и все четыре снимка вышли крайне неудачными. К тому же Софья Андреевна неверно направила объектив.

Через некоторое время после этого Л.Н. зашел в «ремингтонную».

— Что, Лев Николаевич?

— Ничего, — сказал он и улыбнулся. — Как хорошо жить в настоящем!.. Помнить только о том, что должен сделать в настоящую минуту. Перестать думать о будущем.

Я понял и почувствовал слова Л.Н. так, что ему и в данном случае, со сниманьем, удалось «отнестись как должно» к тому, что при ином отношении могло бы вызвать только досаду; и, по-видимому, он радовался, что не оскорбил другого человека и сам избежал чувства недоброжелательства к нему.

— Я даже хочу совсем игры оставить поэтому, — продолжал он.

— Какие игры?

— Карты, шахматы...

— Почему?

— Потому, что в них тоже присутствует забота о будущем: как пойдет игра...

— Но ведь это заглядывание в такое недалекое будущее.

— Это воспитывает хорошо. Отучает от привычки заботиться о будущем. Очень хорошее воспитание. Это я и вам рекомендую.

— У меня такое отношение к письмам: всегда ждешь почты со страшным нетерпением, — сознался я.

— Вот, вот, это самое! И газеты так же... Вот над этим нужно работать. Ну, да вы еще человек молодой!..

— А Белинький, Лев Николаевич, чтобы отучить себя от такого нетерпения, делает так: получивши письмо, оставляет его лежать нераспечатанным до следующего дня, и только на следующий день распечатывает.

— Прекрасно, прекрасно поступает! Как в нем идет духовная работа!.. Удивительный народ эти евреи! Вот и от Молочникова сегодня письмо... От Гусева было письмо, — улыбнулся Л.Н. — Сидит в тюрьме за самовольную отлучку. Они, ссыльные, молодежь, составили заговор — не спрашивать разрешения на отлучку, так как не считают себя подчиненными правительству... Веселое такое письмо! Теперь, наверное, его уже выпустили — был посажен на две недели.

Фотографирование с Софьей Андреевной не прошло, однако, даром. Уступив одной стороне, Л.Н. попал под град упреков другой, Александры Львовны. Последняя была обижена не только уступкой Л.Н. жене, но еще и тем, что, вернувшись из Кочетов, он не исправил произведенного в его отсутствие Софьей Андреевной перемещения фотографий в кабинете. Над столом у Толстого висели две большие фотографии Черткова с Илюшком и самого Л.Н. с Александрой Львовной. Софья Андреевна убрала эти фотографии: первую — за занавеску у окна, вторую — в спальню Л.Н., а вместо них у стола повесила портреты: свой и отца Толстого. Мелочность безумия!

Теперь Александра Львовна обиделась на отца за то, что он не восстановил прежней комбинации, а тут подвернулось еще и снимание с Софьей Андреевной... В результате у Л.Н. тяжелая сцена еще и с дочерью.

Александра Львовна громко осуждала его в «ремингтонной» в разговоре с Варварой Михайловной, разумеется, во всем ей сочувствовавшей. Вдруг входит Л.Н:

— Что ты, Саша, так кричишь?

Александра Львовна и ему выразила недовольство: это нехорошо, что он снялся с Софьей Андреевной, в то время как дал обещание не сниматься больше у Черткова; это непоследовательно — жертвовать интересами друга и дочери ради взбалмошной женщины, дозволять ей перевешивать фотографии и пр., и пр.

Л.Н. покачал головой в ответ на слова Александры Львовны, произнес:

— Ты уподобляешься ей! — и с этими словами ушел к себе в кабинет.

Через несколько минут оттуда раздается его звонок, притом однократный, условленный для вызова Александры Львовны (на два звонка должен был идти я). Александра Львовна, продолжая обижаться на отца, не идет. Пошел я. Едва я покинул кабинет, исполнив какое-то маленькое поручение, как Л.Н. снова звонит один раз, чтобы пришла Александра Львовна. Она все-таки не идет.

Тогда он посылает меня позвать ее. Александра Львовна приходит. Тут, как рассказывала она после, между нею и отцом произошло следующее. Л.Н. заявил, что хочет, чтобы Александра Львовна застенографировала письмо, которое он ей продиктует. Но едва та заняла место за столом, как старик вдруг упал головою на ручку кресла и зарыдал...

— Не нужно мне твоей стенографии! — проговорил он сквозь слезы.

Александра Львовна кинулась к отцу, просила у него прощенья, и оба плакали...

В середине дня мы отправились с Л.Н. на верховую прогулку. Осень. Мягкие краски. Мягкий свет. В лесу — желто-розовый шумящий ковер из опавших листьев. Голые прутья, кое-где только желтые листья на деревьях. Свежий, но мягкий и теплый воздух. Голубое и серое небо.

Проезжали Старым Заказом, мимо оврага, на краю которого на небольшом холмике, окруженном деревьями, Толстой, как мне передавали, завещал похоронить себя.

Уже возвращаясь домой, на выезде из леса, Л.Н. вдруг приостановил лошадь и повернул ее назад. Я подъехал к нему.

— Как вы поживаете? Не замерзли? Лошадь идет хорошо? — обратился он ко мне.

Я спросил, как нравится ему природа.

— Очень хорошо! Там (в Кочетах. — *В.Б.*) еще лучше. Этакие огромные открытые горизонты! И везде лески... Прекрасные леса!

Обед. Фрукты, мороженое.

Л.Н. говорил:

— У Тани хотел перечитать «Робинзона», она как раз купила «Робинзона» в Орле и привезла для Танечки.

Еще говорил:

— Я читал в «Круге чтения» «Смерть Сократа». Как это удивительно сильно! Он говорит ученикам, что не знает, что будет после смерти, но что вероятия есть такие и такие... — Л.Н. остановился и добавил: — Он перед смертью вымылся, чтобы не заставлять другого человека омывать свое тело. Это трогательно.

Вечером пришел Сергей Дмитриевич Николаев с двумя сыновьями, мальчиками тринадцати и девяти лет, удивительно милыми ребятами. Л.Н. объяснял им Пифагорову теорему «по-брамински», увлекаясь мыслью передать понятно детям еще совсем новое для них геометрическое положение; смотрел фокусы младшего мальчика со спичками, разговаривал с Николаевым-отцом о воспитании.

— Помогай вам Бог удержаться, — говорил он о намерении Николаева не отдавать детей ни в какие школы. — Вот вы говорите, что соединяете в своем представлении школы, лечебницы, тюрьмы... Прибавьте сюда еще литературу, философию, всё это ни к чему! Я читал сегодня книгу Мюллера «Шесть систем индийской философии». В них столько чепухи, и он серьезно во всей этой чепухе разбирается.

Я принес книгу Макса Мюллера, и Л.Н. наудачу прочел из нее какое-то бессмысленнейшее место.

Говорил:

— Читатели в последнее время для меня разделяются на два разряда — любящие и читающие «романы» и те, которые «романов» не любят.

Рассматривал какую-то английскую книгу:

— Какое типографское богатство! Как издаются книги! Только всё это скоро приедается. Так же, как конфетные коробки: скучно, потому что это только внешнее.

Николаев выразил сожаление, что идеи Генри Джорджа плохо проникают в сознание людей.

— Да, да, — сказал Л.Н. — Вот, например, мой зять, Михаил Сергеевич. Он — умный и в своем роде честный, благородный человек, и либеральный даже. Он понимает даже доводы Генри Джорджа, потому что не может идти против разума и логики. Но всё это проходит, не касаясь, мимо него, как какая-то только умственная задача... Но есть и такие, которые не хотят понимать. И им легче, чем ему. Ему труднее.

— Тебе скучно без винта? — спрашивает у Л.Н. Софья Андреевна уже после ухода Николаевых.

— Нет, даже напротив.

— Почему же ты играл там?

— Просто потому, что все сидят...

«Там» — это Кочеты. Вернувшись из Кочетов, Софья Андреевна утверждала, что Л.Н., живя у дочери, «эпикурействовал»: играл в винт, в шахматы и был весел... Толстой действительно не торопился уезжать из Кочетов, где ему было спокойнее и больше нравилось, чем в Ясной Поляне, и где он провел поэтому несколько лишних дней.

24 сентября

Утром Л.Н. сообщил мне, что вчера он положил куда-то, чтобы спрятать, свою записную книжку, «самую заветную», и забыл, куда именно девал ее.

— Знаете, в одной я записывал мысли, которые входят в дневник. Дневник мой читают — Чертков, Саша, а эта книжка самая заветная, которую я никому не даю читать. Везде переискал, и нет... Возможно, что она попала к Софье Андреевне.

— Там что-нибудь было?

— Да, конечно. Я писал откровенно. Ну, да ничего! Значит, так и нужно. Может быть, это на пользу.

С почтой пришли книги: в немецком переводе Шкарвана отдельными брошюрами работы Л.Н. «О науке», «О праве» и «Письмо к индусу», два тома профессора Томского университета И.А.Малиновского «Кровавая месть и смертная казнь» и огромная биография Толстого, составленная англичанином Моодом.

Я заметил, что письмо «О праве» появляется в печати впервые, так как в свое время его не согласилась напечатать ни одна иностранная газета, не говоря уже о русских, — до такой степени выраженные в нем взгляды расходятся с общепринятыми.

Л.Н. усмехнулся. Потом добавил о Шкарване:

— Переводят, значит, еще есть читатели.

Расспросил о Малиновском, которого я знаю лично.

— Значит, он против смертной казни?

— Да.

Прочел надпись на книге: «Льву Николаевичу Толстому, обличителю всякого насилия и, в частности, великого зла, именуемого смертной казнью, от автора». Я уходил уже из кабинета.

— Стараюсь не думать о последствиях своей деятельности, — произнес Л.Н.

— А они есть, конечно, — сказал я.

— Невольно нападаешь на них.

Утром я опять заходил в кабинет. Л.Н. говорил, что читал «Круг чтения».

— Какие прекрасные, сильные мысли о вегетарианстве! Я вспомнил, в Кочетах как-то раз подали на стол гуся, поставили около меня. И мне так это казалось дико! Я не мог себе представить, чтобы этот труп можно было резать, есть... Как сильно об этом сказано Плутархом! — И Л.Н. прочел мысль Плутарха: — «Вы спрашиваете меня, на каком основании Пифагор воздерживался от употребления мяса животных? Я, со своей стороны, не понимаю, какого рода чувство, мысль или причина руководила тем человеком, который впервые решился осквернить свой рот кровью и позволил своим губам прикоснуться к мясу убитого существа. Я удивляюсь тому, кто допустил на своем столе искаженные формы мертвых тел и потребовал для своего ежедневного питания то, что еще так недавно представляло собою существа, одаренные движением, пониманием и голосом».

Получил Л.Н. ругательное письмо от некоего Копыла. Никак не мог понять, чего Копыл требует от него. Просил меня разобрать это длинное письмо, но и я не в силах был ни прочесть его полностью, ни понять.

— Вот точно то же самое и я, — сказал, когда я передал ему свое впечатление от письма*.

Один студент спрашивал: в чем основа художественного проникновения в чужую душевную жизнь?

— Очень просто, — сказал Л.Н., когда я передал ему содержание письма, — объяснение в том, что духовная сущность у всех людей одна.

---

* Крестьянин Черниговской губернии Евмений Копыл, начиная с 1900 года, не раз направлял Толстому обличительные послания в защиту церкви и православной веры.

В этом смысле я и ответил студенту. Но Л.Н. захотел дополнить мое письмо и стал мне диктовать свою приписку. Потом вдруг прервал диктовку.

— Нет, не выходит! Неловко вышло... Напишите ему вы то же самое. Вы сделаете это гораздо яснее и лучше меня.

Был посетитель: мулла Абдул-Лахим, бывший член 2-й Думы, пожилой, в белой чалме и шелковом халате. Его, вследствие интриг врагов, как он рассказывал, выслали на шесть лет в Тульскую губернию из Ташкента, где у него домик, две жены и восемь человек детей. В ссылке же он получает от правительства содержание — два рубля сорок копеек в месяц. Недавно в мусульманский праздник Байрам он читал Коран ссыльным черкесам и другим мусульманам, случайно оказавшимся в окрестных местах. Они собрали ему за это по двадцать копеек, и он был очень доволен. Абдул-Лахим — по-своему очень образованный человек: он знает арабский, персидский языки, Коран весь знает наизусть, чем очень гордится. Он просил посодействовать, чтобы ему разрешили побывать на каком-то мусульманском празднике в Туле, где много его единоверцев.

Во время верховой поездки Л.Н. говорил мне по поводу этого посещения:

— С каким трудом проникают в сознание религиозные взгляды! Еще молодые люди воспринимают их, а старые — ужасно трудно. Я сужу вот по сегодняшнему мулле: это же полная непроницаемость для религии! Он — политический, весь пропитан политикой. Всё хвалился, что знает наизусть Коран. А Коран ведь написан по-арабски, так что большинство, простой народ, мусульмане, не понимают его. Наш славянский язык все-таки понятен. И вот продолжается это ужасное дело — внушение людям разных суеверий. Особенно дети, дети...

Да вот недалеко ходить за примером. В Кочетах няня обучает Танечку молитве «Отче наш». Ведь это исключительно хорошая, разумная молитва, но и тут... «Отче наш, иже еси на небесех» — одно это слово «на небесех», — что оно вызывает у ребенка?! Какие представления?! И эту молитву она ежедневно, с раннего детства, произносит.

Вечером Л.Н. рассказывал, что говорил с муллой о собственности. Абдул-Лахим доказывал, что собственность допустима, но до известной границы: следует признать неотъемлемой, священной собственностью человека произведения его труда. Толстому этот взгляд казался близким.

Ехали мы с Л.Н. на Засеку. Там встретили Марию Александровну, направлявшуюся на телеге в Ясную Поляну. Л.Н. поговорил с ней.

— Ну, что, как Софья Андреевна? — спросила Мария Александровна. — Так себе?

— Да, так себе, — ответил Л.Н. — Когда мы приехали, она сделала ужасную сцену. На другой день, напротив, была необыкновенно ласкова. Знаете, всё так ненормально... Но это ее дело. А я стараюсь только поступать как должно, потому что то, что я делаю, это мое с Богом, а то, что она делает, это ее с Богом.

Обратно мы ехали по тульскому шоссе. Л.Н. расспрашивал меня о личности Кудрина.

— Блондин, лет двадцати шести, тихий, скромный, явно умный... О своем отказе и о том, что пострадал за это, не жалеет. Очень дружен с женой, которая вполне сочувствует его взглядам.

— Я почти таким же представлял его, — сказал Л.Н., выслушав описание.

Вернувшись домой, прежде всего встретили там Марию Александровну.

— И когда мы умрем, Мария Александровна? — спрашивал, смеясь, Л.Н.

— Ах, ах! Душечка, Лев Николаевич, что с вами? — всплескивала та руками, пугаясь, конечно, никак не за себя, а за одного Толстого.

— Говорят, меня на том свете с фонарями ищут. А я еще не собираюсь умирать. Вот, хотите, по лестнице бегом поднимусь?

И Л.Н. побежал наверх, шагая через две ступеньки, но всей лестницы не пробежал, пошатнулся и остановился. Обычно после верховой езды, от усталости, он очень тихо взбирается на лестницу.

Уходя к себе, сказал:

— А я рад, что хорошо съездили и так хорошо с вами поговорили.

— А я-то еще больше рад, Лев Николаевич!

— Вот, вот!

Между прочим, еще до отъезда, внизу, в передней, подошел к Л.Н. Александр Петрович Иванов, старый переписчик, бывший офицер, бедно одетый седенький старичок, расхаживающий пешком по имениям знакомых помещиков и этим живущий. Теперь он гостил вот уже несколько дней в Ясной, ночуя у повара.

— Лев Николаевич, а вот здесь о вас написано, — сказал он, протягивая Толстому номер газеты.

— Что такое?

Александр Петрович надел очки и бойко прочел напечатанное в газете письмо Л.Н. к одному из его корреспондентов о еврейском вопросе, с выражением сочувствия евреям и возмущения против правительства. Выслушав внимательно чтение, Л.Н. убедительно произнес:

— Хорошо написал Лев Николаевич, совершенно правильно!

Обед. Софья Андреевна вспоминает, что Л.Н. по дороге из Кочетов где-то забыл свое пальто.

— Наверное, тому, кто его найдет, оно нужнее, чем мне, — замечает Л.Н.

Когда подали и разнесли в тарелках суп, он вдруг сказал:

— Вот этой похлебкой нельзя ребенка вымыть!

И в ответ на общее удивление рассказал случай, о котором он слышал от фельдшерицы кочетовской больницы: у одной бабы, только что родившей, не нашлось в хате горячей воды, чтобы вымыть ребенка; была только похлебка в печи, но такая пустая и жидкая, что ею и вымыли ребенка.

Рассказывал также Л.Н. о «валяльщиках», то есть о тех, кто изготовляет валяную обувь. Он узнал, что двое их пришли и работали на деревне. Николаев говорил вчера об их тяжелой работе и о том, что оба они страдают от изжоги вследствие плохой и однообразной пищи: постоянно картошка и огурцы.

— От изжоги хорошо помогают яблоки, — вчера же говорил Николаев.

Л.Н. побывал сегодня у «валяльщиков», поговорил с ними и снес им яблок. Вечером работал у себя в кабинете, в зале заводили граммофон, ставили Варю Панину. Вспомнили отзыв Л.Н. о цыганском пении, высказанный им в Кочетах: по его мнению, оно хорошо тем, что в нем на слова можно не обращать внимания, «на все эния, забвения», а только на музыку. Заношу это, так как я раньше где-то записал, что Л.Н. любит цыганское пение.

Выйдя к чаю, опять говорил о сильном впечатлении, которое производит описание последних минут Сократа.

— Я не знаю ничего более сильного о смерти... И смешно — им сказано всё, что я говорю.

Поздно зашел ко мне в «ремингтонную».

— Молодец ваш профессор! Я сейчас читал его книгу, прекрасно! Нужно прочесть вслух предисловие.

Пошли в залу, и я прочел вступление Малиновского к его книге. Л.Н. прослезился.

— Напишите ему, — сказал он мне, — что очень благодарю за книгу, уважаю его и что он примирит меня с наукой.

Софья Андреевна к вечернему чаю сегодня не выходила. Кажется, причиной этому ее новая размолвка с Л.Н.

25 сентября

Во время утренней прогулки Л.Н. сам написал начерно, в записной книжке Малиновскому:

«Иоанникий Алексеевич, от души благодарю вас за присылку вашей книги. Я еще не успел внимательно прочесть ее всю, но, уж и пробежав ее, порадовался, так как увидел всё ее большое значение для освобождения нашего общества и народа от того ужасного гипноза злодейства, в котором держит его наше жалкое, невежественное правительство. Книга ваша, как я уверен, благодаря импонирующему массам авторитету науки, главное же — тому чувству негодования против зла, которым она проникнута, будет одним из главных деятелей этого освобождения. Такие книги, как я вчера шутя сказал моему молодому другу и вашему земляку и знакомому В.Булгакову, могут сделать то, что мне казалось невозможным: помирить меня даже с официальной наукой. Мог ли я поверить 50 лет тому назад, что через полвека у нас в России виселица станет нормальным явлением, а «ученые», «образованные» люди будут доказывать полезность ее. Но и как всякое зло неизбежно несет и связанное с ним добро, так и это: не будь этих ужасных последних пореволюционных лет, не было бы и тех горячих выражений негодования против смертной казни, тех и нравственных, и религиозных, и разумных, и научных доводов, которые с такой очевидностью показывают преступность и безумие ее, что возвращение к ней будет невозможно. И среди этих доводов одно из первых мест будет занимать ваша книга».

Прочли в газетах о Португальской революции и провозглашении Республики. За завтраком я сказал об этом событии Л.Н. и спросил, как он относится к нему.

— Да, разумеется, это радостно... Радостно, все-таки есть движение.

Опять Софья Андреевна стала просить его сняться вместе: нужно увековечить день 48-летия свадьбы, а в прошлый раз, по моей неопытности, это не удалось. Л.Н. согласился.

Александра Львовна, которая вообще недолюбливает, когда отца беспокоят сниманьем, будь это даже сам Чертков, и теперь стала выражать недовольство его уступчивостью. К тому же ей казалось, что уступчивость эта в данном случае не так, как бы следовало, отражается на состоянии Софьи Андреевны.

— Да что ж, ведь это одна минута, — возразил Л.Н. в ответ на сетования дочери.

Снимать опять должен был я. На этот раз — на открытом воздухе, против крыльца, под окнами зала. Софья Андреевна колышками отметила место, где они должны стать. Заранее сосчитала шаги между этим местом и фотографическим аппаратом...

Отправляясь для сниманья вниз, Л.Н. посмотрел на меня и улыбнулся. Потом он стал на указанное ему место, заложив руки за пояс. Софья Андреевна взяла его под руку. Я сделал два снимка.

Вместе поехали верхом. Уже на обратном пути завязался разговор. Л.Н. стал рассказывать о письме некоего Гаврилова из Самарской губернии, полученном им. Гаврилов прочел статью «Бродячие люди», о босяках, и в письме доказывал вред и ненужность материальной помощи босякам. Гаврилов сам был босяком. Он описывает такой случай. В крестьянскую избу в отсутствие хозяина зашел босяк. Баба пустила его переночевать и положила на печь. Вернулся мужик, ему некуда лечь. Разбранил бабу и улегся спать внизу. Ночью босяка начало рвать, видимо, от выпитой водки, и рвота потекла вниз. Хозяева проснулись, и мужик еще больше разругал хозяйку за то, что она пустила босяка ночевать. А утром босяк встал и заявил, что у него украли портмоне с деньгами. Поругался с хозяевами и ушел. «Таковы все они, — пишет Гаврилов. — Большинство из них говорит про благотворительствующих им: "На наш век дураков хватит"».

— Вы пойдете к Черткову, — говорил затем Л.Н. — Передадите ему мое письмо. И скажите на словах, что моя задача сейчас трудная. И еще усложнила ее Саша. (Л.Н. имел в виду неудовольствие и упреки Александры Львовны по поводу его сниманья с Софьей Андреевной. — *В.Б.*) И что я думаю, как эту задачу разрешить. Воспользовавшись тем, что он сам заговорил о семейных делах, я попросил позволения передать то, что поручали мне Александра Львовна и Варвара Михайловна, — заявление Софьи Андреевны дочери, чтобы она не отдавала более, как это обычно делалось до сих пор, черновых рукописей Толстого Черткову. «Может быть, — говорила Софья Андреевна, — Л.Н. переменится теперь к Черткову и будет отдавать рукописи мне». Вот в этом заявлении дочь Толстого и подруга ее усматривали «корыстные» побуждения Софьи Андреевны, на которые и хотели обратить внимание Л.Н.

— Не понимаю, не понимаю! — сказал он, выслушав меня. — И зачем ей рукописи? Почему тут корысть?.. — Он помолчал и продолжил: — Некоторые, как Саша, хотят всё объяснить корыстью. Но здесь дело гораздо более сложное! Эти сорок лет совместной жизни... Тут и привычка, и тщеславие, и самолюбие, и ревность, и болезнь... Она ужасно жалка бывает в своем состоянии!.. Я стараюсь из этого положения выпутаться. И особенно трудно — вот как Саша, когда чувствуешь у нее эгоистическое... Если чувствуешь это эгоистическое, то неприятно...

— Я говорил Александре Львовне, — сказал я, — что нужно всегда самоотречение, жертва своими личными интересами...

— Вот именно!..

Л.Н. проехал немного молча.

— Признаюсь, — сказал он, — я сейчас ехал и даже молился: молился, чтобы Бог помог мне высвободиться из этого положения.

Переехали канаву.

— Конечно, я молился тому Богу, который внутри меня.

Едем «елочками» — обычным местом прогулок обитателей Ясной Поляны. Уже близко дом. Л.Н. говорит:

— Я подумал сегодня, и даже хорошо помню место, где это было, в кабинете, около полочки: как тяжело это мое особенное положение!.. Вы, может быть, не поверите мне, но я это совершенно искренне говорю (Он положил даже руку на грудь. — *В.Б.*); уж я, кажется, должен быть удовлетворен славой, но я никак не могу понять, почему видят во мне что-то особенное, когда я положительно такой же человек, как и все, со всеми человеческими слабостями!.. И уважение мое не ценится просто, как уважение и любовь близкого человека, а этому придается какое-то особенное значение...

— Вы это говорите, Лев Николаевич, в связи или вне всякой связи с тем, что вы до этого говорили?

— С чем?

— С тем, что вы говорили о своих семейных делах? Об Александре Львовне, Софье Андреевне?

— Да как же, в связи!.. Вот у Софьи Андреевны боязнь лишиться моего расположения... Мои писания, рукописи вызывают соревнование из-за обладания ими. Так что имеешь простое, естественное общение только с самыми близкими людьми... И Саша попала в ту же колею... Я очень хотел бы быть — как Александр Петрович: скитаться, и чтобы добрые люди поили и кормили на старости лет... А это исключительное положение ужасно тягостно!

— Сами виноваты, Лев Николаевич, зачем так много написали?

— Вот, вот, вот! — смеясь, подхватил он. — Моя вина, я виноват!.. Так же виноват, как то, что народил детей, и дети глупые и делают мне неприятности, и я виноват! Я совсем не могу понять этого особенного отношения ко мне, — продолжил он через минуту. — Говорят, чего-то боятся, меня боятся. Вот будто бы и Чехов — поехал ко мне, но побоялся.

— И Андреев, Лев Николаевич, тоже сначала боялся и не ехал. Может быть, виною этому ваша проницательность...

— Да, да... Вот и мне говорили то же.

Мы подъехали к дому. У крыльца стоял нищий — дряхлый, седой старик. Войдя в переднюю, Л.Н. сказал, указав на него:

— Жестокое слово сказал Гаврилов!

— Какое?

— Что «на наш век дураков хватит».

Потом, рассказывая другим лицам о Гаврилове, он прибавил, что ему давало право говорить «жестокое слово» только то, что он сам когда-то был босяком.

Читал опять книгу Малиновского. Говорил мне о ней:

— У него встречаются хорошие мысли. Конечно, всё это преимущественно только научный балласт: на ста страницах говорится то, что можно сказать на одной. Но это уж профессорская манера.

Вечером дал мне только что написанные воспоминания о профессоре Гроте для перенесения поправок с одного экземпляра на другой, причем просил сделать это «не механически», то есть следить за текстом и делать новые поправки, если бы это понадобилось.

26 сентября

Утром Л.Н. опять говорил о книге Малиновского. Просил задержать отправку своего письма до более подробного ознакомления с книгой: опасался найти в ней что-нибудь «научное» в дурном смысле, что могло бы оттолкнуть его. Однако не нашел этого и письмо просил сегодня же послать. Сказал, что в книге собран прекрасный материал с массой интересных данных.

Говорил мне и старушке Шмидт, что начал писать в Кочетах художественное произведение на тему, о которой часто говорил раньше, — «Нет в мире виноватых». Уже написал первую главу. Вкратце рассказал содержание ее:

— Знаете, такая милая, богатая семья, вот как у Сухотиных. И тут же это противоречие — деревенские избы... Но сейчас не могу писать. Нет спокойствия...

Вечером приехал Александр Модестович Хирьяков.

— Не соскучились по тюрьме? — спросил его Л.Н.

— Нет, не соскучился.

— Ну, а какие хорошие стороны есть в заключении в тюрьме?

— Никаких нет.

— Никаких? Совсем? А я всё завидую...

— Нечему завидовать.

— А вы не записали своих тюремных впечатлений? Это всегда так интересно — личные переживания.

Об адвокатах по какому-то поводу выразился сочувственно, кажется, в первый раз:

— В самом деле, скольких они людей вызволяют!

Вспомнил Герцена и Огарева, хотя ничего особенного о них не сказал.

Говорили о каком-то старом литераторе. Л.Н. расспрашивал о нем, а потом заметил:

— Как узнаю о старике, так меня ужасно к нему тянет!

Говорил по поводу революции в Португалии:

— Ужасно это суеверие государства! Молодежь уже начинает понимать это. В современных государствах неизбежны революции. Вот как в Португалии. Это как пожар, свет всё разгорается... Придет время и они все, эти короли, насидятся по подвалам. И как ясно в народе сознание несправедливости государственного устройства! Вы знаете, в Кочетах у крестьян есть поговорка: «На небе царство Господнее, а на земле царство господское». А разве при нас это было! Этот переворот в Португалии все-таки есть известная ступень... Нет раболепства, произвола личности.

Днем сегодня настроение в доме тревожное, разрешившееся поздно вечером целой бурей между Софьей Андреевной и Александрой Львовной.

Надо сказать, что последние дни Софья Андреевна была сравнительно спокойна. Толстой и Чертков не видались, и у нее как будто не было повода раздражаться. Но поводом явилось то обстоятельство, что Л.Н., желая утихомирить Александру Львовну и сделать ей приятное, сегодня просил дочь повесить в кабинете все фотографии, перевешенные Софьей Андреевной, на старые места.

Это было сделано, после чего Л.Н. поехал с Душаном Петровичем верхом на прогулку, а Александра Львовна с Варварой Михайловной отправились в экипаже, до завтра, в гости к Ольге Константиновне Толстой, в имение Таптыково, за Тулой.

Я с Марией Александровной сидел в «ремингтонной». Вдруг прибегает Софья Андреевна, до последней степени возбужденная, и заявляет, что сожгла портрет Черткова.

— Старик хочет меня уморить! Последние дни я была совсем здорова... Но он нарочно перевесил портрет Черткова, а сам уехал кататься!..

Через минуту Софья Андреевна пришла опять и сказала, что не сожгла портрет Черткова, а «приготовила его к сожжению». А еще через небольшой промежуток времени она явилась, неся в пригоршне мелкие клочки изорванного ею ненавистного портрета.

Далее события развертывались с чрезвычайной быстротой и неожиданностью.

С Марией Александровной мы вдруг услыхали выстрел из комнаты Софьи Андреевны, правда, довольно жидкий по звуку. Мария Александровна поспешила в комнату Софьи Андреевны. Та объяснила перепуганной старушке, что стреляла (в кого — неизвестно), но «не попала», а только оглушила себя на одно ухо. Потом Софья Андреевна выбегала к нам и говорила, что «пробовала» стрелять...

Приехал Л.Н. Мы обо всем рассказали ему. Уже когда он ложился в своей комнате отдыхать, из спальни Софьи Андреевны послышался другой выстрел. Душан, бинтовавший Л.Н. ногу, рассказывал, что он выстрел слышал, но не пошел на него. Мария Александровна была в комнате Софьи Андреевны: оказывается, Софья Андреевна опять «пробовала» — стреляла в шкаф.

Удивительно удобное место избрала она для этих баталий — дом старика Толстого!

По окончании сеанса обучения стрельбе Софья Андреевна, видя, что ее не идут умолять успокоиться, отправилась в парк. Уже надвигался вечер, темнело, и было прохладно.

Прошло с полчаса. Отправился пригласить Софью Андреевну в дом сначала Душан. Он застал ее расхаживающей по четырехугольнику старых липовых аллей близ дома, без теплой одежды и с непокрытой головой.

Миссия Душана не имела успеха: Софья Андреевна не оделась и не хотела вернуться домой. Мария Александровна уговорила пойти меня. Я сделал это скрепя сердце, потому что мне не хотелось принимать никакого участия в том, что мне казалось комедией. Я не знал даже, что говорить ей.

Вернулась в дом Софья Андреевна только после того, как явилась за ней согнутая, слабенькая и больная старушка Шмидт, опираясь на свою палку. Ее-то уж совсем должно было быть совестно студить на холоде. Обед и вечерний чай прошли спокойно. После того как все уже разошлись, я поздно засиделся один в «ремингтонной», за работой.

Думал, между прочим: Мария Александровна с нарочным послала записку Александре Львовне о выстрелах и о прочем, происходящем в доме, с просьбой не оставаться ночевать в Таптыкове и немедленно возвращаться домой. Послала потому, что об этом просила Александра Львовна, уезжая: она боялась, что в ее отсутствие у Софьи Андреевны развяжутся руки. Но вот уже двенадцатый час, Александра Львовна не едет и, по-видимому, не приедет. Да это, пожалуй, и хорошо. С одной стороны, ее жалко: изнервничалась, сидя безвыездно в Ясной и разделяя общество Софьи Андреевны; это хорошо, что теперь она хоть один день отдохнет в Таптыкове. С другой стороны, в доме всё уже успокоилось, и самая надобность в приезде Александры Львовны миновала...

И я спокойно кончал свои дела, совсем перестав думать и об Александре Львовне, и о Софье Андреевне.

К несчастью, записка Марии Александровны сыграла свою роль, уже поздно ночью девицы возвратились. Они влетели с шумом в «ремингтонную» на свет моей лампы. Вслед за ними тотчас явилась и Софья Андреевна, ложившаяся спать всегда очень поздно.

Тут произошла ужасная сцена. Испуганная и раздосадованная неожиданным возвращением дочери, Софья Андреевна не знала, на кого ей излить свой гнев: на нее ли и Варвару Михайловну, или на вызвавшую их и, в сущности, ни в чем не повинную старушку. И вот гнев ее обрушился на всех троих.

Мария Александровна, расположившаяся уже на ночлег в соседней комнате, библиотеке, на своей постели за шкафами, совсем, бедная, растерялась и, плача, молила Софью Андреевну о прощении. Александра Львовна — не могу забыть ее — влетела в комнату в шапочке, сдвинутой на затылок, с расставленными в виде полукруга руками, точно она собиралась вступить с кем-то в единоборство. Невольно вспомнилось мне, как характеризовала ее однажды Софья Андреевна: «Разве это светская барышня? Это ямщик!»

Пока Софья Андреевна ругалась всячески, упрекая молодых женщин за то, что они нарушили тишину в доме, Александра Львовна с невозмутимым видом, неподвижно, сжав губы в полунасмешливую-полупрезрительную холодную улыбку, молча сидела на диване за письменным столом.

Варвара Михайловна ужасно разнервничалась: нотки до сих пор сдерживаемой и невысказанной обиды, давно накипевшей на сердце, горечи, униженного человеческого достоинства слышались в ее голосе...

Я сидел в кресле, по другую сторону письменного стола, напротив Александры Львовны, и молча слушал всё и наблюдал. И думал, что вот из своей спальни, которая рядом, слушает всё, лежа в постели, может быть разбуженный криками от сна, которым он успел уже забыться, великий Толстой. Около него — эти бабьи сцены. Мало того, что около него: из-за него. Какая нелепость!..

Во время перебранки у Софьи Андреевны сорвалось с губ, что она «выгонит из дому» Александру Львовну, а Варваре Михайловне она прямо заявила, чтоб та уезжала завтра же. В результате Александра Львовна и Варвара Михайловна решили обе уехать завтра же на житье в Телятинки, в домик Александры Львовны.

— К отцу я буду приезжать ежедневно утром, — говорила Александра Львовна.

Тотчас она пошла к Л.Н. и сообщила ему о своем решении.

— Всё к одному концу, — ответил он.

27 сентября

Утром Л.Н. в халате вышел на лестницу, чтобы позвать Илью Васильевича.

— Здравствуй, папенька, — сказала, подошедши к нему, Александра Львовна. И, поцеловав его, добавила: — Я уезжаю.

Л.Н. закивал головой молча. Потом, в кабинете, он сказал Александре Львовне о ее отъезде, что «это к лучшему: ближе к развязке».

Скоро Александра Львовна и Варвара Михайловна собрались и уехали. Когда в двенадцать часов, как всегда, Софья Андреевна вышла из своей комнаты, их уже не было.

Вскоре после отъезда Л.Н. пришел в «ремингтонную». Я не удержался и помянул что-то про отъезд.

— Не моя воля да будет, но Твоя, и не то, чего я хочу, а то, что Ты хочешь, и не так, как я хочу, а так, как Ты хочешь. Вот это я думаю, — ответил Л.Н.

Сегодня написал добавление к письму о Гроте. Прочли вместе, и я взял переписать его. Толстой два раза вновь исправлял его. Вечером же отдал его Хирьякову, вновь приехавшему из Телятинок, чтобы тот, по приезде в Петербург, отдал добавление Константину Яковлевичу (Гроту).

Разговор с Хирьяковым коснулся составленных последним очерков о первоисточниках христианского учения. В очерках этих сообщался и тот факт, что Евангелий было не только четыре.

Лев Николаевич говорил:

— Жалко, что я забыл ваши очерки. Я ведь читал их? Это очень важно, именно в таком популярном изложении. Теперь ведь и образованные люди думают, что было четыре апостола, которые написали четыре Евангелия, и почти никто не знает, что Евангелий этих было много и что из них были выбраны содержащие наименьшее число нелепостей, по мнению тех, кто выбирал... Я теперь особенно живо чувствую весь огромный вред церкви!

Разговор перешел на вопросы воспитания и образования. Л.Н. указывал на особенно важное значение в этом деле описания путешествий. Кто-то сказал о необходимости введения в круг предметов для образования литературы. Л.Н. сказал по этому поводу:

— Беллетристика должна быть прекрасна, иначе она отвратительна.

Говорили о Португальской революции. Я сказал, что новое временное правительство издало указ об отделении церкви от государства. Л.Н. вспомнил прочитанную им в газетах заметку, что в Португалии запрещено священникам показываться в духовном одеянии.

— Это в связи с отделением церкви, конечно, — заметил он и добавил: — это хорошо, не будут отделяться...

Душан сказал, что либералы в Испании борются со священниками потому, что вера их нетверда и священники еще нужны им (он как-то непонятно выразился).

— Нет, — возразил Л.Н., — я думаю, они стремятся освободить народ от влияния духовенства и в этом их большая заслуга.

Говорил:

— Я получил письмо, хорошее, со стихами. Сначала писал прозой, а потом на него нашло вдохновение и он стал продолжать стихами. В русском языке очень благодарна рифма: по созвучию. Вот и у него так же. Я давеча ехал через мост и вспомнил поговорку: «Какой черт тебя нес на дырявый мост». «Нес» рифмуется с «мост»... Я не отношусь к этому отрицательно, я признаю это.

Перед уходом Л.Н. в спальню Софья Андреевна стала говорить, что художник, писатель должен иметь досуг для работы и, следовательно, деньги, то есть должен быть богатым.

— Иначе что же? Он целый день проработает, придет домой, не ночью же ему писать?

— Напротив, — возразил Л.Н., приостановившись в дверях, — вот если он целый день проработает да придет домой и всю ночь пропишет, так увлечется — вот тогда он настоящий художник!...

Как обычно вечером, я зашел к Л.Н. «с делами».

— Сегодня вы, должно быть, в духе были, — сказал он, — всё прекрасно написали. Очень хорошо. Особенно владимирскому. Я так рад, что вы ему так хорошо написали! Я даже приписку сделал.

Приписка Л.Н.:

«Сейчас перечел письмо это к вам Булгакова и от всей души подтверждаю то, что в нем сказано. Братский привет вам и всему кружку ваших друзей. Лев Толстой»*.

---

* Приписка к посланию владимирскому крестьянину Василию Андреевичу Воронову, сообщавшему, что крестьяне и рабочие, с которыми он общается, «не сочувствуют проповеди непротивления злу».

Утром посетитель. Л.Н. сам рассказывал о нем:

— Ах, этот офицер, офицер! Это прямо нужно записать. Уже полковник, он в штабе, элегантный... Ужасно путаный! Сначала — волнение, целый час волнение: «Не могу говорить». Потом начинает говорить, что нужна свободная деятельность, свободная деятельность... В чем же свободная деятельность? В том, что нужно помогать людям, люди живут во мраке. Вы, говорит, признаете физиологию?.. Да, да, физиологию!.. Я ему тогда говорю: «Как же вы можете говорить, что надо людям помогать, когда вот вы носите орудие убийства? Вам надо прежде всего на самого себя оглянуться». Говорю: «Вы лучше сделали бы, если бы обратились не ко мне, а к моим сочинениям; я много бумаги намарал, и вы найдете там всё, что я могу сказать». Так я с ним круто обошелся!.. Я сначала по глупости своей думал, что его стесняет военная служба, что-нибудь в этом роде.

Немного позже офицера приехала из Телятинок Александра Львовна, которая оставалась часов до двенадцати и уехала перед завтраком.

Резко поговорила с Софьей Андреевной, которая, здороваясь, не хотела с ней поцеловаться.

— К чему это? Только формальность! — волнуясь, сказала она в ответ на приветствие Александры Львовны.

— Конечно, — согласилась и та, — и я очень рада, что ее не будет.

В разговоре наедине с Александрой Львовной Л.Н. сказал ей, что самый поступок ее, то именно, что она не выдержала и уехала, он считает нехорошим, но что последствия этого поступка ему, по его слабости, приятны.

— Чем хуже, тем лучше, — сказал он еще.

Александра Львовна рассказала отцу, что Чертков упрекает ее за отъезд, указывая главным образом на то, что Л.Н. грустно будет без нее.

— Нет, нет, нет! — возразил тот.

Последствия, каких Александра Львовна и отчасти Л.Н. ждут от переезда Александры Львовны в Телятинки, заключаются, по-видимому, в том отрезвляющем действии, какое поступок этот должен произвести и уже производит на Софью Андреевну.

В час дня Л.Н. вышел из своего кабинета к завтраку. Мы сидели за столом вдвоем с Душаном. Толстой лукаво поглядел мне в глаза и добродушно засмеялся:

— Что, тяжела драгунская служба?

— Нет, ничего, Лев Николаевич! Хорошо! Чем больше работы, чем приятнее...

Тут вошла Софья Андреевна. Когда она снова вышла, Л.Н. сказал:

— А я, когда говорил о «драгунской службе», то разумел другое...

— Да, я потом понял, Лев Николаевич! — сказал я. — Конечно, тяжела, да вам-то ведь еще тяжелее?

— Мне очень тяжело, ужасно тяжело!..

Разговору этому, непонятному без пояснений, предшествовал следующий эпизод.

Как раз перед этим Л.Н. зашел по делу ко мне в «ремингтонную». Он застал там Софью Андреевну, которая довольно давно уже стояла у моего стола и говорила без умолку: о своем прошлом, о детстве своих дочерей, о хороших и плохих гувернантках, живших в доме, и т.д.

Когда вошел Л.Н., она обратилась к нему:

— А я рассказывала Булгакову о *madame Seiron*, как она один раз напилась красного вина и побила Машу по щекам. Я только сказала ей: «Вот мы собрались в Ясную (а мы жили тогда в Москве), ваши сундуки уложены. Все мы едем в Ясную, а вы остаетесь в Москве!..» Я ей больше ничего не сказала. Я ей только это сказала!..

Л.Н. выслушал, потом попросил у меня полученное сегодня письмо Татьяны Львовны, молча повернулся и ушел к себе. А за завтраком пошутил о тягости «драгунской службы».

После завтрака он говорил, что читал последнюю книжку «Русского богатства». Всем-то он интересуется! Хвалил статью о социализме и советовал ее прочитать; прочел вслух воззвание ссыльного на каторге о присылке старых иллюстрированных изданий.

— А остальное всё плохо! — сказал он о журнале.

С Душаном он ездил к Марии Александровне и старался всячески успокоить вконец расстроенную старушку...

Обед. На днях как-то Л.Н. за обедом при подаче третьего из четырех блюд (не сладкого), говорил:

— Право, нам бы нужно в нашем обиходе одно блюдо сократить. К чему оно? Совершенно лишнее.

— Ну что ж, — сказала Софья Андреевна, явно недовольная, — я велю повару готовить три блюда.

Продолжают, однако, готовить четыре блюда. Сегодня за обедом Л.Н. почти ничего не ел; он нездоров — вялость, кашель, плохое состояние духа.

Приходил прощаться уезжающий в Москву Николаев с обоими мальчиками. Л.Н. перецеловал их всех.

Читал вечером книжку Панкратова «Ищущие Бога». Говорил, что материал собран в ней интересный. Кроме того, прочел первый выпуск труда Михаила Сивачева «На суд читателя — записки литературного Макара». Говорил об этой книжке:

— Очень интересно! Это писатель, который обижается, что его произведений никто не читает. Он обращался и ко мне, и ему Татьяна Львовна отвечала. Он меня ругает. Какой-то адвокат дал ему три рубля и хлопотал за него, но он и его ругает... Он очень жалок: больной ревматизмом, живет в нужде... Как писатель он, должно быть, плох. Но книга заставляет задуматься: понимаешь, до какой степени озлобления доходят такие люди! Для чего он пишет? Для поддержания жизни. Он так прямо и говорит. Потом — тщеславие. Описывает, как он — то к Горькому, то к Толстому, то к этому, как его, Цюрикову, Чюрикову... Чирикову! Но очень интересная книга! Я бы вам советовал посмотреть.

Про Л.Н. надо сказать, что для него ничего не значит при выборе чтения имя автора книги, его установившаяся репутация, известность. Он берет всё с надеждой найти интересное и важное, и выводы его всегда беспристрастны и самостоятельны.

29 сентября

Опять приезжала утром Александра Львовна. Отношение Софьи Андреевны к ней внезапно переменилось: сегодня она уже звала как Александру Львовну, так и Варвару Михайловну вернуться из Телятинок в Ясную, обещая забыть о недавней размолвке. Но Александра Львовна непоколебима и продолжает капитально обосновываться у себя на хуторе. Мебель, лошади, собаки, даже попугай с клеткой — всё отправлено из Ясной Поляны в Телятинки.

Такой крутой поворот отношений заметно тревожит Софью Андреевну: Л.Н. остается один в Ясной, отсутствие любимой дочери может отразиться на его настроении.

Он сегодня очень хорош, душевно и физически: весел и бодр.

Софья Андреевна рассказывала о своем сомнении относительно того, печатать или не печатать ей 14-й том собрания сочинений: «Соединение, перевод и исследование четырех Евангелий». Компетентные люди советуют ей по-разному. Л.Н. посоветовал: так как признается, что текст нецензурен, то напечатать весь том точками.

Вынес из кабинета присланную ему из Бельгии книгу «Révélation d`Antoine le Guérisseur»*. Очень хорошо о ней отзывался, говоря, что нашел в ней полное согласие со своими взглядами.

Вслух читал статейку в последнем журнале «Русского богатства» о нужде ссыльных в книгах с картинками. При этом, поджидая Софью Андреевну, которая за чем-то вышла в другую комнату, довольно долго не начинал чтения.

Вообще Л.Н. сегодня очень внимателен и ласков с ней. Это проявлялось во всех мелочах. Как Софья Андреевна рассказывала, принес ей грушу. Во время разговора задавал ей даже вопросы по хозяйству, которым никогда не интересуется как отошедшим от него, чужим делом. За обедом предлагал ей квас. Вечером советовал раньше ложиться спать. Софья Андреевна своим спокойствием, не покидавшим ее последние два дня, невольно вызывает у него непринужденное и доброе к ней отношение. Кроме того, отсутствие дочери заставляет его забывать о рекомендуемой ею, но, видимо, несвойственной ему тактике «неуступчивости» и «строгости»...

Когда после завтрака и чтения Л.Н. ушел к себе, Софья Андреевна, проходя через «ремингтонную», остановилась около маленькой дверки в темный коридорчик и проговорила, обращаясь ко мне:

— Вы делаете нам большое благодеяние, что находитесь у нас.

---

* «Культ антуанистов. Откровение Антуана-целителя».

— Почему?

— Да потому, что с вами не так скучно, и Льву Николаевичу не скучно. Вы очень деликатны. И когда я вас спрашиваю, то вы всегда отвечаете деликатно, но уклончиво. И я вас понимаю. Вы говорите только то, что можете сказать. Я знаю, что вы стремитесь только к тому, чтобы всех умиротворить... Разве я не вижу? Слава Богу, я за шестьдесят пять лет научилась немного понимать людей!..

В самом деле, я, хоть и с трудом, но продолжаю вести в отношении разыгрывающихся событий ту же политику невмешательства, как и сначала. В этом отношении мне служат примером милый Душан Петрович и Мария Александровна. Ко всем решительно окружающим Толстого лицам я не питаю никакого иного чувства, кроме глубокой благодарности за их доброе отношение ко мне. С кем же мне бороться и на чью сторону встать? Нет, я решительно хочу остаться вне борьбы, стараясь только об одном: служить и быть полезным бесконечно дорогому Л.Н. чем могу.

Слава Богу, что Софья Андреевна поняла меня и не сердится за «уклончивость» ответов относительно того, что хотя и бывает мне случайно известно, но что могло бы только раздражить ее и увеличить еще более семейный раздор. Мне поневоле приходится быть дипломатичным: теперь я чуть ли не единственный человек, который свободно посещает оба лагеря — Ясную Поляну и Телятинки — и принимается там и там. Приходится всеми силами следить за собой, чтобы не переносить сору из одной избы в другую. Это очень нелегкое положение.

Ездил верхом с Л.Н. в направлении деревень Дёминки, Бабурина, Мясоедова. Около Бабуриной мы нагнали деревенского мальчишку лет восьми, тащившего огромный, больше себя, мешок с сухими листьями из казенной Засеки, — вероятно, для удобрения или для подстилки, а может быть, на корм скоту. Увидав выехавшего на пригорок Л.Н., мальчишка испугался, побежал, рассыпал листья, упав вместе с мешком, но опять подобрал и потащил тяжелый мешок. А шедшие мимо бабы пугали его:

— Попался, вот так попался! Хорошенько, барин, его!

— Не бойся, ничего я тебе не сделаю! — крикнул мальчишке Л.Н. и проехал мимо.

— А вы в лес? — спросил он у баб.

— В лес, за дровишками. Деньжонок-то нету, купить не на что!

Мы проехали. Одна из баб не утерпела и кинула вслед:

— А вы бы нам деньжонок-то дали!

Другие фыркнули несмело.

А напуганный мальчик между тем успел прийти в себя, остановился, оперся грудью о мешок с листом и уж так хохотал, неизвестно чему, но, видимо, от острого нервного возбуждения, вызванного внезапной сменой чувств: страха — счастьем, что его не преследуют, так хохотал, что невольно заставлял радоваться за себя.

За обедом, между прочим, Л.Н. удивился, что опять подают лишнее блюдо. Софья Андреевна отстаивала это блюдо, ссылаясь на то, что вегетарианский стол должен быть разнообразнее. Как странны эти маленькие несогласия! Ведь я убежден, что Софья Андреевна действует главным образом в интересах самого же Л.Н., отстаивая более взыскательный стол, между тем очевидно, что Толстой требует как раз обратного — умеренности и упрощения.

Вечером он опять читал «Culte antoiniste. Révélation...». Говорил:

— Странная и замечательная книга! В подробностях — путаница, но основные мысли самые глубокие. Конечно, интеллигентный философ пройдет мимо этой книги!..

И Л.Н. прочел, переводя для меня по-русски, биографию Антуана, составленную его последователем, и отрывки из его учения:

— В Бога нельзя верить. Его можно сознавать в самом себе. Надо признать, что Бог — это мы. Признать, что мы хотим, значит — мы можем. — Л.Н. обернулся ко мне: — Достаточно вам этого, чтобы убедиться в глубине книги? — И снова стал читать и, между прочим, прочел одно место о любви к врагам.

— Это притворство! — заметила присутствовавшая тут же Софья Андреевна. — Я этого не понимаю!

— Непонимание предмета еще не опровергает его, — сказал в ответ на это замечание Толстой.

Он привел в пример композитора Чайковского и еще одного музыканта, которые никак не могли понять значения дифференциального исчисления. Чайковский, по мнению Л.Н., очень остроумно сказал по этому поводу: «Или оно глупо, или я глуп».

Потом Л.Н. принес книжку русских народных пословиц и читал вслух лучшие из них.

30 сентября

Л.Н. написал довольно резкое письмо гимназистке 6-го класса.

Говорил:

— Это одна из тех, которые ищут ответа на вопрос о смысле жизни у Андреева, Чехова. А у них — каша. И вот если у таких передовых людей — каша, то что же нам-то делать? Обычное рассуждение. Ужасно жаль!

Вечером поздно Л.Н. пришел в «ремингтонную» из спальни, уже без пояса, стал извиняться и искать глазами на столе.

— Вам письмо барышне? — спросил я, думая, что он хочет в этом письме, которое только что подписал и немножко дополнил, сделать новые дополнения или изменить в нем что-нибудь.

— Да, барышне... Совсем его не нужно... не нужно посылать. Я сейчас серьезно об этом подумал... Бог с ней, еще обидишь ее.

Он просил только послать гимназистке книжки «На каждый день» и написать, что в них она найдет ответы на вопросы.

— А это письмо бросьте!..

Сконфуженный, улыбающийся, но, должно быть, довольный собой, Л.Н. опять с извинениями, что пропала даром моя работа по переписке письма на машинке, скрылся за дверь в свою спальню.

Написал он еще сегодня, кроме всего другого, очень интересное письмо Молочникову. В письме Л.Н. благодарит Молочникова за сообщение сведений о заключенных в тюрьмах Соловьеве и Смирнове и потом пишет: «Какая сила! И как радостно — все-таки радостно за них и стыдно за себя. Напишите, к кому писать о том, чтобы их перевели? От кого зависит? Одно остается, сидя за кофеем, который мне подают и готовят: писать, писать. Какая гадость! Как бы хотелось набраться этих святых вшей. И сколько таких вшивых учителей, и сколько сейчас готовится!»

Был Белинький, который рассказал, что на Брюссельской всемирной выставке устроено было, между прочим, «шествие мудрецов». Мудрецов изображали загримированные и одетые в соответствующие костюмы люди. Среди них были Конфуций, Будда, был и Толстой. Изображавшие знали учения изображаемых и отвечали на вопросы.

— Знамение времени, — сказал Душан, — обращают внимание на религию.

— Ну! — возразил Л.Н. — Напротив, из религии делают комедию.

Говорил еще Белинький о редакторе симбирской газеты Абрамове, в ответ на письмо которого Толстой написал статью «О ложной науке». Абрамов не успевает отсиживать в тюрьме сроки налагаемых на него за «преступления в печати» взысканий. Он очень оригинальный человек: кроме газеты, которую он редактирует из тюрьмы, занимается еще разными ремеслами, прекрасно зная их.

— Нет, — сказал Л.Н., — удивительно то, что для отсиживания в тюрьме ему необходимо двойное время! Обыкновенного уже не хватает, а нужно двуствольное.

О своем здоровье сегодня говорил:

— Я слаб и туг, только читал, целый день ничего не делал.

Вечером он читал статью П.А.Сергеенко о своем детстве и говорил, что воспоминания ему очень приятны.

Оживил его очень приезд Александры Львовны и рассказ ее о «Марке Аврелии». Дело в следующем. Александра Львовна и Варвара Михайловна сидели в своих Телятинках и горевали: как там Лев Николаевич, как грустно, что они не знают, что с ним. А Аннушка, крестьянка, помогавшая им устроиться на новом месте, и говорит:

— А вы бы почитали Марка Аврелия, вот и вся бы ваша печаль прошла.

Тех как громом поразило: какого Марка Аврелия? Почему Марка Аврелия?

— Да так, — отвечает Аннушка. — Книжка такая есть, мне граф дал. Там и говорится, что все мы помирать будем. А коли смерть вспомнишь, так и полегчает. Я всегда, как горе какое на душе: эй, ребята! читай Марка Аврелия!.. Послушаешь, и всё горе пройдет.

Этот рассказ умилил Л.Н., и он всё вспоминал его, повторяя, смеясь, Аннушкино: «Эй, ребята! читай Марка Аврелия!»

— Вот, никогда не знаешь последствий своей деятельности! — говорил он.

Между прочим, сегодня я списал все надписи, сделанные посетителями Ясной Поляны на столбах легкой садовой беседки в парке. Многие стерлись, привожу здесь те, которые сохранились.

Надписи внутри беседки в саду Ясной Поляны:

1. Долой смертную казнь!

2. Да продлится жизнь Льва Николаевича еще столько же.

3. В знак посещения гр. Льва Толстого, как льва ума большого, я руку приложил.

4. Придите сюда все, в борьбе уставшие, и здесь найдете вы успокоение.

5. Сию святую хижину посетил ученик Московского землемерного училища (имя).

6. Смиренный пилигрим заявляет тебе свое почтение.

7. Новый посетитель беседки с почтением к Л.Толстому (имя).

8. Привет гр. Л.Н.Толстому от тульских реалистов.

9. Поклонница таланта графа Толстого отныне и навсегда.

10. Уважение великому, знаменитому старцу.

11. Слава великому, слава!

12. Сейте разумное, доброе, вечное, сейте в мрак и непогоду.

13. Никто не знает правды, не исключая Толстого.

14. Не в силе Бог, а в правде.

15. Слава тебе, показавшему нам свет.

16. Пролетарии всех стран, соединяйтесь и воздайте поклонение гению.

17. После долгих мечтаний, наконец, посетили гения ума человеков.

18. «Рожденные ползать летать не могут». Что же мне написать? Всё так перед тобою тускло и бледно, что невольно опускается рука. Социал-демократ.

19. Сию убогую обитель посетил пилигрим (имя).

20. Богатырю русской мысли, идеалу непротивления зла наше сердечное «благодарю».

21. Слава гению Толстого!

22. Посетили этот чудный уголок (имена).

23. «Молодая Россия». Всероссийский союз учащихся среднеучебных школ.

Вечером я передал копию этих надписей Софье Андреевне, по ее просьбе. Софья Андреевна положила копию на рояль, и тут ее увидал проходивший мимо Л.Н. Он прочел листок и, повернувшись, чтобы уйти, равнодушно обронил:

— Неинтересно...

ОКТЯБРЬ

1 октября

От Московского комитета грамотности пришли книжки для крестьянской библиотеки в Ясной Поляне, маленькие — копеечные, трехкопеечные, восьмикопеечные, в количестве что-то триста с лишним экземпляров.

Л.Н. сел в «ремингтонной» просматривать их, причем вслух делал свои замечания. Присутствовали при этом, кроме меня, еще Гольденвейзер, М.А.Шмидт и Александра Львовна.

— Сколько их, — говорил Л.Н., — даже чересчур много. Какое тут еще «образование»! Григорий Петров... Про него можно сказать, что он «не осаживает обруч до конца». Знаете, пословица есть: «осаживай обруч до конца». «Марья кружевница»... Ах это прекрасный рассказ! А вот Эпиктета нужно, Марка Аврелия... Некрасов, стихи. Я до них не охотник. Сенкевич — это, верно, хорошо. А вот и Эпиктет! «Песенник». И к чему это? Песенники, стихи — у меня прямо отвращение к ним. Любят их? Неужели любят? Очень они вредны: этот соблазн — как умеет сложить стишок, значит у него дарование. О пьянстве... А эти листки о пьянстве, как они действуют! Прямо действуют. То есть как действуют? Ну, если из ста человек, которые их прочтут, один перестанет пить, то и это прекрасно. Кнут Гамсун... Что такое этот Кнут Гамсун? Я его совсем не знаю. Сельма Лагерлеф...

317

Не знаю. Норвежская? Ага! А Марка Аврелия все-таки нет!.. Прямо всё это надо прочесть, надо прочесть... Сколько здесь!

И действительно, вечером Л.Н. взял все книжки к себе в кабинет. Пока я, по его просьбе, ходил за ними вниз, куда их снес было для отправки в библиотеку Душан, Толстой, зашедший в «ремингтонную», стал просматривать лежавшую на столе брошюрку, его «Ответ Синоду». Когда я вернулся, он спросил:

— А что, мне «анафему» провозглашали?

— Кажется, нет.

— Почему же нет? Надо было провозглашать... Ведь как будто это нужно?

— Возможно, что и провозглашали. Не знаю. А вы чувствовали это, Лев Николаевич?

— Нет, — ответил он и засмеялся.

К вечернему чаю долго не выходил. Оказывается, читал рассказ Мопассана «В семье». Когда пришел, передал его содержание и очень хвалил.

— Я так гадко рассказал, — говорил он. — Особенно хорошо изображена здесь эта пошлость жизни... Буду читать Мопассана. Мне предстоит большое наслаждение.

«В семье» — одна из книжечек, присланных Комитетом грамотности. Другая из них, которую Л.Н. тоже прочел, была «Метель» Пушкина.

— Вы помните у Пушкина «Метель»? — обратился он ко мне. — Очень мило!.. Манера письма прекрасная; так ясно, твердо.

Прощаясь, говорил:

— Ах, Мопассан! Прелесть, прелесть! Вы непременно прочтите «Семью». Это напоминает настоящее художественное творчество и манит к себе. Главное, он ничего не преувеличивает, не доказывает: прямо переносит в их душу.

Опять и сегодня был очень оживлен.

2 октября

Кроме Гольденвейзера, приехали Татьяна Львовна, П.И.Бирюков и Сергей Львович.

За завтраком говорили о предстоящем Бирюкову суде за хранение сочинений Толстого. Бирюков приглашал для своей защиты адвоката, так как не считал себя в силах разобраться во всех формальностях процесса*.

Л.Н. говорил по этому поводу:

— Я не знаю даже, как можно об этом серьезно говорить. Все равно, как я не стану серьезно говорить о том, что дети поссорились и подрались между собой или пьяные и один пьяный дал другому по морде. О каких тут статьях закона может быть речь? Просто, без всяких статей, один дал другому в морду, сделал гадость — и только. И лучше совсем не мешаться в эту пьяную компанию.

— Да, — возразил Гольденвейзер, — но когда человеку грозит заключение на полтора года...

— Я понимаю, — ответил Л.Н. — Ну, тогда велеть одному пьяному разбираться с другими пьяными...

Читали вслух письмо некоего Жука. Письмо это Толстой отметил как написанное простым, малограмотным человеком и в то же время постигающим религиозные истины во всей их глубине. Бирюков прочел письмо, полученное им от заключенного в ярославской тюрьме Николая Платонова. О переводе этого Платонова в родной его город хлопотала Татьяна Львовна у губернатора Татищева, ответившего ей, что, по освидетельствованию врачей, Платонов оказался здоровым. В письме к Бирюкову, безыскусственном и бесхитростном, Платонов писал, что при кашле он отхаркивает «кровяные нити». Л.Н. письмо это крайне опечалило. Вспомнил он и недавнее письмо Молочникова с описанием тяжелого положения, в котором находятся заключенные Смирнов и Соловьев...

— Да, вот над чем бы работать, — говорил он минуту спустя. — Не ругать бы правительство! А то ведь это такой трюизм, такая скука. Все равно как спрашивать о здоровье или, как барыни говорят, о «людях». — Он помолчал. — Петр Первый показал жестокость, безумие, распутство власти. Он расширил рамки. Появилась Екатерина. Если можно головы рубить, то почему любовников не иметь?..

За обедом Л.Н. вспомнил письмо Гаврилова о бесполезности помощи босякам. Сказал, между прочим:

— Выйдешь к ним, не можешь удержаться от неприятного чувства, а когда вникнешь...

---

* Судебный процесс состоялся в октябре 1910 года и закончился оправданием Бирюкова.

Сергей Львович рассказывал о своем столкновении с соседом по имению помещиком Сумароковым «из-за волков». Сумароков позволил себе, без разрешения Сергея Львовича, охотиться в «его» лесу на «его» волков.

В одном из самых оживленных мест рассказа Сергея Львовича Л.Н. вдруг спросил у сына:

— А волки ничего не знают?

Сергей Львович сначала опешил, а потом добродушно рассмеялся.

— Нет, ничего не знают! — сказал он.

Потом Л.Н. все-таки увлекся рассказом сына и даже охал на Сумарокова. Заинтересовало его и описание того, как Сергей Львович выпроводил из своего леса великосветскую охоту, приведенную туда тем же злополучным Сумароковым.

— Кто этот Сумароков? — спрашивал Л.Н. — Какой князь Голицын? Это, кажется, светлейший?

Еще два мелких штриха.

Говорили, что кто-то очень здоров.

— А все-таки умрет, — сказал Толстой.

Сергей Львович рассказывал о новой картине художника Орлова: крестьянская изба, мужик с деревяшкой вместо одной ноги сидит на лавке и кормит ребенка, с лавки свешивается рукав солдатской куртки; входная дверь растворена, и в ней — баба с косой*.

— Прекрасная картина, — сказал Л.Н. — Странно, как мы долго с ним (художником. — *В.Б.*) не виделись. Да этого и не нужно.

Он, очевидно, хотел сказать, что испытывает такого рода духовную близость с Орловым, при наличии которой не нужны и личные свидания.

3 октября

— Хорошо вымылись? — встретил меня утром Л.Н. — Значит, с легким паром?

Он знал, что я ночевал в Телятинках и что ходил там в баню.

За завтраком заговорили о сыновьях Сухотина, решивших вырубить часть деревьев в кочетовском парке. Л.Н. возмущался:

---

* Речь о картине Николая Васильевича Орлова (1863—1924) «Утро инвалида».

— Хотят заменить каким-то цветником! Эта мерзость — цветы, которые зарастут крапивой, нужно за ними ухаживать, и деревья — вечная красота!

Очень увлекается сегодня привезенной Татьяной Львовной из Кочетов задачей «о мухе и пауке», всем ее задает и спрашивает решение: на противоположных стенах комнаты определенной длины и ширины сидят муха и паук, муха — на полтора аршина от пола, паук — на полтора аршина от потолка; какое между ними кратчайшее расстояние, которое мог бы проползти паук, чтобы достать муху? Надо сказать, что задача эта решается не сразу и не просто.

Писал сегодня статью о социализме, начатую по совету Душана, для журнала чешских анархистов. Верхом ездил с Душаном. Вернувшись с прогулки, проходил через «ремингтонную».

— Хорошо съездили, без приключений, — улыбнулся Л.Н. и забрал с собой со стола полученную на его имя с сегодняшней почтой книгу.

И ни он ни я никак не предполагали того, что должно было случиться сегодня. Случилось же это вечером.

Л.Н. заспался, и, прождав его до семи часов, сели обедать без него. Разлив суп, Софья Андреевна встала и еще раз пошла послушать, не встает ли. Вернувшись, она сообщила, что в тот момент, как она подошла к двери спальни, она услышала чирканье о коробку зажигаемой спички. Вошла к Л.Н. Он сидел на кровати. Спросил, который час и обедают ли. Но Софье Андреевне почудилось что-то недоброе: глаза его показались ей странными.

— Глаза бессмысленные... Это — перед припадком. Он впадает в забытье... Я уж знаю. У него всегда перед припадком такие глаза бывают.

Она немного поела супу. Потом отодвинула стул, поднялась и снова пошла в кабинет.

Дети — Сергей Львович и Татьяна Львовна — недовольно переглянулись: зачем она беспокоит отца?

Но на вернувшейся Софье Андреевне лица не было.

— Душан Петрович, подите скорее к нему!.. Он впал в беспамятство, опять лежит и что-то такое бормочет... Бог знает что такое!

Все вскочили точно под действием электрической искры. Душан, за ним остальные побежали через гостиную и кабинет в спальню. Там — темнота. Л.Н. лежал в постели, шевелил челюстями и издавал странные, негромкие, похожие на мычание звуки.

Отчаяние и ужас прокрались в эту комнату.

На столике у изголовья зажгли свечу. Сняли с Л.Н. сапоги и накрыли его одеялом.

Лежа на спине, сжав пальцы правой руки так, как будто держит ими перо, он слабо стал водить рукой по одеялу. Глаза его были закрыты, брови насуплены, губы шевелились, точно он что-то пережевывал.

Душан всех выслал из комнаты. Только Павел Иванович [Бирюков] остался там, присев в кресло в противоположном от постели углу. Софья Андреевна, Сергей Львович, я, Татьяна Львовна и Душан, подавленные, вернулись в столовую и принялись за прерванный обед.

Только что разнесли сладкое, прибежал Павел Иванович.

— Душан Петрович, у Льва Николаевича судороги!

Снова бросились все в спальню. Обед велено было совсем убрать. Когда мы пришли, Л.Н. уже успокоился. Бирюков рассказывал, что ноги больного вдруг начали двигаться. Он подумал, что Л.Н. хочется почесать ногу, но, подошедши к кровати, увидел, что и лицо его перекошено судорогой.

— Бегите вниз! Несите бутылки с горячей водой к ногам. Горчичники нужно на икры! Кофею, кофею горячего!

Кто-то отдавал приказания, кажется, Душан и Софья Андреевна вместе. Остальные повиновались и вместе с приказывавшими делали всё, что нужно. Сухонький Душан бесшумно, как тень, скользил по комнате. Лицо Софьи Андреевны было бледно, брови насуплены, глаза полузакрыты, точно веки опухли... Нельзя было без боли в сердце видеть лицо этой несчастной женщины. Бог знает что в это время было у нее на душе, но она не потерялась: уложила бутылки вокруг ног, сошла вниз и сама приготовила раствор для клистира... На голову больного, после спора с Душаном, наложила компресс.

Л.Н. был, однако, еще не раздет. Я, Сергей Львович (или Бирюков) и Душан раздели его: мы с Сергеем Львовичем (или Бирюковым — даже не заметил) поддерживали Льва Николаевича, а Душан заботливо, осторожно, с нежными уговариваниями, хотя больной все время находился в бессознательном состоянии, снимал с него платье...

Наконец его покойно уложили.

— Общество... общество насчет трех... общество насчет трех...

Л.Н. бредил.

— Записать, — попросил он.

Бирюков подал ему карандаш и блокнот. Толстой накрыл блокнот носовым платком и по платку водил карандашом. Лицо его по-прежнему было мрачно.

— Надо прочитать, — сказал он и несколько раз повторил: — Разумность... разумность... разумность...

Было тяжело, непривычно видеть в этом положении обладателя светлого, высокого разума.

— Левочка, перестань, милый, ну, что ты напишешь? Ведь это платок, отдай мне его, — просила больного Софья Андреевна, пытаясь взять у него из рук блокнот. Но Л.Н. молча отрицательно мотал головой и продолжал упорно двигать рукой с карандашом по платку...

Потом... потом начались один за другим странные припадки судорог, от которых всё тело человека, беспомощно лежавшего в постели, билось и трепетало. Выкидывало с силой ноги. С трудом можно было удержать их. Душан обнимал Льва Николаевича за плечи, я и Бирюков растирали ноги. Всех припадков было пять. Особенной силой отличался четвертый, когда тело перекинулось почти совсем поперек кровати, голова скатилась с подушки, ноги свесились по другую сторону. Софья Андреевна кинулась на колени, обняла эти ноги, припала к ним головой и долго оставалась в таком положении, пока мы не уложили вновь Л.Н. как следует на кровати.

Вообще Софья Андреевна производила страшно жалкое впечатление. Она поднимала кверху глаза, торопливо крестилась мелкими крестами и шептала: «Господи! Только бы не на этот раз, только бы не на этот раз!..» И она делала это не перед другими: случайно войдя в «ремингтонную», я застал ее за этой же молитвой.

Александре Львовне, вызванной мною запиской, она говорила:

— Я больше тебя страдаю: ты теряешь отца, а я теряю мужа, в смерти которого я виновата!..

323

Александра Львовна внешне казалась спокойной и только говорила, что у нее страшно бьется сердце. Бледные тонкие губы ее были решительно сжаты.

После пятого припадка Л.Н. успокоился, но все-таки бредил.

— Четыре, шестьдесят, тридцать семь, тридцать восемь, тридцать девять, семьдесят... — считал он.

Поздно вечером он пришел в сознание.

— Как вы сюда попали? — обратился он к Душану и удивился, узнав, что болен.

— Ставили клистир? Ничего не помню. Теперь я постараюсь заснуть.

Через некоторое время Софья Андреевна вошла в спальню, стала что-то искать на столике около кровати и нечаянно уронила стакан.

— Кто это? — спросил Л.Н.

— Это я, Левочка.

— Ты откуда здесь?

— Пришла тебя навестить.

— А!..

Он успокоился. Видимо, он продолжал находиться в сознании.

Болезнь эта произвела на меня сильное впечатление. Куда бы я в этот вечер ни пошел, везде передо мной, в моем воображении, вставало страшное, мертвенно бледное, насупившееся и с каким-то упрямым, решительным выражением лицо. Стоя у постели Л.Н., я боялся смотреть на это лицо: слишком выразительны были его черты, смысл же этого выражения был ясен, и мысль о нем резала сердце. Когда я не смотрел на лицо и видел только тело, жалкое, умирающее, мне не было страшно, даже когда оно билось в конвульсиях: передо мной были только страдания тела. Если же я глядел на лицо, мне становилось невыносимо страшно: на нем отпечатлевалась тайна, тайна великого действия, великой борьбы, когда, по народному выражению, «душа с телом расстается».

Поздно ночью приехал из Тулы доктор (Щеглов), но он уже не видал Л.Н. Душан объяснил ему болезнь как отравление мозга желудочным соком. На вопрос наш о причине судорог приезжий доктор отвечал, что они могли быть обусловлены нервным состоянием, в котором находился Л.Н. в последнее время, в связи с наличностью у него артериосклероза.

Легли спать во втором часу ночи. Я и Душан — поблизости от спальни. Бирюков просидел в спальне до третьего часа ночи.

4 октября

Всё миновало. Ночью Л.Н. спал. Утром проснулся в сознании. Когда Бирюков рассказал ему содержание его бреда — слова «душа», «разумность», «государственность», — он был доволен, по словам Бирюкова.

Софья Андреевна говорит, что болезнь Л.Н. для нее урок, сознается, что одной из причин этой болезни могло быть и ее собственное состояние.

Татьяна Львовна рассказывала мне, что когда она утром вошла к отцу, то он, между прочим, сказал ей, что «борется с Софьей Андреевной любовью» и надеется на успех, уже видя проблески...

По просьбе Л.Н. дочь прочла ему сегодняшние письма. Он говорил, что нужно отвечать и на какие отвечать не нужно. Позвонил мне (не забыл дать условленные два звонка) и поручил ответить на одно письмо, дав подробные указания по этому поводу. Лежит совершенно спокойный, разумный, ясный.

Днем случилось и другое радостное событие (нет худа без добра): Софья Андреевна помирилась с дочерью.

Л.Н. вечером попросил Софью Андреевну позвать меня к нему. Уходя, она напомнила ему, чтобы он не утомлялся.

— Все равно я не могу не думать, — ответил он.

— А вы всё трудитесь, пощелкиваете? — встретил Л.Н. меня, намекая на мое писание на «ремингтоне», по соседству с ним.

— Немного, Лев Николаевич. А что? Вам мешал стук?

— Нет, я только хотел сказать, что вы всё работаете: все болтаются, а вы всё трудитесь.

Просил не переписывать начисто одного письма, потому что он продиктует это письмо совсем иначе. Только затем и звал меня, чтобы сказать это.

— А вы здесь спите? — спросил он, указывая на стену, отделяющую его спальню от «ремингтонной».

— Да, Лев Николаевич, рядом. Вы, пожалуйста, почаще звоните. Я всегда к вашим услугам.

— Спасибо, спасибо... Ну, прощайте!

Бодро, твердо протянул он вперед руку, как и давеча, когда здоровался.

Как страшно вчера было при опасении смерти Толстого, так сегодня радостно его выздоровление.

Звонки Л.Н. Бегу в спальню и останавливаюсь в удивлении: его нет на кровати. Прохожу в кабинет и вижу: сидит в халате на своем обычном месте и занимается. Продиктовал мне письмо Петерсону, религиозные брошюры которого только что читал. Петерсон — последователь очень своеобразного учения Н.Ф.Федорова, бывшего библиотекаря Румянцевского музея в Москве. Между прочим, одним из основных принципов этого учения является вера в телесное воскресение умерших. Петерсон — интеллигентный человек, член окружного суда в городе Верном. Письмо Л.Н. к нему было очень ласковое.

Вечером приехал Петр Алексеевич Сергеенко. Л.Н. вышел в столовую и участвовал в общем живом разговоре.

Сергеенко говорил об отношении науки к вегетарианству. Я рассказал о попытке стать вегетарианцем сына одного из первых «толстовцев», моего друга Рафаила Буткевича; мать приходила в отчаяние от его намерения перестать есть мясо и успокоилась только после того, как врач признал, что это не вредно для ее сына.

Л.Н. сказал:

— Как важно, что сначала вегетарианство принимается на религиозной основе, а потом и обосновывается научно. Наука только тогда сдается, когда уже нельзя иначе. Так и в других вопросах. Например, целомудрие. Наука доказывает тоже, что иначе места на земле не хватило бы.

Сергеенко заговорил о только что умершем бывшем председателе 1-й Думы С.А.Муромцеве. Он восхищался высотой его нравственной личности и выражал удивление, что при этом Муромцев не был религиозным человеком.

— Основа в нем была та же, — сказал Л.Н., — но ее некоторые не сознают, хотя бессознательно поступают согласно с ней. Основа та же, правда. Они находят, что религия — это мистично. Не хотят называть Бога, но сознают его.

Приносят телеграмму. Редакция «Петербургской газеты» просит сообщить о состоянии здоровья Толстого.

— Что же писать? — спрашивает Софья Андреевна.

— Напиши, что умер и похоронен, — смеется Л.Н. Говорил о Ги де Мопассане:

— У него были задатки глубокой мысли, наряду с этой распущенностью, половой. Он удивительно умел изображать пустоту жизни, а уметь это может только тот, кто знает нечто, вследствие чего жизнь не должна быть пустой... Вот как Гоголь, например. Удивительный писатель!

Заговорил Л.Н. о Мопассане в связи с воспоминаниями, в которые пустились Татьяна Львовна и Сергеенко, о том, как они когда-то вместе писали пьесу*. Тип героини пьесы был срисован с умершей в Париже молодой талантливой русской художницы Марии Башкирцевой (автора известного «Дневника»**). Татьяна Львовна вспомнила, как Башкирцева, не называя своего имени, интриговала Мопассана остроумными, интересными письмами; он же отвечал ей письмами грубыми с предложением свиданий и т.д.

Говорил Л.Н., что не понимает современных философствующих писателей: Розанова, Бердяева.

— Чего они хотят? — спрашивал он.

Коснулись вопроса об отношении этих писателей к Владимиру Соловьеву. Л.Н. сказал, что в энциклопедическом словаре читал недавно статью Соловьева по религиозному вопросу и статья ему не понравилась.

Говорили о писателе Арцыбашеве:

— Да, кое-что читал. У него талант. И не меньше, пожалуй, если не больше, чем у Андреева.

Декламировал и хвалил «Silentium» Тютчева, стихи, напечатанные в «Круге чтения».

— Это образец тех стихотворений, в которых каждое слово на месте!

Потом декламировал пушкинские «Когда для смертного...».

— Этот молодой, не удивительно, — говорил Л.Н. о Пушкине, — но Тютчев! Я его видал и знал. Это был старичок,

---

* В 1897 году — пьесу «Сандра» о судьбе актрисы.
** «Дневник» Марии Башкирцевой и ее переписка с Ги де Мопассаном, выходил в «Захарове» в 2015 году.

тихонький, говорил по-французски лучше, чем по-русски, и вот такие стихи писал!..

Оживился вечером, и так хорошо шла беседа. Спросил Татьяну Львовну, когда она едет.

— Через два дня.

— Ну, значит, нам еще можно не танцевать?

— Можно!

Сам предложил завести граммофон.

— Можно, Лев Николаевич, поставить Патти?

— Ну, Патти так Патти!

Однако, уйдя в кабинет, через десять минут запер дверь из гостиной в зал. Только когда раздались звуки его любимого штраусовского вальса «Frühlingsstimmen», снова распахнул обе половинки двери.

6 октября

После болезни Л.Н. еще слаб. Ходил гулять утром. Ни за что не хотел дать Илье Васильевичу вынести ведро с нечистотами, вынес сам, как всегда. Утром позвонил: два звонка. Я пришел, он смеется над сигнализацией.

Показал ему фотографию матери и брата, которую сегодня от них получил.

Л.Н.:

— А-а-а! Это мне очень интересно. Какая она свежая! А он что же?

Я объяснил.

После завтрака Л.Н. пошел было гулять, но вернулся и велел сказать, чтобы седлали лошадей и что он поедет верхом. Сопровождал его я.

— Мы недалеко поедем? — спросил я, когда мы выехали со двора.

— Нет, недалеко. Все-таки мне гораздо легче ехать, чем ходить. И свежим воздухом дышишь. Лошадь смирная, прыгать не буду.

Приехали к обеду Страхов с дочерью, Булыгин и Буланже. За обедом Л.Н. рассказывал, как приходили к доктору Татьяны Львовны в Кочетах мужики. Пришли они из города или из деревни, лежащей совсем возле города. Доктор и спрашивает мужиков, почему же они не ходят к городским докторам.

— Да что, батюшка, те-то уж вовсе жулики! — отвечали мужики.

Конечно, рассказывая, Л.Н. с увлечением смеялся. Но еще больше смеялся он, так что и есть не мог, по другому поводу. Татьяна Львовна была сегодня по делу в Туле. Кто-то спросил, ела ли она там.

— Как же, в Чернышевской.

— Одна?

— О нет! Я без кавалеров не бываю.

Вот это «без кавалеров не бываю» и заставило Л.Н. заразительно смеяться. В смехе этом чувствовалась его любовь к дочери.

Вечером все сидели за чаем. Вошел Толстой. Я встал, чтобы уступить ему место за столом. Он взял меня за руки и стал усаживать.

— Садитесь, голубчик!.. А мускулы у вас есть?

— Пожалуйте! — Я сделал напряжение.

— Есть! — сказал он, пожав мускулы.

Из разговора за чаем отмечу слова Л.Н. по поводу Португальской революции.

— Нужна революция, чтобы уничтожилась эта глупость, когда сидит какой-то король, без всякой надобности!..

Завтра я собираюсь, воспользовавшись выздоровлением Л.Н., отправиться пешком в путешествие верст за сорок — сначала к Булыгиным в Хатунку, а от них еще дальше — к Буткевичам в село Русаново, за Крапивной. Я окончательно решился взять свои бумаги из университета, а так как при этом я предполагаю прочесть студентам реферат против университета, да еще грозят осложнения в связи с призывом на военную службу, то мне и хочется напоследок повидать друзей и проститься с ними.

Л.Н. я предупредил, что отсутствие мое продлится несколько дней.

11 октября

После четырехдневного отсутствия пришел в Ясную. Там писатель Иван Федорович Наживин и жена Ильи Львовича с дочкой, восьмилетней девочкой.

— А, вот он! — встретил меня Л.Н. — Вы не знаете Наживина?

И он представил меня гостю.

Говорили сидя в столовой. Все позавтракали уже. Верхом Л.Н. не поехал ввиду гололедицы.

Особенно оживленный разговор был вечером за чаем. Л.Н. спросил у Наживина, что он пишет. Тот ответил, что последнее время работает над рассказами для детей.

Л.Н.: Я к детской литературе предъявляю огромные требования. Ах, как это трудно! Здесь так легко впасть в сентиментальность. Робинзон — вот образцовая книга.

Наживин: Разве?

Л.Н.: Да как же! Главное, мысль-то глубокая: показывается, что может сделать голый человек, выброшенный на остров, что ему нужно... Невольно является мысль, что для тебя всё это делается другими. Это не я, кажется, еще Руссо говорил, что Робинзон — образцовая книга.

Наживин: Кто-то говорил, что Робинзон вреден, потому что вызывает представление, что человек слишком много может, и этим развивает в детях этакие индивидуальные стремления... Но это уже перемудрил, перемудрил!

Л.Н.: Еще бы!

Потом Толстой просил Наживина прочесть какой-нибудь из его детских рассказов, но у того при себе не оказалось.

Софья Андреевна удивлялась, что крестьяне не берут у нее землю по дешевой арендной плате (семь рублей за десятину на круг). Л.Н. обстоятельно и с исчерпывающей убедительностью показал, чем руководствуются крестьяне и почему им сделка эта невыгодна.

Наживин защищал некоторые стороны Закона 9 ноября о хуторском хозяйстве.

Л.Н. сказал на это:

— Для меня здесь, главное, возмутительно то, что какой-то господин, сделавшись министром, разрушает весь строй крестьянской жизни! А худо ли это, хорошо ли, я никак не могу сказать.

Потом он слушал рассказы Наживина о жизни крестьян на Кавказе и в разных внутренних губерниях.

Был еще у Л.Н. с Наживиным разговор о Пушкине. По взгляду на Пушкина Наживин принадлежит к тем, кто в поэте видит лишь воспевавшего «ножку» и т.д. Он изумился, когда Толстой очень высоко отозвался о Пушкине, и долго сидел молча, видимо пораженный. А потом сообщил, что он сейчас пишет о Пушкине книгу. Что он в ней скажет?

Наживин показался мне умным человеком, но несколько узким, по-сектантски.

Кроме того, он поразил меня своей нетерпимостью и какой-то слепой ненавистью ко всему, что не сходится с его мировоззрением. Социал-демократов он ненавидит, «не пустил бы их в дом», — писал он в одном письме. Из-за двух-трех не нравящихся ему стихотворений готов проглядеть Пушкина. О новейшей литературе слышать равнодушно не может, и тут дело, кажется, не обходится без пристрастия: помилуйте, книги каких-нибудь Андреевых, Арцыбашевых расходятся прекрасно, тогда как его, Наживина, произведения безнадежно залеживаются на полках книжных магазинов!..

После разговора Л.Н. пришел в «ремингтонную», чтобы прочитать мои письма.

— Меня Софья Андреевна наставляет, что я ничего не пишу о Муромцеве...

Я посоветовал ничего и не писать. Л.Н. согласился:

— Да, это 1-я Дума, всё...

Прочел письма. Потом сказал по поводу назначенного мною на завтра отъезда в Москву, с целью повидаться с приехавшей ненадолго из Сибири матерью и выполнить свои намерения относительно университета:

— Так вот вы какие дела предпринимаете!.. Кланяйтесь вашей матушке. Скажите, чтобы она не сердилась на меня, что я вас ни к чему не подговариваю, не наставляю. Тут вот именно — как она говорит, что у вас свой ум есть, — нужен свой царь в голове. Скажите, что человек только тогда и может добиться счастья, когда следует своему непреодолимому душевному желанию... В этом вопросе особенно нужно следить, чтобы не было этого чувства... Не чувства, а соображения о том, что скажут другие. Нужно быть в высшей степени осторожным. Не думайте, что скажут другие: Чертков, или Толстой, или Белинький, или Софья Андреевна. Всё говорит, говорит, а как до дела дошло, так на попятный. И напротив, если делается по непреодолимому душевному желанию, то всякий миг, как вы вспомните об этом, вам будет только радостно.

— Вот я и думаю, что я делаю только по такому желанию.

— Дай Бог, дай Бог!

22 октября

Вернулся из Москвы, где пробыл больше недели. Подал прошение о выходе из университета и уже после подачи прочел в собрании студентов реферат «О высшей школе и о науке».

Со станции проехал сначала в Телятинки, а оттуда вечером, вместе с А.Д.Радынским, отправился в Ясную Поляну. Никогда не забуду сегодняшнего вечера и встречи, оказанной мне.

Когда мы пришли, только что кончился обед. Л.Н. сидел еще на своем обычном месте за обеденным столом, с краю, направо от Софьи Андреевны. Радостным восклицанием приветствовал он меня и Радынского. Я подошел сначала к Софье Андреевне, но чувствовал только его, и сердце мое было переполнено радостью. Но вот я обернулся к нему. Он протягивает мне руку, здоровается и за руку притягивает меня к себе... Наклоняюсь и целую его, и вижу сияющее, бесконечно доброе, дорогое старческое лицо!

Вечер был какой-то особенный. И Радынский после отмечал это. Такое блаженное, тихое счастье, непоколебимое согласие дружбы и братской любви, казалось, царило между присутствующими.

Л.Н. оживленно расспрашивал меня о поездке, о реферате, о встречах, о времяпровождении. Сам рассказывал о полученных в мое отсутствие книгах, об интересных письмах и о посетителях.

— Был Новиков, крестьянин. Вы слышали о нем? Ах, какой умница! Я жалею, что вы не познакомились с ним.

Говорил о книге Николаева «Понятие о Боге как совершенной основе жизни»:

— Эта работа замечательна чрезвычайной добросовестностью. Он не оставил ни одного авторитета по каждому вопросу, чтобы не указать на него, не объяснить его взгляд и не определить своего отношения к нему. Удивительно добросовестная работа! И вместе с тем чрезвычайная ясность! Он четырнадцать лет над ней работал. И, разумеется, — с грустью добавил Л.Н., — о ней никто не будет говорить и никто не будет ее читать...

Надо сказать, что книга П.П.Николаева написана под очевидным и сильным влиянием Толстого. Когда по поводу какого-то места в книге я сказал ему об этом, он улыбнулся:

— Да, я всё забываю, что я писал, и потом мне приятно узнавать...

— Были в театре? — спрашивал меня Л.Н., сидя за шахматами с Радынским. — Я читал «Братьев Карамазовых», вот что ставят в «Художественном театре». Как это нехудожественно! Прямо нехудожественно. Действующие лица делают как раз не то, что должны делать. Так что становится даже пошлым: читаешь и наперед знаешь, что они будут делать как раз не то, что должны, чего ждешь. Удивительно нехудожественно! И все говорят одним и тем же языком... И это наименее драматично, наименее пригодно к сценической постановке. Есть отдельные места, хорошие. Как поучения этого старца, Зосимы... Очень глубокие. Но неестественно, что кто-то об этом рассказывает. Ну, конечно, Великий инквизитор... Я читал только первый том, второго не читал.

Спрашивал:

— Были у Ивана Ивановича (Горбунова. — *В.Б.*)? Он всё печатает листки о пьянстве... Я вспомнил того мужичка, — помните, мы ехали? Вот бы написать! Да только это будет уже в пользу пьянства. Удивительно милый был!..

Л.Н. припомнил мужичка, встреченного однажды нами во время верховой прогулки. Он ехал из города, где продавал овес, и был заметно навеселе. Неестественный румянец во всё лицо и мутные глаза выдавали его. Л.Н. поехал рядом с его телегой и стал добродушно выговаривать ему за пьянство.

— Ведь вот приедешь домой, баба бить будет! — говорил он. — Ведь будет?

— Будет... обязательно будет! — подтверждал мужичок.

В конце концов он согласился с Толстым, что пить совсем нехорошо: и грешно и невыгодно.

Л.Н. потом всё повторял:

— Как же не любить пьяных! Не совсем пьяных, а так, немного...

Между прочим, спросил меня:

— Ваша матушка уехала?

— Да, она благодарит вас за привет, который вы ей со мной послали, она была очень рада...

— Как же, да она близка мне по вас!.. Что ж, значит, Москва — живая?

— Нет, Лев Николаевич, пустая! Я насилу прожил там эту неделю. Эта суета... Театры, так, для развлечения праздных людей. Что ж, лекции?.. Так о «606» и в этом роде...*

Л.Н. сочувственно кивал головой.

Софья Андреевна не сразу поняла меня:

— Как, пустая?! — спросила она. — Народу мало?..

В разговоре Л.Н. вспомнил еще «о тех, что чистят... неприличное место»:

— Разговаривал с ним, и он оказался таким хорошим!.. Был сегодня такой живой — духовно. Удивительно, что совсем не замечаешь его старости.

Оставил меня и Радынского ночевать.

— Внизу хватит места. Ведь вам ничего не нужно. Вы сами всё сделаете так, чтоб не беспокоить прислугу. Чтоб ночевать не как «настоящим господам»: чтоб две простыни были... Вам не нужно ведь? Чтоб не по-барски, не как господам.

26 октября

Отправившись в Ясную, я встретил Л.Н. уже на крыльце, когда он собирался ехать верхом. Он сказал мне:

— Я вам просил передать письмо с ужасным содержанием. Он мне писал, и мы ему отвечали. Он занимается тайным пороком и моим ответом недоволен, говорит, что всё это он знает... Вы прочтите, ужас что такое!.. И называет ряд лиц, какой-то сенатор... Я не знаю, вы прочтите. Я думаю, что надо написать ему, что если он обвиняет, то должен представить какие-нибудь доказательства. Ужасно! А между тем это очень интересно. Мы потом посоветуемся с вами...

Посоветоваться об этом письме мы потом не успели...

Я принес Л.Н. письмо от Черткова, деловое. Давая его мне, Владимир Григорьевич предупредил, что оно не конфиденциальное. Вопрос касался книги Николаева, о которой Чертков писал, что она представляет собой

---

* В Москве 1910 года было 606 ресторанов и трактиров.

переложение взглядов Толстого, и унитарианского вероисповедания, которым на днях, в разговоре, интересовался Л.Н. Он находил, что унитарианцы, подобно другим христианским сектам этого рода, как баптисты, малёванцы*, не доводят свой рационализм до конца.

Софья Андреевна, узнав, что я принес письмо от Черткова, стала просить Л.Н. передать ей его содержание. Он ответил, что письмо делового характера, но что по принципиальным соображениям он не может дать ей его для прочтения.

— Всё хорошо, что он пишет, — сказал мне Л.Н., возвратившись с прогулки. — И о Николаеве хорошо, и о другом...

Л.Н. говорил это в «ремингтонной». Он, должно быть, устал от верховой езды, потому что шел тихо и сгорбившись. Затем он прошел к себе в спальню и затворил за собой дверь.

К сожалению, Софья Андреевна даже под угрозой нового припадка не выдержала своего обещания не нарушать его покоя. Снова — ревность к Черткову, сцены, столкновение с дочерью. И даже хуже: прибавились настойчивые вопросы Л.Н. о том, правда ли, что он составил завещание, требования особой записки на передачу ей прав собственности на художественные сочинения, подозрения, подсматривания и подслушивания... Настроение в доме тяжелое и неопределенное.

Всё упорнее и упорнее среди близких разговоры о возможности в недалеком будущем ухода Л.Н. из Ясной Поляны. Под большим секретом показали мне текст следующего письма Л.Н., на этих днях посланного крестьянину Новикову в село Боровково Тульской губернии:

«Михаил Петрович, в связи с тем, что я говорил вам перед вашим уходом, обращаюсь к вам еще со следующей просьбой. Если бы действительно случилось, что я приехал к вам, то не могли бы вы найти мне у вас в деревне хотя бы самую маленькую, но отдельную и теплую хату, так что вас с семьей я бы стеснял самое короткое время? Еще сообщаю вам, что если бы мне пришлось

---

* Мистическое ответвление баптизма, получившее свое название по имени основателя Кондрата Алексеевича Малёванного (1845—1913).

телеграфировать вам, то я телеграфировал бы вам не от своего имени, а от Т.Николаева.

Буду ждать вашего ответа, дружески жму руку.

Лев Толстой.

Имейте в виду, что всё это должно быть известно только вам одним.

Л.Т.».

Как трогательно выразились в этом письме настоящие, не заходящие далеко пожелания Л.Н.: деревня и «хотя бы самая маленькая, но отдельная и теплая хата»!..

28 октября

Я ночевал эту ночь в Телятинках. Утром сегодня меня зовут в столовую, к Владимиру Григорьевичу. Он сидит на скамейке, опершись спиной на край длинного обеденного стола, и в руках у него записка. Лицо — взволнованное и радостное.

— Послушай, Булгаков, тебе нужно теперь же отправиться в Ясную Поляну! Тебя просят приехать... Сегодня ночью Л.Н. уехал из Ясной Поляны вместе с Душаном, неизвестно куда...

Свершилось!.. То, о чем так много говорили последнее время, чего ждали чуть ли не каждый день и чего многие так желали для Л.Н., — свершилось. Толстой ушел из Ясной Поляны, и, без сомнения, это уход навсегда.

Несмотря на то, что известие не было совершенно неожиданным, оно глубоко и радостно потрясало и волновало. Слишком тяжело было Толстому жить среди семейных дрязг, среди ожесточенной борьбы между близкими за влияние и за рукописи, и притом с постоянным мучительным сознанием несоответствия своего внешнего положения с исповедуемыми им взглядами о любви к трудовому народу, о равенстве, простоте, об отказе от роскоши и привилегий.

Л.Н. ушел так. С вечера 27-го числа в яснополянском доме чувствовалось особенно тяжелое и напряженное настроение. Около двенадцати часов ночи Л.Н., лежавший в постели в своей спальне, заметил сквозь щель в двери свет в своем кабинете и услыхал шелест бумаги. Это Софья Андреевна искала доказательства томившим ее подозрениям о составлении завещания и т.д. Ее ночное посещение было последней каплей, переполнившей чашу терпения Толстого. Решение уйти сложилось у него вдруг и непреложно.

Ночью послышался стук в дверь комнаты, занимаемой Александрой Львовной и Варварой Михайловной.

— Кто там?

— Это я.

Александра Львовна открыла дверь.

Л.Н. стоял на пороге с зажженной свечой в руках.

— Я сейчас уезжаю... совсем. Пойдемте, помогите мне уложиться.

Как рассказывала Александра Львовна, лицо Толстого имело необычное и прекрасное выражение: решимости и внутренней просветленности. Александра Львовна и Варвара Михайловна наскоро оделись и поспешили наверх, в кабинет, где принялись вместе с находившимся уже там доктором Маковицким укладывать вещи и рукописи Л.Н. Он тоже принимал участие в укладке, при этом ни за что не хотел брать с собою тех вещей, какие считал не крайне необходимыми: приспособлений для клизмы (без которой временами трудно обходился), мехового пальто, электрического фонарика. Пришлось усиленно убеждать его не отказываться от этих вещей. Написал письмо к жене, которое вручил Александре Львовне для передачи матери. Письмо гласило:

«Отъезд мой огорчит тебя. Сожалею об этом, но пойми и поверь, что я не мог поступить иначе. Положение мое в доме становится, стало невыносимым. Кроме всего другого, я не могу более жить в тех условиях роскоши, в которых жил, и делаю то, что обыкновенно делают старики моего возраста: уходят из мирской жизни, чтобы жить в уединении и тиши последние дни своей жизни.

Пожалуйста, пойми это и не езди за мной, если и узнаешь, где я. Такой твой приезд только ухудшит твое и мое положение, но не изменит моего решения. Благодарю тебя за твою честную 48-летнюю жизнь со мной и прошу простить меня во всем, чем я был виноват перед тобой, так же как и я от всей души прощаю тебя во всем том, чем ты могла быть виновата передо мной. Советую тебе помириться с тем новым положением, в которое ставит тебя мой отъезд, и не иметь против меня недоброго чувства.

Если захочешь что сообщить мне, передай Саше, она будет знать, где я, и перешлет мне что нужно; сказать же о том, где я, она не может, потому что я взял с нее обещание не говорить этого никому.

28 окт.
Лев Толстой».

Александре Львовне Л.Н. сказал только, что он, вероятно, поедет сначала к своей сестре, монахине Марии Николаевне, в Шамардинский монастырь Калужской губернии. С сестрой он сохранил большую дружбу, несмотря на расхождение с нею в вопросах веры.

Когда кончили укладку, Л.Н. сам отправился на конюшню велеть запрягать лошадей. Но в темноте заблудился, потерял где-то в кустах шапку и вернулся с непокрытой головой.

Тогда-то и вспомнили про электрический фонарик. Пошли все вместе, неся чемоданы. Варвара Михайловна передавала мне, что и в такую минуту Л.Н. проявил свойственную ему черту — бережливость к произведениям чужого труда: он только изредка нажимал кнопку электрического фонарика.

У кучера Адриана Елисеева, запрягавшего в старую пролетку пару лошадей, дрожали руки и пот катился с лица. Л.Н., волнуясь, стал помогать кучеру и сам надел на одну из лошадей уздечку. Он торопился уехать.

Почтарь Филя зажег факел, так как ночь была исключительно темная, и приготовился верхом сопровождать отъезжающих. Отъезжающих было двое: Л.Н. взял с собой своего старого друга Душана Петровича Маковицкого.

В половине шестого утра пролетка тронулась со двора. Адриан доставил Л.Н. и его спутника на станцию Ясенки, откуда они с восьмичасовым поездом отправились на юг.

Когда я утром, часов в одиннадцать, пришел в Ясную Поляну, Софья Андреевна только что проснулась и оделась. Заглянула в комнату Л.Н. и не нашла его. Выбежала в «ремингтонную», потом в библиотеку. Тут ей сказали о его уходе, подали письмо.

— Боже мой! — прошептала Софья Андреевна.

Разорвала конверт письма и прочла первую строчку: «Отъезд мой огорчит тебя...» Не могла продолжать, бросила письмо на стол в библиотеке и побежала к себе, шепча:

— Боже мой!.. Что он со мной делает!..

— Да вы прочтите письмо, может быть там что-нибудь есть! — кричали ей вдогонку Александра Львовна и Варвара Михайловна, но она их не слушала.

Тотчас кто-то из прислуги бежит и кричит, что Софья Андреевна побежала в парк к пруду.

— Выследите ее, вы в сапогах! — обратилась ко мне Александра Львовна и побежала надевать калоши.

Я выбежал во двор, в парк. Серое платье Софьи Андреевны мелькало вдали между деревьями: она быстро шла по липовой аллее вниз, к пруду. Прячась за деревьями, я пошел за ней. Потом побежал.

— Не бегите бегом! — крикнула мне сзади Александра Львовна.

Я оглянулся. Позади шли уже несколько человек: повар Семен Николаевич, лакей Ваня и другие.

Вот Софья Андреевна сворачивает вбок, всё к пруду, скрывается за кустами. Александра Львовна стремительно пролетает мимо меня, шурша юбками. Я бросаюсь тоже бегом за ней. Медлить нельзя: Софья Андреевна у самого пруда. Мы побежали к спуску. Софья Андреевна оглядывается и замечает нас. Она уже миновала спуск, по доске прошла на мостки (около купальни), с которых полощут белье. Вдруг поскользнулась — и с грохотом упала на мостки прямо на спину... Цепляясь руками за доски, поползла к ближайшему краю мостков и перекатилась в воду.

Александра Львовна уже на мостках. Тоже падает, на скользком месте, при входе на них... На ходу скинув теплую вязаную кофту, тотчас прыгает в воду. Я делаю то же. С мостков еще вижу фигуру Софьи Андреевны: лицом кверху, с раскрытым ртом, в который уже залилась, должно быть, вода, беспомощно разводя руками, она погружалась в воду... Вот вода покрыла ее всю.

К счастью, мы с Александрой Львовной чувствовали под ногами дно. Софья Андреевна счастливо упала, поскользнувшись. Если бы она бросилась с мостков прямо, там дна бы не достать. Средний пруд очень глубок, в нем тонули люди... Около берега нам — по грудь.

С Александрой Львовной мы потащили Софью Андреевну кверху, подсадили на бревно козел, потом — на самые мостки. Подоспел лакей Ваня Шураев. С ним вдвоем мы с трудом подняли тяжелую, всю мокрую Софью Андреевну и повели ее на берег.

Александра Львовна побежала переодеться.

Ваня, я, повар потихоньку увлекли Софью Андреевну к дому. Она жалела, что вынули ее из воды. Идти ей было трудно, в одном месте она бессильно опустилась на землю:

— Я только немного посижу!.. Дайте мне посидеть!..

Но об этом нельзя было и думать: необходимо было скорее переодеться... Мы с Ваней сложили руки в виде сиденья, с помощью повара и других усадили Софью Андреевну и понесли. Но скоро она попросила спустить ее.

В дверях дома Софья Андреевна остановилась и велела Ване съездить на станцию и узнать, куда были взяты Л.Н. билеты. Потом переоделась с помощью Варвары Михайловны и экономки Прасковьи Афанасьевны. Опять сошла вниз, боясь, что Ваню задержат. С ним же на поезд № 9, с которым уехал Толстой, она отправила телеграмму такого содержания: «Вернись скорей. Саша». Телеграмму эту Ваня показал Александре Львовне — не из лакейского подхалимства, а из искреннего сочувствия Л.Н. и привязанности к нему. Прислуга вообще не любила Софью Андреевну. Тогда Александра Львовна послала другую телеграмму, вместе с этой, где просила верить только телеграммам, подписанным «Александра».

Между тем Софья Андреевна все повторяла, что найдет другие способы покончить с собой. Силой мы отобрали у нее опиум, перочинный нож и тяжелые предметы, которыми она начала колотить себя в грудь... Не прошло и часа, как снова бегут и говорят, что Софья Андреевна опять убежала к пруду. Я догнал ее в парке и почти насильно увел домой.

На пороге она расплакалась.

— Как сын, как родной сын! — говорила она, обнимая и целуя меня...

Ваня, вернувшись из Ясенок, сообщил, что на поезд № 9 в кассе было выдано четыре билета: два 2-го класса до станции Благодатное (откуда идет дорога в Кочеты к Сухотиным) и два 3-го класса до станции Горбачево (где нужно пересаживаться, чтобы ехать в Шамардино к М.Н.Толстой). Сведения были достаточно неопределенны: Л.Н. мог поехать в том и другом направлении.

Александра Львовна телеграфно вызвала Андрея Львовича, Сергея Львовича и Татьяну Львовну. Кроме того, из Тулы доктора, психиатра, для Софьи Андреевны, положение которой внушало опасения. Из Овсянникова случайно приехала Мария Александровна, которая здесь осталась.

Еще в течение дня приехал из Крапивны, где он находился случайно, Андрей Львович и самоуверенно обещал Софье Андреевне завтра же утром сказать, где находится Л.Н. Хотел действовать через тульского губернатора. Потом пыл его охладел.

29 октября

Всю ночь напролет я не спал и дежурил, сидя в «ремингтонной». Варвара Михайловна ушла спать в три часа утра. Софью Андреевну нельзя было оставить одну.

Поместилась она не в своей комнате, а в спальне Толстого, на его кровати, однако тоже почти не спала. Ходила по комнатам, жаловалась на него, говорила, что не может без него жить и умрет. Под утро сказала мне, что нельзя мучиться больше, чем она; что она чувствует и свою виновность перед Л.Н., и свою беспомощность что-нибудь теперь сделать.

В течение дня приехали Сергей, Илья и Михаил Львовичи, а также Татьяна Львовна. Целый день между съехавшимися детьми идут совещания. Дети, за исключением Сергея Львовича, хотят, чтобы Л.Н. вернулся в Ясную. Но какова же может быть теперь здесь его жизнь!

Илья, Андрей и Татьяна Львовна написали ему в этом смысле письма, которые должна была отвезти отцу Александра Львовна. Сергей Львович тоже написал отцу коротенькое письмо, в котором заявлял, что отец, по его мнению, поступил правильно: положение было безвыходное, и он, уйдя, «избрал настоящий выход».

Очень удивил меня младший сын Льва Николаевича Михаил. Сидя за роялем и наигрывая бравурные мелодии, он заявил, что писать не будет.

— Всем известно, что я не люблю писать! Скажи, — крикнул он в сторону сестры, не отрывая рук от клавиатуры, — что я согласен с Таней и Ильей...

Отец бежал из дома, может быть, подвергая жизнь опасности, а сынок не удосуживается написать ему!..

Вечером явился князь Дмитрий Дмитриевич Оболенский. Он с самого начала заявил, что приехал не как корреспондент, а как человек, близкий семье, однако через несколько минут обратился к семейным с просьбой разрешить ему подробно написать в газетах обо всем происходящем в Ясной Поляне.

— Вся Тула говорит об этом! — сообщил он новость и действительно довольно верно передал подробности событий вчерашнего дня.

— Я думаю, — говорил Дмитрий Дмитриевич (или Миташа, как его называли у Толстых заочно), — что я имею право написать. Я счастлив, что граф всегда был со мною более чем откровенен.

Бедный князь! Видимо, он заблуждался в определении своих отношений с Львом Николаевичем. Последнему он был по большей части скучен, потому что совсем чужд.

Князь мог подать своим сообщением о Ясной Поляне сигнал к ненужной газетной шумихе вокруг имени Толстого. Должно быть, так оно и будет, потому что Софья Андреевна говорила с Оболенским и сообщила ему текст последнего письма Л.Н.

Отношение самой Софьи Андреевны к ушедшему Л.Н., поскольку она его высказывает, теперь носит характер двойственности и неискренности. С одной стороны, она не расстается с его маленькой подушечкой, прижимая ее к груди и покрывая поцелуями, причем причитывает что-нибудь в таком роде: «Милый Левочка, где теперь лежит твоя худенькая головка? Услышь меня! Ведь расстояние ничего не значит!» и т.д. С другой стороны, суждения ее о муже проникнуты злобой: «Это — зверь, нельзя было более жестоко поступить, он хотел нарочно убить меня!» — только и слышишь из уст Софьи Андреевны.

30 октября

Вчера ночью, в двенадцать часов, Александра Львовна и Варвара Михайловна уехали к Л.Н. окольными путями, через Тулу, чтобы замести следы. Знали вчера о предполагавшемся отъезде только Татьяна Львовна, я и старушка Шмидт. Сегодня уехал в Москву Сергей Львович. Илья и Михаил вчера еще разъехались по своим домам. Из детей остались в Ясной лишь Татьяна Львовна и Андрей Львович.

Приходили корреспонденты от разных газет, но Андрей Львович довольно круто и бесцеремонно их выпроваживал, не давая никаких сведений.

Днем я побывал в Телятинках. Узнал, что к Л.Н. в монастырь Оптину пустынь (по дороге на Шамардино) ездил, по поручению Чертковых, Алексей Сергеенко. Он вернулся как раз сегодня. Рассказал, что Толстой бодр и здоров. Виделся с сестрой, которая к решению его покинуть Ясную Поляну отнеслась вполне сочувственно. Известия о Ясной Поляне, привезенные Сергеенко, были Л.Н. очень тяжелы, но тем не менее возвращаться домой он ни в каком случае не хочет.

Софья Андреевна днем умоляла меня поехать с ней отыскивать Л.Н., но я отказался, заявив, что он в своем прощальном письме просит не искать его. Вечером Софья Андреевна отдала приказание пригласить на завтра священника, чтобы она могла исповедаться и причаститься. Меня же просила, если я пойду завтра в Телятинки, сказать Владимиру Григорьевичу, чтобы он приехал к ней: она хочет помириться с ним «перед смертью» и попросить у него прощения в том, в чем она перед ним виновата.

31 октября

Пришла телеграмма из Горбачева, не подписанная, но, очевидно, от Л.Н.: «Уезжаем. Не ищите. Пишу». Другая телеграмма из Парижа, от Льва Львовича Толстого: «Обеспокоен известиями парижских газет, прошу телеграфировать». Полученные сегодня московские газеты уже заключают в себе сведения об уходе Толстого и даже с некоторыми подробностями.

Приехали доктор Беркенгейм и психиатр Растегаев, а также сиделка для Софьи Андреевны. Особенно приятен приезд Григория Моисеевича [Беркенгейма], опытного врача и умного, милого человека, хорошо знающего и понимающего семейные отношения в доме Толстых.

Софья Андреевна до сих пор после отъезда Л.Н. ничего не ест, слабеет и говорит, что хочет так умереть. Если же доктора вздумают употреблять зонд для искусственного питания, то тогда Софья Андреевна грозится «наколоться на нож» («ведь вот — один жест!») или убить себя каким-нибудь другим способом.

Слуга Илья Васильевич передавал мне еще одну интересную деталь, касающуюся Софьи Андреевны и известную только ему, прося меня никому до времени об этом не рассказывать. К ножке кровати Л.Н. Софьей Андреевной давно уже был привязан на незаметном месте православный образок. После отъезда Л.Н. она отвязала образок: оказалось, что воздействие святыни было совершенно противоположно желаемому.

Снова Софья Андреевна просила меня передать Черткову ее просьбу приехать. Просила сказать, что она зовет его «без всяких мыслей». И снова, как в тот памятный день 12 июля, когда она через меня просила Черткова о возврате рукописей и о примирении, снова шел я к Черткову с тайной надеждой, что это примирение наконец состоится. И, увы, снова был разочарован в своем ожидании! Чертков не изменил своему расчетливому и чуждому сентиментальности характеру.

Когда Владимир Григорьевич выслушал просьбу Софьи Андреевны, он было в первый момент согласился поехать в Ясную Поляну, но потом раздумал.

— Зачем же я поеду? — сказал он. — Чтобы она унижалась передо мной, просила у меня прощения?.. Это ее уловка, чтобы просить меня послать ее телеграмму Льву Николаевичу.

Признаюсь, такой ответ и удивил и огорчил меня. Только не желая никакого примирения с Софьей Андреевной и глубоко не любя ее, можно было так отвечать. Боязнь, что Софья Андреевна упросит послать какую-нибудь неподходящую телеграмму? О, это повод слабый, чтобы не ехать! Можно было примириться с ней и во всем сохранить свою позицию. Почему же я мог отказаться поехать вместе с Софьей Андреевной на розыски и в то же время сохранить добрые отношения с ней?

Нет, вражда между самыми близкими Толстому людьми была, к сожалению, слишком глубока. И когда один из них сделал наконец попытку протянуть другому руку, тот отказался принять ее. Между тем нельзя сказать, насколько изменилось бы всё вокруг Л.Н., насколько ему легче стало бы, если бы примирение между Софьей Андреевной и Владимиром Григорьевичем так или иначе было достигнуто! Разумеется, они виноваты, что не сумели достигнуть его раньше. Но тем менее заслуживал оправдания тот, кто отказывался от этого теперь, перед лицом таких важных и тревожных событий. Эта вина тем более непростительна для человека, который считал себя последователем Толстого.

По-видимому, чтобы сгладить впечатления от своего отказа приехать, Владимир Григорьевич просил меня передать Софье Андреевне, что он не сердится на нее, настроен к ней доброжелательно и пришлет ей вечером подробное письмо в ответ на ее приглашение. Всё это были слова, не подкрепленные тем единственным шагом, который можно и должно было сделать в этих условиях. В Ясной Поляне все были удивлены, что я вернулся один. Никто не допускал и мысли, что Чертков мог отказать Софье Андреевне в исполнении ее желания увидеться и примириться с ним. Об ответе его и вообще о моем возвращении решили пока совсем не передавать Софье Андреевне, которая с нетерпением ждала Черткова и сильно волновалась.

Чтобы поправить положение, доктор Беркенгейм вызвался еще раз съездить к Черткову и уговорить его приехать. И он действительно отправился в Телятинки, где пробыл довольно долго. Но и его увещевания не помогли. Чертков все-таки не приехал. Он прислал только с доктором письмо на имя Софьи Андреевны, в котором, в весьма дипломатичных и деликатных выражениях, обосновывал свой отказ приехать немедленно в Ясную Поляну. Письмо прочли Софье Андреевне.

— Сухая мораль! — отозвалась она об этом письме своим словечком и, может быть, была права.

Тотчас она написала и велела отослать Черткову свой ответ. Это было уже вечером.

Характерно и то, что еще днем Софьей Андреевной составлена была телеграмма на имя Л.Н.: «Причастилась. Помирилась с Чертковым. Слабею. Прости и прощай».

Хотя Софья Андреевна подтвердила свое желание позвать назавтра священника, но все-таки послать такую телеграмму Л.Н. было уже нельзя, так как примирение с Чертковым не состоялось.

Ноябрь

Утром в Ясной был Брио, помощник редактора газеты «Русское слово», пожилой господин с мягкими, изысканными манерами. Софья Андреевна сама приняла его, хотя была еще в утреннем костюме. Оказала она ему эту милость после того, как в полученном с сегодняшней же почтой номере «Русского слова» прочла о себе хвалебный фельетон Дорошевича. В разговоре с Брио она передала ему свою точку зрения на события, во всей ее неприглядности. Но мало этого. В газетах она успела прочесть осуждения по своему адресу и восхваления поступка Толстого, и это вывело ее из себя. В присутствии Брио разыгралась некрасивая сцена, с истерическими выкриками и упреками по адресу Л.Н. и Черткова. Софья Андреевна в лиловом шелковом капоте, с распущенными волосами металась по комнате. Успокоить ее было трудно.

Брио проинтервьюировал также детей Толстого, Марию Александровну, меня и других домашних и спешно уехал: надо было составлять статью и сдавать в печать.

Вечером у Чертковых была получена тревожная телеграмма. У Л.Н. жар, забытье. Температура 39,8. Опасается приезда Софьи Андреевны и вызывает Владимира Григорьевича.

Оказалось, что Л.Н. уже выехал из Шамардина и отправился по дороге к Ростову-на-Дону: он предполагал остановиться в Новочеркасске у своих родных Денисенко, но заболел и вынужден был сойти с поезда на станции Астапово Рязано-Уральской железной дороги.

Чертков сегодня же решил ехать к нему. Между тем Софья Андреевна снова звала его, и именно нынче вечером, в Ясную Поляну. Владимир Григорьевич отговорился тем, что «по неотложному делу уезжает в Тулу». Он полагал, что не грешит против правды, отправляясь с Алексеем Сергеенко через Тулу в Астапово.

Ночевал я опять в Ясной. Братья Толстые, частью снова съехавшиеся в Ясной Поляне, просили меня побыть пока там. Благодарили за участие и за помощь в трудное для семьи время.

2 ноября

Владимир Григорьевич прислал в Телятинки телеграмму, что у Л.Н. бронхит и что условия, окружающие больного, благоприятные. Но позднее от него пришла другая телеграмма, в которой значилось, что Толстой болен воспалением легких.

Ясная совершенно опустела. Туда пришла телеграмма от редакции «Русского слова» на имя Софьи Андреевны, открывающая местопребывание Толстого: корреспондент газеты Орлов выследил его во время путешествия. В девять часов утра вся семья, снова собравшаяся в Ясной Поляне, в том числе и Софья Андреевна, а также врач-психиатр и сиделка, выехали в Тулу, чтобы оттуда с экстренным, специально заказанным поездом отправиться в Астапово.

7 ноября

По отъезде Толстых из Ясной я переселился в Телятинки. Чертков, уезжая в Астапово, просил меня о дружеском одолжении: остаться с его больной женой, взволнованной и потрясенной всем происшедшим, и помочь ей, чем могу, в случае необходимости. Таким образом, я оказался снова прикованным к месту моего жительства, между тем как знал, что в Астапове собрались многие друзья и близкие Л.Н., и у меня было сильное желание поехать туда и еще раз, хоть мельком, увидать дорогого учителя.

Неожиданно представился к этому благоприятный случай: надо было отвезти больному теплые и другие необходимые вещи. Анна Константиновна Черткова решила, что отвезти их должен я. Поездку назначили на тот же вечер. Я был счастлив, что скоро увижу Л.Н.

Около 11 часов утра я сидел в кабинете Анны Константиновны и что-то читал ей вслух. Открылась дверь, и вошел Дима. Он быстро направился к матери, протягивая к ней руки.

— Мамочка... милая, — сказал он плачущим голосом, видимо не находя слов. — Ну, что же делать!.. Видно, так надо!.. Это со всеми будет... Мамочка!..

Я слушал и ничего не понимал.

В это время Анна Константиновна поднялась со своего кресла, глядя на сына, слабо вскрикнула и упала навзничь, как мертвая, к нему на руки. Лицо ее было бело как бумага, глаза закрыты. Она лишилась чувств...

Я выбежал в коридор позвать кого-нибудь на помощь и только тут понял: *Толстой — умер!*

347

Именной указатель

Стахович Михаил Александрович (1861—1923) — 83, 96, 104, 175, 214

Стахович Софья Александровна (1862—1942) — 40, 88, 96, 99, 113, 118, 256

Столыпин Петр Аркадьевич (1862—1911) — 61, 118, 214, 278

Страхов Федор Алексеевич (1861—1923) — 17, 52, 78, 99, 104, 105, 220, 223—225, 328

Сухотин Сергей Михайлович (1850—1914) — 8, 14, 20, 21, 28, 35, 40, 41, 44, 46, 47, 49, 50, 52—54, 58—61, 65—68, 79, 82, 85, 86, 97, 99, 106, 155, 165, 167, 169, 170, 178—180, 207, 245, 249, 291, 320

Сухотина-Толстая Татьяна Львовна (1864—1950) — 8, 14, 20, 21, 28, 32, 40, 44, 54, 57, 63, 66, 70, 79, 86, 87, 92, 109, 113, 118, 125, 128, 129, 134, 150, 155, 164—171, 176, 181—186, 226, 232, 233, 235, 246, 248, 264, 277, 278, 309, 310, 318, 319, 321, 322, 325, 327—329, 341, 342

Тапсель Томас (?—1915) — 158, 184—186, 204, 220, 236

Татищев Дмитрий Николаевич (1867—1919) — 287, 319

Токарев Яков Алексеевич (1860—?) — 25—29

Толстая Александра Андреевна (1817—1904) — 84, 89

Толстая Александра Львовна (1884—1979) — 13—15, 19, 43, 53, 80, 97, 98, 102, 103, 112, 122, 151, 194, 206, 214, 215, 226, 227, 233, 245, 257, 261, 270, 277—281, 283—285, 289, 290, 292, 298—300, 302, 304—306, 308, 310, 315, 317, 323, 324, 337—342

Толстая Мария Николаевна (1830—1912) — 249, 338, 340

Толстая Ольга Константиновна, урожд. Дитерихс (1872—1951) — 8, 13, 28, 38, 40, 92, 129, 138, 145, 245, 254, 302

Толстой Андрей Львович (1877—1916) — 8, 13, 20, 21, 88, 174, 188, 191, 254, 341—343

Толстой Илья Львович (1866—1933) — 329, 341, 342

Толстой Лев Николаевич (1828—1910) — почти на каждой странице

Толстой Михаил Львович (1879—1944) — 138, 341, 342

Толстой Сергей Львович (1863—1947) — 76, 188, 196, 197, 204, 232, 240, 256, 318, 320—322, 341, 342

Трояновский Борис Сергеевич (1883—1951) — 63, 95, 97

Трубецкой Павел (Паоло) Петрович (1866—1938) — 190, 198—201, 203—205, 209, 218, 219

Тургенев Иван Сергеевич (1818—1883) — 54, 111, 127, 177, 186

Тютчев Федор Иванович (1803—1873) — 67, 90, 130, 327

Фельтен Николай Евгеньевич (1884—1940) — 38

Феокритова Варвара Михайловна (1875—1950) — 43, 102, 103, 112, 194, 198, 226, 232, 233, 245, 279, 281, 285, 289, 299, 302, 304—306, 310, 315, 337—339, 341, 342

Фет Афанасий Афанасьевич (1820—1892) — 54, 90

Хирьяков Александр Модестович (1863—1946) — 38, 50, 121, 247, 248, 277, 278, 301, 306

Хомяков Николай Алексеевич (1850—1925) — 82

Чайковский Петр Ильич (1840—1893) — 225, 313

Чернышевский Николай Гаврилович (1828—1889) — 147, 160, 172, 191, 329

Чертков Владимир Владимирович (Дима) (1889—1964) — 90—92, 94, 96—98, 107, 113, 139, 140, 142, 145, 191, 197, 198, 201, 204, 240, 282, 347

Валентин Федорович Булгаков
ДНЕВНИК СЕКРЕТАРЯ ЛЬВА ТОЛСТОГО
Л.Н.ТОЛСТОЙ
В ПОСЛЕДНИЙ ГОД ЕГО ЖИЗНИ

Редактор
Анна Алавердян

Верстка
Валерий Кечкин

Оформление обложки,
обработка иллюстраций
Тимофей Струков

Выпускающий редактор
Вероника Рямова

Издатель Ирина Евг. Богат
121069, Москва, Столовый переулок, 4, офис 9
Тел.: (495) 691-12-17, 697-12-35
Наш сайт: www.zakharov.ru e-mail: info@zakharov.ru

Подписано в печать 15.03.2017. Формат 84х108/32.
Бумага писчая. Усл.п.л. 18,48. Тираж 2000 экз. Заказ № 3004.

Отпечатано в АО «Первая Образцовая типография»
филиал «Ульяновский Дом печати»
432980, г. Ульяновск, ул. Гончарова, 14
E-mail prhouse@mv.ru   http://uldp.ru